FRENCH MEANS BUSINESS

A multi-media language course in business French

ANNY KING
University of Cambridge Language Centre

BBC BOOKS

This book is based on material specially recorded in France and on material filmed for the BBC Continuing Education television series *France means Business*, first broadcast from February 1993.
Three 75-minute cassettes are available for sale from booksellers: ISBN 0 563 36400 9
A business pack containing the course book and three cassettes is also available from booksellers:
ISBN 0 563 36753 9
A video language pack containing the TV programmes, an additional tutor video and a video handbook, together with the course book and three cassettes, is available from Autumn 1993 to businesses and educational institutions from
BBC Training Videos, BBC Enterprises Ltd, 80 Wood Lane, London W12 0TT.
UK Sales Office and world sales: 081 576 2361   Canada: 416 469 1505   Australia: 02 331 7744

For information on the full range of BBC language books and cassettes, write to BBC Books, Language Enquiry Service, Room A3116, Woodlands, 80 Wood Lane, London W12 0TT.

PROJECT EDITOR: MADDALENA FAGANDINI
DESIGNED BY ANN SALISBURY
COVER ILLUSTRATION BY PAUL DAVIS
PRODUCER, BBC TV SERIES *FRANCE MEANS BUSINESS:* DAVID WILSON

ISBN 0 563 36343 6

Published by BBC Books, a division of BBC Enterprises Ltd
Woodlands, 80 Wood Lane, London W12 0TT
First published 1993

Typeset in 10/12 pt Bembo by Selwood Systems, Midsomer Norton
Printed and bound in Great Britain by Butler & Tanner Ltd, Frome and London
Cover printed by Clays Ltd, St Ives plc

The author and publishers wish to thank the following for their assistance and for permission to reproduce copyright and photographic material:
Bayard Presse, *Phosphore*, 1992; BNP; Bolloré Technologies; Elisabeth Butet; Cartier; Chambre de Commerce et d'Industrie, Lille-Roubaix-Tourcoing; Véronique Chanoinat; CPLE, Roubaix; Crédit du Nord; Crédit Lyonnais; *L'Express*; France Telecom; French political parties (FN, PCF, PS, RPR, UDF, les Verts); The Guardian; Hôtel Flandre Angleterre, Lille; Leclerc; Monnaie de Paris (French Mint); Nord-Pas de Calais Développement; Sandoz S.A.; Société FCB; la Taverne de Maître Kanter; Trends-Tendances; Verrerie Cristallerie d'Arques.

Every effort has been made to trace all copyright holders, but the publishers will be pleased to make the necessary arrangements at the earliest opportunity if there are any omissions.

Photograph credits: Art Directors/Earl Young *p 106*; Anthony Blake *p 65*; J Allan Cash *p 6*; Diaphor/Robert *p 15*, Diaphor/Bardoux *p 17, 139*, Diaphor/Jour *p 48*, Diaphor/Bastien *p 55*; Eurotunnel/Q A Photos Ltd *p 116*; Mary Evans *p 71 (bottom)*; France Telecom/Reynaud *p 34, 39*; French Railways *p 19*; Impact/Roberts *p 67*, Impact/Corbin *p 71 (top)*; Katz/Craig *p 134 (left)*; Musée d'Art Moderne, Villeneuve d'Ascq *p 89, 104*; Picture Bank *p 63*; Rex Features *p 12*; P J Sainsbury *p 51, 52, 92 (bottom), 95, 109*; Spectrum *p 35, 66*; Sygma/Annebicque *p 134 (right)*; Telegraph Colour Library *p 20*; David Wilson *p 27, 31, 49, 53, 92 (top), 105, 121*; Ville de Lille/Daniel Rapaich *p 115, 141, 143*.

Dédicace: pour Lid

CONTENTS

INTRODUCTION

French means Business has been designed specifically for business people who may have studied French for a year or two in the past and now wish to revise and expand their knowledge of the language. Based on recordings and printed material collected entirely on location in France, the course aims to develop active communication in a variety of business situations, as well as broaden understanding of both the spoken and the written language.

Many of the recordings were carried out in and around Lille, in Nord-Pas de Calais, which may explain a certain bias towards this fast-developing region. A number of interviews have also been taken from the BBC television documentaries **France means Business**, five programmes on French business. The programmes are invaluable for background, while this book and accompanying recordings provide the complete business language course.

French means Business will help you to talk about different aspects of business – from your job and your responsibilities to your company and its products. You will practise making enquiries, obtaining assistance from banks, chambers of commerce and local development corporations. You will prepare a CV and answer a job advert, participate at meetings and entertain business contacts. You will also discover aspects of French life and opinion, from training for business to shoppers' views on 'green' products, from Minitel to what people think about Europe, and from preferred pastimes to politics. Most of the language is *français courant*, natural spoken French – though some people use *français familier*, familiar French, and others *français soutenu*, formal French.

THE UNITS

After a brief introduction to set the scene, each unit begins with authentic material for listening to or reading. The listening symbol 🎧 indicates a recording and gives the track number. Some dialogues marked 🎧 are indicated but not reproduced in the units. These are strictly for listening, and although a transcript is given at the back of the book, you should practise understanding spoken language without written support.

Avez-vous compris? lists key phrases for you to check you've understood the main points. Go back over each item, until you feel the language has thoroughly sunk in, then it's ... **A vous!**

Vrai ou faux? and **Choisissez la réponse qui convient** will help you check general comprehension. **Comment dit-on/diriez-vous en français?** prompts you to work out key phrases in French and will help you practise key language. **Devinez!** helps you to work out how the language functions: you're given examples, asked to deduce the pattern and build similar constructions. **Utilisez votre mémoire!** asks you to remember how to use certain words and phrases, and **Vérifiez vos réponses** suggests you check your answers by going back over the text once again. The **Answers** section on page 158 is also there to help you to make sure you've got things right.

Que savez-vous déjà sur...? focuses your attention on what you already know about a subject; you'll find it easier to understand the French for facts you already know, and so spend more time and energy working out new information.

Communications is for practising and extending the language you've met so far and **Grammaire** explains grammar points as briefly and as visually as possible. Grammar is the key to understanding how a language works and allows you to extend your use of the language according to your own needs. Although the grammar covered in **French means Business** is not comprehensive, all the major points are revised or introduced. You'll find a more complete **Grammar Summary** on page 149, a guide to **Pronunciation** and a **Language Index** (page 157), and a **Glossary** (page 172) of all the words printed in the book.

THE RECORDINGS

Three 75-minute cassettes contain all the conversations and interviews presented in the book, together with pronunciation practice, additional information and plenty of opportunity for you to speak.

LEARNING A LANGUAGE

As you work through **French means Business**, we hope you'll appreciate not only the usefulness of speaking another language and discovering another culture, but also the value and indeed the pleasure to be gained. Learning a language involves more than listening and reading. To be successful, you have to interact with the language being learnt, be involved in the learning process and understand *how* you're learning. The various elements of this course aim to help you in these tasks, whatever your previous experience of language learning, but remember that no language was ever learnt without effort. Remember too that *Impossible n'est pas français!*

1

VOYAGES

Read and listen to the conversations until you feel familiar with the language. Then do the exercises that follow.

A l'hôtel des Flandres, Lille

ON M'A RÉSERVÉ UNE CHAMBRE
Charles Dupont checks in at reception. A room has been booked in advance for him by phone.

Réceptionniste   Bonjour, monsieur!
M. Dupont   Bonjour, mademoiselle. On m'a réservé une chambre avec salle de bains par téléphone.
Réceptionniste   A quel nom, s'il vous plaît?
M. Dupont   Dupont.
Réceptionniste   Dupont . . . Dupont . . . Quel prénom?
M. Dupont   Charles. Charles Dupont.
Réceptionniste   C'est exact. Voilà votre clef. C'est la chambre numéro douze. Alors, c'est au premier étage et l'ascenseur est en face de vous.
M. Dupont   A quelle heure est le petit déjeuner, s'il vous plaît?
Réceptionniste   Alors, le petit déjeuner est servi à partir de sept heures trente jusqu'à onze heures.
M. Dupont   On peut me servir dans ma chambre?
Réceptionniste   Aucun problème. Il suffit de téléphoner à la réception et on vous l'apporte.
M. Dupont   Je vous remercie.
Réceptionniste   Au revoir, monsieur.

l'hôtel (*m*)   *hotel*
la chambre   *room*
la salle de bains   *bathroom*
le nom   *name*
le prénom   *first name*
la clef   *key*
l'étage (*m*)   *floor*
l'ascenseur (*m*)   *lift*
l'heure (*f*)   *hour, time*
le petit déjeuner   *breakfast*

être   *to be*
pouvoir   *to be able to*
apporter   *to bring*

en face de   *opposite*

Make a list of the words and expressions you feel will be particularly useful or relevant to you. Write them in a notebook or, better still, on separate cards and check them through regularly until you feel you really know them.

| A VOUS! | ▶ |

Avez-vous compris? Check the meaning of the following phrases.

on m'a réservé une chambre
à quel nom?
à quelle heure est. . . ?
à partir de. . . jusqu'à. . .
on peut me servir. . . ?
il suffit de. . .

1   Vrai ou faux?

a On a réservé une chambre avec douche à Monsieur Dupont.
b C'est la chambre numéro douze.
c C'est au premier étage.
d Il y a un ascenseur.
e Le petit déjeuner est servi de sept heures à onze heures trente.
f On n'apporte pas le petit déjeuner dans la chambre.

2   Utilisez votre mémoire! Complétez le dialogue suivant.

M. Dupont   On m'................ une chambre avec ....
.... par téléphone.
Réceptionniste   A quel ....?
M. Dupont   Dupont.
Réceptionniste   C'est exact. Voilà votre .... C'est la ....
numéro douze.
M. Dupont   A quelle .... est le petit déjeuner?
Réceptionniste   Alors, le petit déjeuner est servi ....
.... sept heures trente .... onze heures.
M. Dupont   On peut me .... dans ma chambre?
Réceptionniste   Aucun problème.
Vérifiez vos réponses. Ecoutez à nouveau l'enregistrement.

À QUEL NOM, S'IL VOUS PLAÎT?
Evelyne Leclerc checks in later than expected. She'd booked a single room with bath, but finds she's offered one with a shower.

Réceptionniste   Bonjour, madame! Vous désirez?
Mme Leclerc   Bonjour. J'ai réservé une chambre pour une personne avec salle de bains par téléphone.
Réceptionniste   A quel nom, s'il vous plaît?
Mme Leclerc   Evelyne Leclerc.
Réceptionniste   Evelyne Leclerc. . . Evelyne Leclerc. . . Je regrette, Madame Leclerc, mais nous n'avons plus de chambres pour une personne avec salle de bains.
Mme Leclerc   Ah! Mais pourtant, j'ai fait une réservation ferme!
Réceptionniste   Je sais bien, Madame Leclerc, mais votre réservation était pour midi et il est presque seize heures maintenant.

le midi   *midday*

regretter   *to regret, to be sorry*
faire   *to do, make*
savoir   *to know*

une réservation ferme   *a firm booking*

7

l'avion (m)	plane/aircraft
le retard	delay
la grève	strike
la douche	shower
la vue	view
le prix	price
écouter	to listen
avoir du retard	to be late
être désolé(e)	to be sorry
vouloir	to want
donner	to give
prendre	to take
d'accord!	fine!

Mme Leclerc   Mais écoutez, mon avion a eu du retard à cause de la grève.
Réceptionniste   Je suis désolé, mais il y a la Grande Braderie en ce moment et l'hôtel est complet. Si vous voulez, je peux vous donner une chambre avec douche avec vue sur l'Opéra au même prix. C'est d'accord?
Mme Leclerc   D'accord! Je la prends.

Avez-vous compris? Vérifiez le sens des phrases suivantes.
j'ai réservé une chambre pour une personne
je regrette, mais nous n'avons plus de. . .
j'ai fait une réservation ferme
votre réservation était pour. . .
mon avion a eu du retard à cause de . . .
l'hôtel est complet
je suis désolé, mais. . .
si vous voulez, je peux vous donner. . .
au même prix

▶

1   Vrai ou faux?
a Madame Leclerc a réservé une chambre avec douche.
b Elle a fait une réservation ferme.
c Sa réservation était pour seize heures.
d Son avion a eu du retard à cause de la Grande Braderie.
e L'hôtel est complet en ce moment.
f Madame Leclerc prend une chambre avec vue sur l'Opéra.
g La chambre est au même prix.
Ecoutez à nouveau l'enregistrement pour vérifier vos réponses.

2   Utilisez votre mémoire! Without looking at the conversations above, re-order these sentences to make a sensible dialogue. Start with *i*.
a Ah! Mais pourtant, j'ai fait une réservation ferme!
b Je suis désolé(e) mais il y a le Festival du Film en ce moment et l'hôtel est complet. Si vous voulez, je peux vous donner une chambre avec salle de bains avec vue sur l'Opéra au même prix. C'est d'accord?
c Bonjour. J'ai réservé une chambre pour une personne avec douche par téléphone.
d A quel nom, s'il vous plaît?
e D'accord. Je la prends.
f Sandrine Thomas.
g Mais écoutez, mon train a eu du retard à cause de la grève.
h Sandrine Thomas. Je regrette, Madame Thomas, mais nous n'avons plus de chambres pour une personne avec douche.
i Bonjour, madame. Vous désirez?
j Je sais bien, Madame Thomas, mais votre réservation était pour midi et il est presque dix-sept heures maintenant.

Hôtel Flandre Angleterre

la voiture   *car*
le modèle   *model, type*

louer   *to hire*
désirer   *to want, like*
réveiller   *to wake someone up*

ça ira?   *will that be OK?*
si c'est possible   *if possible*

SAVIEZ-VOUS QUE...?

Si vous garez votre voiture sur une double (ou même une simple) ligne jaune, vous aurez un sabot (*wheelclamp*) ou pire vous ne retrouverez pas votre voiture à votre retour! Demandez au Commissariat de Police où se trouve la fourrière (*car pound*). Soyez prêt à payer une grosse amende!!

A VOUS! ▶

Des chiffres

1	un	6	six
2	deux	7	sept
3	trois	8	huit
4	quatre	9	neuf
5	cinq	10	dix

UNE VOITURE POUR DEMAIN MATIN

Fréderic Legrand asks the receptionist to hire him a car for the following morning.

M. Legrand	Bonsoir!
Réceptionniste	Bonsoir, monsieur!
M. Legrand	Vous pouvez me louer une voiture pour demain matin, s'il vous plaît?
Réceptionniste	Oui, bien sûr. Pour quelle heure?
M. Legrand	Pour huit heures, si c'est possible.
Réceptionniste	Mais, oui. Quel type de voiture désirez-vous, monsieur?
M. Legrand	Une voiture de tourisme en modèle simple.
Réceptionniste	Hmmn... Une 205, ça ira?
M. Legrand	Oui, très bien. Vous pouvez me réveiller à sept heures?
Réceptionniste	A sept heures, tout à fait. C'est noté.
M. Legrand	Merci beaucoup. Bonsoir!
Réceptionniste	Bonne nuit, monsieur!

Avez-vous compris? Vérifiez le sens des phrases suivantes.

vous pouvez me louer...?
pour quelle heure?
quel type de voiture désirez-vous?
une voiture de tourisme
vous pouvez me réveiller à...?

1   Devinez! Can you complete the following?

a Une chambre pour **une personne**   *a single room*
    Une chambre pour ....   *a double room*

b au **premier** étage   *on the first floor*
    au deux**ième** étage   *on the second floor*
    au trois**ième** étage   *on the third floor*
    au ....   *on the fourth floor*
    au ....   *on the fifth floor*
    au ....   *on the sixth floor*
    au ....   *on the seventh floor*
    au ....   *on the eighth floor*
    au ....   *on the ninth floor*
    au ....   *on the tenth floor*

Be careful with **quatre, cinq** *and* **neuf**!

2   Que veut Monsieur Legrand? Now you're the receptionist. Fill in the details of his request:

nom ....   **objet** ....   **jour** ....   **heure** ....

9

When working out what to say, avoid translating from the English. Instead, use sentences and expressions you have already met. For example, what would you say when asking if you can have breakfast in your room? Look up dialogue 1, p. 6.

3 Check what you know by taking part in the following conversations.

a You've booked a double room with shower, but is that what you end up with?

Réceptionniste Bonjour! Vous désirez?
Vous *Say hello – the receptionist's a woman – then say you've reserved a double room for one night.*
Réceptionniste A quel nom?
Vous *State your name.*
Réceptionniste Une chambre avec douche ou salle de bains?
Vous *Say you've booked a room with shower.*
Réceptionniste Alors, je peux vous donner la chambre numéro treize... Ah non, je suis désolée, mais je n'ai plus de chambres avec douche.
Vous *Say you made a firm booking.*
Réceptionniste Je sais, mais votre réservation était pour treize heures et il est presque dix-huit heures maintenant!
Vous *You're sorry, but your plane was late.*
Réceptionniste Si vous voulez, je peux vous donner une chambre avec salle de bains.
Vous *Say OK, you'll take it.*
Réceptionniste Bien. Voilà votre clef. C'est la chambre numéro neuf.
Vous *Ask at what time's breakfast.*
Réceptionniste A partir de sept heures jusqu'à dix heures.
Vous *Ask if you can have it in your room.*
Réceptionniste Aucun problème. Il suffit de téléphoner à la réception et on vous l'apporte.

b Now you need a car for tomorrow.
Réceptionniste Bonsoir!
Vous *Say hello, then ask if she can book you a car for tomorrow morning.*
Réceptionniste Bien sûr. Quel type de voiture?
Vous *Say a small car.*
Réceptionniste Une 205?
Vous *Agree with her.*
Réceptionniste Pour quelle heure?
Vous *Say from 9.30am.*
Réceptionniste C'est noté.
Vous *Thank her and say good evening.*
Réceptionniste Bonne nuit!

Seventy plus
Note numbers 70, 80 and 90. In Belgium and Switzerland they say **septante**, **octante** and **nonante**, but in France it's **soixante-dix** (*sixty plus ten*), **quatre-vingts** (*four times 20*) and **quatre-vingt-dix** (*four times 20 plus ten*). When adding to **quatre-vingts** the final **s** is dropped.

Encore des chiffres

10	dix
11	onze
12	douze
13	treize
14	quatorze
15	quinze
16	seize
17	dix-sept
18	dix-huit
19	dix-neuf
20	vingt
30	trente
40	quarante
50	cinquante
60	soixante
70	soixante-dix
71	soixante-et-onze
81	quatre-vingts
90	quatre-vingt-dix
100	cent
101	cent un

Quelle heure est-il?

In France the 24-hour clock is used for official time and timetables. In everyday life, both the 12- and the 24-hour clock are used.

Il est une heure, deux heures	*It's 1 am/pm, 2 am/pm*
Il est treize heures, quatorze heures	*It's 1 pm, 2 pm*
Il est douze heures (midi)	*It's 12 pm (midday)*
Il est vingt-quatre heures (minuit)	*It's 12 am (midnight)*
Il est une heure et quart/une heure quinze	*It's a quarter past one/1.15*
Il est une heure et demie/une heure trente	*It's half past one/1.30*
Il est deux heures moins le quart/une heure quarante-cinq	*It's a quarter to two/1.45*
Il est trois heures moins vingt/deux heures quarante	*It's twenty to three/2.40*

Une montre Cartier

A VOUS! ▶

Expressions de temps

hier *yesterday*
aujourd'hui *today*
demain *tomorrow*
maintenant *now*
le matin *in the morning*
l'après-midi (*m*) *in the afternoon*
le soir *in the evening*
en ce moment *at the moment*

1 Devinez! Look at the examples. How would you write out the rest of the numbers given?

21	vingt et un	31, 41, 51, 61
32	trente-deux	33, 34, 35, 36, 37, 38, 39
72	soixante-douze	73, 74, 75, 76, 77, 78, 79
81	quatre-vingt-un	82, 83, 84, 85, 86, 87, 88, 89
91	quatre-vingt-onze	92, 93, 94, 95, 96, 97, 98, 99

2 How would you say these times?

am	2.30	5.10	8.15	7.20	12.15	8.45
pm	3.35	4.25	9.45	8.32	12.30	20.50

COMMUNICATIONS ▶

This section helps you to practise and extend some of the language you've met so far.

Asking someone to do something for you:
   Vous pouvez me louer une voiture?
   Vous pouvez me réveiller à sept heures?

You could also say:
   Vous pouvez m'expliquer. . . ?
   Vous pouvez m'indiquer. . . ?
   Vous pouvez me donner. . . ?
   Vous pouvez me dire. . . ?

expliquer *to explain*
indiquer *to indicate, tell*
dire *to tell*

You can ask a question simply by putting a query in the tone of your voice.

Saying you're sorry and giving excuses:
   Je regrette mais nous n'avons plus de chambres.
   Je suis désolé(e) mais l'hôtel est complet.

You could also say:
> Je suis désolé(e) mais c'est impossible/ce n'est pas possible.
> Je regrette mais je ne peux pas/j'ai beaucoup de travail.

Saying you agree:
> oui;   oui, bien sûr;   oui, très bien;   tout à fait;   d'accord.

More ways of expressing agreement:
> *strong*   certes!;   absolument!;   bien entendu!
> *neutral*   sans doute;   en principe;   si vous voulez.

A VOUS!

la ville   *town, city*
l'horaire (*m*)   *timetable*
la gare   *railway station*
le monde   *world*

demander   *to ask*
connaître   *to know*

1   You need to ask some questions.
Example: Demandez à quelqu'un de vous réveiller à six heures.
>   *Vous pouvez me réveiller à six heures, s'il vous plaît?*

Demandez à quelqu'un de:
a vous louer une 205; *b* vous expliquer comment aller au centre-ville; *c* vous indiquer comment aller à l'Opéra; *d* vous dire à quelle heure est le petit déjeuner; *e* vous apporter le petit déjeuner à sept heures; *f* vous réserver une chambre avec douche; *g* vous réserver une table dans le restaurant; *h* vous donner le menu; *i* vous donner l'horaire des trains; *j* vous indiquer comment aller à la gare.

2   Say you're sorry, but:
a your train was late; *b* it's impossible now; *c* you can't in the evening; *d* the hotel is full; *e* the plane's late; *f* we haven't any more small cars.

3   Agree with the following according to how you feel about them:
a L'Opéra Bastille est superbe! *b* Le Taj Mahal est magnifique! *c* Le métro parisien est l'un des métros les plus modernes du monde. *d* Brigitte Bardot est l'actrice française la plus connue. *e* Paris est la plus belle capitale du monde. *f* Les trains en France arrivent toujours à l'heure.

L'Opéra Bastille, Paris

Ça fait 95 francs

l'aéroport (m)   *airport*
les bagages (m pl)
    luggage
le coffre   *boot (of car, taxi)*
le supplément   *additional charge*

aimer   *to want* (lit. *to love*)
mettre   *to put*
coûter   *to cost*

à peu près   *more or less*
combien. . . ?   *how much . . . ?*
ça fait. . .   *that comes to . . .*

A vous de trouver! Listen to the recording and work out how many people are involved, where the action takes place and where people are going.

1   Choisissez la réponse qui convient. Choose the correct answer.
a Qui parle?   *i* Un homme et une femme.   *ii* Deux hommes.
iii Deux femmes.
b Où sont-ils?   *i* A l'aéroport.   *ii* Dans un taxi.   *iii* A l'hôtel.
c Où vont-ils?   *i* A l'aéroport.   *ii* A l'hôtel.   *iii* Au bureau.

2   Comment diriez-vous en français?
a I would like to go . . . ;   *b* Can I . . . ?;   *c* What do I owe (give) you?
Ecoutez à nouveau l'enregistrement pour vérifier vos réponses.

Saying you want/would like to do something:
    J'aimerais aller à l'aéroport, s'il vous plaît.

You could also say:
    Je voudrais aller à l'aéroport. . .
    J'aimerais louer une voiture.

Asking if you can do something:
    Je peux mettre mes bagages dans le coffre?

You could also say:
    Je pourrais mettre mes bagages. . . ?
    Ça va si je mets mes bagages. . . ?
    Ça vous dérange si je mets mes bagages. . . ?

COMMUNICATIONS ▶

SAVIEZ-VOUS QUE . . . ?
Dans un taxi on peut payer
● en espèces
● par chèque
● par carte de crédit (par exemple
    la Carte Bleue)

A VOUS! ▶

1   Follow the example to practise saying what you'd like to do.
    Vous voulez aller à la gare.
    J'aimerais/je voudrais aller à la gare, s'il vous plaît.

a Vous voulez téléphoner à Lausanne.   *b* Vous voulez une chambre pour une personne avec douche.   *c* Vous voulez avoir le petit déjeuner dans votre chambre.   *d* Vous voulez louer une Citroën BX.   *e* Vous voulez une réservation pour le TGV Paris–Lyon.

2   Vous voulez quelque chose. Que dites-vous? What do you say?
a Vous êtes dans un train. Il fait chaud. Vous voulez ouvrir la fenêtre. Que dites-vous?
b Vous êtes au restaurant. Vous voulez le menu. Vous appelez le garçon. Que demandez-vous?
c Vous êtes dans un petit hôtel. Vous voulez la clef extérieure. Que demandez-vous?

13

d Vous êtes à l'aéroport. Vous voulez enregistrer vos bagages tout de suite. Que dites-vous?

e Vous réservez des places de théâtre par téléphone. Vous voulez payer par Carte Bleue. Que dites-vous?

le moyen	*way*
la station	*(underground) station*
le carnet	*booklet (of tickets)*
le bureau de tabac	*tobacconist's*
le distributeur	*ticket machine*
la maison	*house*
le conseil	*advice*
la soirée	*evening*
aller	*to go*
savoir	*to know*
descendre	*to get off*
acheter	*to buy*
suivre	*to follow*
souhaiter	*to wish*
remercier	*to thank*

Lille by night

Frédéric Legrand first asks the receptionist at his hotel how best to get to Villeneuve d'Ascq, then where to go in Lille in the evening. Listen to the recording as many times as you need to, check the meaning of the vocabulary and expressions listed and then answer the questions.

a What's the simplest way to get to Villeneuve d'Ascq? *b* Does the Lille underground system employ drivers? *c* Where can you buy a booklet of tickets? *d* Where will you find the old Flemish houses?

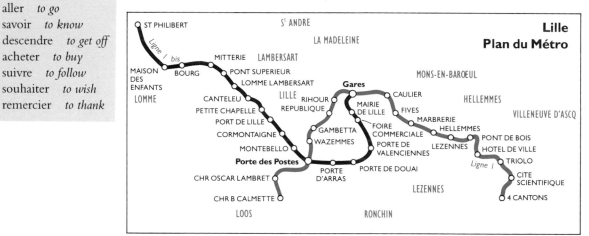

A VOUS!

Complétez les réponses. Complete the answers.

a Quel est le moyen le plus simple pour aller à Villeneuve d'Ascq?
Le moyen le plus simple, c'est de ....

b Où est la station de métro?
Elle est à ....

c A quelle station faut-il descendre?
Il faut descendre à ....

d Où est-ce qu'on achète les tickets?
On achète les tickets dans .... ou dans des .... dans chaque station.

e De quel siècle date le vieux Lille?
Le vieux Lille date du ....

f Que dit la jeune femme sur le vieux Lille?
Il a été ....

SAVIEZ-VOUS QUE...?
Dans un bureau de tabac on peut acheter du tabac, des cigarettes, des briquets, des chocolats, des bonbons, des cartes postales, des timbres et aussi des tickets de métro.

VAL, métro de Lille

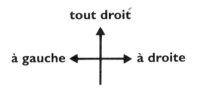

tout droit

à gauche ← → à droite

Asking for directions:
   Vous pouvez m'indiquer le moyen le plus simple pour aller à Villeneuve d'Ascq, s'il vous plaît?

You could also ask:
   Pour aller à Villeneuve d'Ascq, quel est le chemin le plus court/la route la plus directe?
   Comment fait-on pour aller à la gare/au bureau/aux bâtiments?

Au, à la, à l', aux *(at/to the)*

singular	
le bureau (*m*)	**au** bureau
la gare (*f*)	**à la** gare
l'hôtel (*m*) **l'**avenue (*f*)	**à l'**hôtel **à l'**avenue

In the plural you use **aux:**

Je vais **aux** bureaux de...
Je vais **aux** magasins.

Understanding directions:
   Vous prenez la direction..., vous descendez à...
   Vous suivez l'avenue/l'autoroute/la rue, etc.
   Vous prenez la sortie numéro.../la première à droite.
   Vous allez tout droit!

   Le plus simple/**Le plus** court... **c'est de** + *infinitif.*
   Le plus simple c'est de prendre le métro.

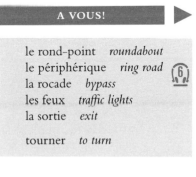

le rond-point   *roundabout*
le périphérique   *ring road*
la rocade   *bypass*
les feux   *traffic lights*
la sortie   *exit*

tourner   *to turn*

1   Demandez comment aller aux endroits suivants. Ask how to get to the following places:
a l'Opéra;   *b* Roubaix;   *c* le métro;   *d* l'hôtel des Flandres;
e l'aéroport;   *f* le musée d'art moderne;   *g* les bureaux de l'APIM.

2   Vous êtes au téléphone: écoutez les directions et prenez des notes. Listen to the recording and write down the directions. You'll find them on p. 159.

Grammar is the key to understanding how the language works.
Quel/Quelle means *what* or *which?*

● **Quel/Quelle**	*singular*	*plural*
un nom	**quel** nom?	**quels** noms?
une voiture	**quelle** voiture?	**quelles** voitures?

- **On** is used a lot in French. It can mean *he, she, you, they, one* or *we*:
  On peut me servir. . . ?
  On vous l'apporte. . .
  On peut payer. . . ?

It's also used for the passive form:
  On m'a réservé une chambre.

- **Le passé composé** (*see p. 153*)

avoir + participe passé		(*to have + past participle*)
j'**ai**	réserv**é**	une chambre.
tu **as**	téléphon**é**	à Londres?
elle/il/on **a**	tourn**é**	à gauche.
nous **avons**	lou**é**	une voiture.
vous **avez**	enregistr**é**	vos bagages?
elles/ils **ont**	expliqu**é**	le chemin le plus court.

The above are past participles of verbs ending in **–er** in the infinitive; for past participles of verbs ending in **–ir** and **–re**, see p. 152.

Not all past participles follow the regular pattern, e.g.:

faire	*pp* **fait**	prendre	*pp* **pris**	devoir	*pp* **dû**
pouvoir	*pp* **pu**	mettre	*pp* **mis**	avoir	*pp* **eu**
vouloir	*pp* **voulu**	dire	*pp* **dit**	être	*pp* **été**

In the **Glossary**, irregular past participles are given with the infinitive form of the verbs.

Some verbs form the perfect tense with **être** (*to be*):

être + participe passé (*to be + past participle*)	
je **suis**	all**é**/all**ée**.
tu **es**	ven**u**/ven**ue**.
il/elle **est**	entr**é**/entr**ée**.
on **est**	arriv**é(s)**/arriv**é(e)s**.
nous **sommes**	mont**és**/mont**ées**.
vous **êtes**	descend**us**/descend**ues**.
ils/elles **sont**	rest**és**/rest**ées**.

Note that with **être**, the past participle agrees with the subject: **–e** is added when the subject is feminine, **–s** when it's plural.

- **Pronoms:** **le, la, les** (*it/them*)

Vous prenez	**le** métro?	Oui, je **le** prends.
	la chambre?	Oui, je **la** prends.
	les tickets?	Oui, je **les** prends.

Note that the pronouns come directly before the verb.

La Grande Braderie

1   Que s'est-il passé? You visited Lille during the Grande Braderie trade fair. Make sentences from each group of words to tell your friends what happened.

a Je, réserver, chambre, téléphone.
b Je, louer, voiture, l'aéroport.
c Je, arriver, tard, l'hôtel, grève, l'aéroport, l'hôtel était complet!
d Je, aller, autre hôtel, même chose, hôtel complet!
e Je, demander, pourquoi, hôtels étaient complets.
f Réponse: .... Alors j'ai passé la nuit dans la voiture!

2   Complétez les dialogues suivants.

a Je n'ai plus de chambres pour une personne avec douche, mais je peux vous donner une chambre pour une personne avec salle de bains.
D'accord! Je ....
b Vous aimez les petits hôtels de style flamand?
Oui, je ....
c Je peux avoir le petit déjeuner dans ma chambre?
Bien sûr! Il suffit de téléphoner à la réception et on vous ....
d Et le coup de téléphone à Londres, vous l'avez fait?
Non, je .... maintenant.
e Tu as réservé la chambre d'hôtel?
Je .... demain.
f A propos, tu as rapporté les livres de bibliothèque?
Non, mais je .... demain.
g Tu as loué la 205 pour demain?
Non, mais je .... cet après-midi.
h Et les tickets de métro?
Ça va, je .... au distributeur automatique.

LE TGV (Train à Grande Vitesse)

Que savez-vous déjà sur le TGV? Before reading the publicity material, choose which you think are the right answers.

a Quelle vitesse?   *i* 270 km/h   *ii* 300 km/h   *iii* 350 km/h
b Quel financement?   *i* SNCF   *ii* sociétés privées
c La première ligne mise en service?   *i* Paris–Lille   *ii* Paris–Lyon *iii* Paris–Bordeaux
d Quelles voies utilise le TGV?   *i* voies spéciales   *ii* voies classiques *iii* les deux
e Quelles classes?   *i* 1ère *ii* 2ème *iii* les deux
f Combien de voyageurs transportés entre 1981–88?   *i* 17 millions *ii* 90 millions   *iii* 206 millions
g Faut-il faire une réservation?   *i* oui   *ii* non   *iii* si on veut.

la SNCF: Société Nationale des
    Chemins de fer français
la vitesse   *speed*
la ligne   *line*
la voie   *track*

1

l'étape (f)   *stage*
l'abonnement (m) spécial
    special season ticket
la restauration   *catering*
le coffret-repas   *prepared tray*

être apte à   *to be suitable for*
atteindre   *to reach*
rouler   *to go, run (on tracks)*

effilé(e)   *streamlined*
cependant   *nevertheless*
entre   *between*
parcourus   *travelled*

parmi lesquelles   *among others,*
    including
régulièrement   *regularly*
obligatoire   *obligatory*
fumeur   *smoking*
non-fumeur   *non-smoking*

Now read these brochure extracts and check your answers.

Le TGV (Train à Grande Vitesse) est le train le plus rapide du monde en service commercial. Depuis 1981, sa silhouette orange, effilée, traverse chaque jour le quart Sud-Est de la France atteignant une vitesse de 270 km/h.

Le TGV atteint ses performances optimales sur des voies spécialement dessinées et équipées pour lui. Il est apte cependant à rouler sur les lignes classiques.

17 millions de voyageurs
transportés en 1987

90 millions de voyageurs transportés entre septembre 81 et juin 88, 206 millions de kilomètres parcourus au 31 mai 88.

LE TGV SUD-EST
PARIS-LYON EN 2 HEURES
Septembre 1981: première étape du TGV Sud-Est avec la partie sud de la ligne nouvelle et des relations directes entre Paris et une douzaine de villes, parmi lesquelles Lyon (Paris-Lyon en 2 h 40), St-Etienne, Dijon, Besançon et Genève en Suisse.

FINANCEMENT
Comme le TGV Sud-Est, le TGV Nord et l'Interconnexion seront entièrement financés par la SNCF.

UN TRAIN POUR TOUS
La grande vitesse est accessible à tous.

Les réductions sociales et commerciales s'appliquent également aux voyages en TGV. La SNCF a même créé des abonnements spéciaux pour ceux qui l'utilisent régulièrement.

TOUJOURS PLUS DE CONFORT
La réservation obligatoire permet de mieux adapter l'offre à la demande et de garantir un voyage confortable. Il est possible de choisir entre place fumeurs ou non-fumeurs et, en 1ère classe, de commander le repas à la place.

RESTAURATION A LA CARTE
Voiture-bar-brasserie, restauration à la place en 1ère classe, coffrets-repas en 2e classe.

SNCF

UN TRAIN POUR TOUS

PARIS—LYON EN 2 HEURES

Restauration à la carte

Rentabilité financière

TOUJOURS PLUS DE CONFORT

ECONOMIES D'ENERGIE

Réussir une performance quotidienne

Rapprocher les hommes

Le train le plus rapide du monde

TGV ATLANTIQUE

270 KM/H

Repousser les limites technologiques

A VOUS! ▶

1   Publicité TGV
Trouvez le sens des titres ci-dessus.

2   A l'aide de quelques titres et des articles ci-dessus, écrivez en français votre propre publicité TGV. Utilisez les suggestions données ci-dessous pour vous aider.

Caractéristiques importantes: la vitesse; la durée du voyage; le coût (finances); le confort; les aménagements intérieurs; l'environnement; les économies d'énergie.

Infos utiles

Compostez votre billet!
Don't forget to date-stamp your railway ticket before boarding a train. If you don't, once on the train, you may have to pay a fine to the ticket controller. Seat reservations must also be date-stamped and it's advisable to stamp each ticket separately.

Bonjour, monsieur! Bonjour, madame!
When greeting people, or saying goodbye, the French always add **monsieur, madame** or **mademoiselle**. When joining or leaving a group of people at a meeting, or in a shop, it's customary to add **messieurs-dames: Bonjour, messieurs-dames!** Or just: **Messieurs-dames!**

2

PREMIERS CONTACTS

Au téléphone

Frédéric Legrand rings Victor Durrieux to confirm a meeting and find out how to get to his office. As you listen to the recording, practise writing down the directions. Check them afterwards against the printed dialogue.

parler à   *to talk to*

quand   *when*
à propos   *by the way*
à demain matin   *see you tomorrow morning*

M. Legrand   Allô! Je pourrais parler à Monsieur Durrieux, s'il vous plaît? ... Monsieur Durrieux? Frédéric Legrand à l'appareil. ... Oui, tout s'est très bien passé. On se voit toujours demain matin à neuf heures et demie dans votre bureau, c'est ça? ... A propos, comment fait-on pour aller de l'hôtel des Flandres à votre bureau? ... Attendez, je note. (*writes down the directions*) D'accord... Très bien. Donc, je récapitule. Je prends le périphérique direction Roubaix, puis la rocade vers Dunkerque et quand j'arrive au rond-point, je prends la première à droite, c'est ça? ... D'accord, merci. Alors, à demain matin.

A l'accueil

C'EST À QUELLE HEURE LE RENDEZ-VOUS?

Michelle Depardieu arrives for her meeting with François Mullon of the sales department she's visiting.

le rendez-vous   *meeting*
le service des ventes   *sales department*

Réceptionniste   Bonjour, madame. Vous désirez?
Mme Depardieu   Bonjour. Je suis Michelle Depardieu et j'ai rendez-vous avec Monsieur Mullon du service des ventes.

s'asseoir	to sit down
attendre	to wait
suivre	to follow

Réceptionniste Un petit instant... (*he calls the sales office*) Allô? Ici la réception. J'ai Madame Depardieu pour Monsieur Mullon... (*to Ms Depardieu*) C'est à quelle heure votre rendez-vous avec Monsieur Mullon, madame?

Mme Depardieu A dix heures quinze.

Réceptionniste A dix heures quinze. Bien, merci. Voulez-vous vous asseoir quelques instants, je vous prie, Monsieur Mullon arrive.

M. Mullon Bonjour, Madame Depardieu. Je suis vraiment désolé de vous avoir fait attendre.

Mme Depardieu Mais je vous en prie.

M. Mullon Si vous voulez bien me suivre dans mon bureau...

🎧(3) OÙ GARER LA VOITURE?

Frédéric Legrand has arrived for his appointment, but needs to park his car.

le bâtiment	building
le panneau	sign
garer	to park
derrière	behind

Réceptionniste Bonjour, monsieur.

M. Legrand Bonjour, mademoiselle. Je représente la société Legrand. J'ai rendez-vous avec Monsieur Durrieux à neuf heures et demie. Où est-ce que je pourrais garer ma voiture, s'il vous plaît?

Réceptionniste Alors, dans le parking juste derrière le bâtiment. Vous suivez simplement le panneau «Visiteurs» et vous y êtes.

M. Legrand Bien. Je vous remercie.

🎧(4) UNE DEMI-HEURE DE RETARD...

Jean-Pierre Deschamps is stuck in traffic. He rings to say he's going to be late.

la voie	route/road
la circulation	traffic
la déviation	diversion
les travaux (*m pl*)	works
prévenir	to warn
avoir du retard	to be late

M. Deschamps Allô! Ici Jean-Pierre Deschamps à l'appareil. Est-ce que vous voulez prévenir Philippe Dutronc de mon retard? Je suis en effet sur la voie rapide, y a plein de circulation et il y a une déviation qui a été mise en place à cause des travaux TGV, donc j'aurai environ une demi-heure de retard... Merci.

Avez-vous compris? Vérifiez le sens des phrases suivantes.

j'ai rendez-vous avec...

voulez-vous vous asseoir quelques instants?

je suis vraiment désolé de vous avoir fait attendre

à l'appareil

plein de circulation

j'aurai environ une demi-heure de retard

Note y a=il y a

A VOUS! ▶

1 Quelle est la réponse qui convient? Which is the correct answer?
a Madame Depardieu arrive à l'accueil. Que fait-elle? *i* Elle monte voir Monsieur Mullon. *ii* Elle attend Monsieur Mullon.

b A quelle heure est son rendez-vous avec Monsieur Mullon? *i* A dix heures quinze. *ii* A douze heures quinze.
c Que fait Monsieur Mullon quand il arrive? *i* Il se présente. *ii* Il s'excuse.
d Que demande Monsieur Legrand à l'accueil? *i* Où est-ce que je pourrais garer ma voiture? *ii* Où est-ce que je pourrais trouver le parking?
e Pourquoi est-ce que Monsieur Deschamps a téléphoné? *i* Pour prévenir du retard. *ii* Pour s'excuser du retard.
f Pourquoi est-ce qu'il a du retard? *i* A cause de la circulation sur la voie rapide. *ii* A cause des travaux TGV.
Relevez dans les textes les phrases appropriées.

2 Utilisez votre mémoire! Complétez les dialogues suivants. Puis, écoutez à nouveau les enregistrements 2 et 3 pour vérifier vos réponses.
a Bonjour. Je suis Michelle Depardieu et j'ai ....
Monsieur Mullon du ....
Un petit instant. . . C'est .... votre rendez-vous avec Monsieur Mullon, Madame?
A ....
.... Bien, merci. Voulez-vous vous asseoir quelques instants, je vous prie. Monsieur Mullon ....
Bonjour, Madame Depardieu. Je .... de vous avoir fait attendre.
Mais ....
Si .... me suivre dans mon bureau?
b Bonjour, mademoiselle. Je .... Legrand. J'ai
.... Monsieur Durrieux à ....
.... Où est-ce que je .... , s'il vous plaît?
Alors dans le parking, juste .... Vous suivez simplement le panneau .... Et vous y êtes.
Bien. Je ....

3 Mettez les phrases suivantes dans le bon ordre. Re-order the following phrases, starting with *d*.
a Merci! *b* Je suis sur le périphérique nord, *c* Jean-Baptiste Laval *d* Allô! *e* à l'appareil. *f* il y a une déviation *g* j'aurai environ *h* Est-ce que vous pouvez prévenir Pierre Dumas *i* une demi-heure de retard? *j* à cause des travaux TGV. *k* que

4 Au téléphone. Il est neuf heures. It's 9 a.m. and you're late for your appointment. You ring the company switchboard.
Standardiste Allô, oui?
Vous Say hello. Ask politely to speak to Mr Mullon.
Standardiste Oui, ne quittez pas, je vous le passe.

M. Mullon   Allô, Mullon à l'appareil.

Vous   *Say hello, give your name and the name of your company. Tell him you're going to be 45 minutes late.*

M. Mullon   Bien. Aucun problème.

5   A l'accueil. Il est neuf heures quarante-cinq. You reach your destination, but you have to park the car.

Réceptionniste   Bonjour, madame/monsieur. Vous désirez?

Vous   *Ask where you can park your car.*

Réceptionniste   Dans le parking juste en face de vous. Suivez le panneau «Visiteurs» et vous y êtes!

Vous   *Thank her, say who you are and that you have an appointment with Mr Mullon.*

Réceptionniste   Un instant, je vous prie. Allô, Monsieur Mullon? J'ai Madame/Monsieur ....pour vous... Bien. Monsieur Mullon arrive dans six minutes environ.

Vous   *Say fine and that you're going to park your car.*

6   A l'accueil. Il est dix heures. You've parked the car and returned to reception, where Mr Mullon is waiting for you.

M. Mullon   Bonjour, Madame/Monsieur ....

Vous   *Say hello and make your excuses for having kept him waiting.*

M. Mullon   Mais je vous en prie. Alors, il y a de la circulation sur la voie rapide?

Vous   *You agree, and add that it's due to the TGV works.*

M. Mullon   A propos, vous êtes à quel hôtel?

Vous   *Tell him you're at the hôtel des Flandres.*

M. Mullon   Parfait. Si vous voulez bien me suivre dans mon bureau...

7   Devinez!

Il vous prie de l'excuser.   *He begs you to excuse him.*

Comment diriez-vous: *I beg you to excuse me.*

Remember to practise your French whenever possible with a colleague or fellow student, or record yourself on cassette and check your pronunciation with that of the speakers on the recordings.

Accueil et communication

Lisez l'article du magazine de la société Sandoz à la page 24 et complétez le tableau suivant pour l'équipe standard.

Combien de personnes?   ....
Heures de travail?   ....
Comment travaillent-elles?   ....
Les rôles?   ....
Conclusion?   ....

L'EQUIPE STANDARD

Attention!

Sur vos bureaux un banal appareil: le téléphone. C'est lui le premier vecteur de la communication de notre Entreprise. Enfin c'est lui... c'est-à-dire nous! Qui nous? – Le standard et vous!

Nicole SUDRE, Responsable de l'équipe Standard

l'équipe (f)	team
le standard	switchboard
le rôle	role
le roulement	shift
la télécopie	fax
l'engagé(e)	recruit
l'enquête (f)	survey
être affecté(e) à	to be assigned to
prendre conscience de	to be aware of
polyvalent(e)	with a wide range of skills
dernier/dernière	last, latest

Nous avons souhaité aujourd'hui vous présenter l'équipe Standard du Siège de Rueil, dont le rôle est primordial car c'est la première image donnée par notre Entreprise.

ImageSandoz: *"Madame SUDRE, vous qui êtes responsable de l'équipe Standard, voulez-vous nous la présenter?"*

N. SUDRE: "L'équipe est constituée de cinq standardistes: Mesdames BEAUCHAMP, BERTHOMET, GOUSSAIRE, VERET et Mademoiselle LOPEZ. Le travail est organisé par roulement: le matin à partir de huit heures jusqu'au soir dix-huit heures trente. Nos standardistes sont polyvalentes, et l'une d'elles est plus spécialement affectée à la télécopie et au télex. Précisons que la dernière engagée est bilingue (anglais)."

ImageSandoz: *"Vous avez lu l'enquête menée par l'Expansion-Phone Marketing sur l'accueil téléphonique dans l'Entreprise. Qu'en pensez-vous?"*

N. SUDRE: "Il semble que les Entreprises prennent conscience de l'importance de l'accueil téléphonique. Nous avons également l'intention de faire réaliser une enquête externe afin de nous aider à apporter des améliorations si nécessaire. Mais nous savons que nous disposons d'une équipe efficace composée de collaboratrices connaissant bien les structures."

ImageSandoz: *"Merci, Madame SUDRE."*

Image Sandoz

Au bureau

François Mullon introduces Michelle Depardieu to his colleagues.

l'entreprise (*f*) *firm, company*
le bras *arm*
l'empêchement (*m*)
  (sudden) difficulty
le choix *choice*

présenter *to introduce*
excuser *to excuse*
descendre (à) *to stay (at)*
conseiller *to advise*
rester *to stay*
déjeuner *to lunch*

au fait *by the way*

M. Mullon   Bonjour à tous! Je vous présente Madame Depardieu de la société Valourec. Elle vient visiter notre entreprise. (*he introduces his colleagues*) Madame Depardieu... Monsieur Leblanc, mon assistant.
M. Leblanc   Bonjour, madame.
Mme Depardieu   Bonjour.
M. Mullon   Monsieur Vatel, mon bras droit qui m'est vraiment indispensable. Je ne sais pas ce que je ferais sans lui.
M. Vatel   Ravi de vous connaître.
Mme Depardieu   Enchantée.
M. Mullon   Malheureusement, Monsieur Virlojeux a eu un empêchement et il vous prie de l'excuser de ne pas être avec nous. Mais asseyez-vous, je vous en prie.
Mme Depardieu   Merci.
M. Mullon   On va nous apporter le café dans quelques minutes. Mais au fait, vous avez fait bon voyage?
Mme Depardieu   Excellent, je vous remercie.
M. Mullon   Et à quel hôtel êtes-vous descendue?
Mme Depardieu   Et bien, on m'a conseillé l'hôtel des Flandres.
M. Mullon   Oui, c'est un très bon choix. Mais c'est un peu loin. Vous avez dû prendre un taxi pour venir jusqu'à chez nous?
Mme Depardieu   Oui, oui, j'ai pris un taxi.
M. Mullon   Bien, vous resterez bien déjeuner avec nous?
Mme Depardieu   Mais avec plaisir.

Avez-vous compris? Vérifiez le sens des phrases suivantes.
je vous présente...
ravi(e) de vous connaître, enchanté(e) *(polite usage)*
... a eu un empêchement
vous avez fait bon voyage?
à quel hôtel êtes-vous descendu(e)?
vous resterez bien déjeuner avec nous?

A VOUS!

1 Vrai ou faux?
a Madame Depardieu vient visiter l'entreprise.
b Monsieur Vatel est l'assistant de Monsieur Mullon.
c Monsieur Leblanc est le bras droit de Monsieur Mullon.
d Monsieur Virlojeux a eu un empêchement.
e Madame Depardieu a fait un voyage excellent.
f Elle est descendue à l'hôtel du Centre.

g Elle a pris un taxi pour aller à l'entreprise.

h Madame Depardieu reste déjeuner.

2 Utilisez votre mémoire! Répondez aux questions suivantes. Answer the following questions using the key phrases in the dialogue.

a Que dit Monsieur Mullon quand il présente Madame Depardieu?

b Que dit–il quand il présente le personnel de son équipe?

c Que dit Monsieur Mullon quand il présente Monsieur Vatel?

d Que répond-on par politesse à des présentations?

e Quelle phrase utilise Monsieur Mullon pour savoir dans quel hôtel est Madame Depardieu?

f Que répond Madame Depardieu?

g Quelle phrase utilise Monsieur Mullon pour inviter Madame Depardieu à déjeuner?

h Que dit Madame Depardieu pour accepter?

Robert Mille

(6)

l'enfant (*m/f*) *child*

le cadre technique *technical manager*

la verrerie *glassworks*

le produit *product*

la formation *training*

l'ingénieur (*m*) *engineer*

les arts et métiers (*m pl*) *arts and crafts*

l'atelier (*m*) *workshop*

la gestion *management*

les services généraux (*m pl*) *general services*

les frais (*m pl*), les dépenses (*f pl*) *expenditure*

le cadre *scope, context*

être marié(e) *to be married*

s'appeler *to be called*

vouloir dire *to mean*

se permettre *to allow oneself*

en tant que *as*

Professions

A number of people in business and industry are asked to introduce themselves.

ON SE PRÉSENTE: ROBERT MILLE, CRISTALLERIE D'ARQUES

M. Mille Je m'appelle Mille, Robert, j'ai cinquante-quatre ans, je suis marié, deux enfants. Je suis cadre technique photo à la Verrerie Cristallerie d'Arques.

MICHEL GOETGHELUCK, CRISTALLERIE D'ARQUES

M. Goetgheluck Bon, je me présente, donc je... je m'appelle Michel Goetgheluck. Goetgheluck est un nom néerlandais qui veut dire «bonne chance» en français, donc la traduction anglaise est Mr Goodluck! C'est très facile à retenir. Ma fonction est donc responsable de... du groupe de produits, d'une grande partie des produits de cette entreprise...

BENOÎT SERGHERAERT, CRISTALLERIE D'ARQUES

M. Sergheraert Bien, donc, Benoît Sergheraert. J'ai vingt-sept ans, je suis de formation ingénieur arts et métiers...

PHILIPPE DELEPLANQUE, BOLLORÉ TECHNOLOGIES

M. Deleplanque Alors, je m'appelle Philippe Deleplanque et je suis directeur produits de la branche... packaging, si je puis me permettre cet anglicisme.

HENRI BLOT, SOCIÉTÉ FCB

M. Blot Donc, je... je m'appelle Henri Blot. J'ai cinquante ans. Je suis chef d'atelier, de mécanique...

M. Vion Alors, Henri Vion. Je… ça fait vingt ans que je suis dans l'entreprise, depuis 1971. Mon attribution dans la société, c'est d'être le responsable de gestion des services généraux. Cette fonction a pour objet donc la gestion, tout… tout le contrôle de gestion, le suivi des dépenses en tant que frais généraux enfin, dépenses, dépenses dans le cadre dépenses générales.

ON SE PRÉSENTE: GILLES ALIX, BOLLORÉ TECHNOLOGIES

M. Alix Je suis directeur financier industriel, je m'occupe donc de superviser la finance dans les différents sites industriels du groupe Bolloré Technologies…

MICHEL PINART, BOLLORÉ TECHNOLOGIES

M. Pinart Je suis directeur général de la division. Cela sous-entend la gestion globale de cette division, qui est organisée en quatre lignes de produits.

ÉTIENNE DENIS, SOCIÉTÉ FCB

M. Denis Je suis l'adjoint du directeur des ressources humaines du groupe Fives–Lille donc, qui est un groupe qui compte environ huit mille personnes, qui fait 50 pour cent de son chiffre d'affaires à l'exportation…

Avez-vous compris? Vérifiez le sens des phrases suivantes.

je m'appelle…
je suis marié(e)
je m'occupe de…
je suis de formation ingénieur
je suis l'adjoint du directeur des ressources humaines

la ligne de produits	product line
l'adjoint (m)	assistant
le chiffre d'affaires	turnover
mille (invariable)	thousand
s'occuper de	to deal with
sous-entendre	to imply
compter	to number, count

Michel Pinart

A VOUS!

Michel Goetgheluck

1 Ecoutez à nouveau l'enregistrement 6. Remplissez la grille ci-dessous.

nom	âge	statut familial	profession	informations supplémentaires
Mille				
Goetgheluck				
Sergheraert				
Deleplanque				
Blot				
Vion				

2 Ecoutez à nouveau l'enregistrement 7. Que sait-on sur les trois personnes? Complétez les phrases ci-dessous.

a Il est ……………… . Il s'occupe de ……………… dans les différents ……………… du groupe Bolloré Technologies.

b Il est ……………… . Cela sous-entend la ……………… globale de cette division qui est organisée en ……………… .

c Il est .... du groupe Fives–Lille qui compte
.... qui fait .... à l'exportation.

3 Qui sont–ils? Match each job description to one of the jobs in the box.

  Exemple: Elle travaille au Standard Sandoz.
        Elle est standardiste.

a Elle contrôle les finances du
groupe Bolloré.
Elle est ....
b Il travaille dans l'informatique.
Il est ....
c Il travaille dans le service exportation.
Il est ....
d Il travaille à la réception de l'hôtel.
Il est ....
e Elle est responsable du personnel du groupe Fives–Lille.
Elle est ....
f Il s'occupe des frais généraux de l'entreprise.
Il est ....

réceptionniste
directeur financier
responsable de gestion
chef d'exportation
informaticien
directeur des ressources humaines

COMMUNICATIONS ▶

Benoît Sergheraert

Présentations (*Introductions*)

First state your name:
  Je me présente, je m'appelle Michel Goetgheluck.
  Je m'appelle Mille, Robert.
Or, more simply: Benoît Sergheraert.

More formally, to make the first move, you could say:
  Permettez-moi de me présenter, je m'appelle...

You could give further details, *eg* age, marital status, etc:
  J'ai vingt-sept ans...
  J'ai cinquante-quatre ans, je suis marié, j'ai deux enfants...

Say what your job is:
  Je suis cadre technique photo.
  Je suis directeur financier.
  Je suis l'adjoint du directeur des ressources humaines.
Note that in French there's no article before a job title, unless it's defined by another word, *eg* l'adjoint du directeur.

Talk about your training:
  Je suis de formation ingénieur/technique/littéraire.

Say where you work:
  Je suis cadre technique photo **à la** Verrerie Cristallerie d'Arques.

Je suis ingénieur **à la** SNCF.
Je suis standardiste **chez** Sandoz.
Je suis responsable de gestion **chez** Bolloré.

Or state generally in which sector of the economy you work:
Je travaille/suis dans. . . l'industrie (la métallurgie, le pétrole, l'informatique. . .), l'agriculture, les services (l'enseignement, les assurances. . .), l'import/export, l'administration (finances, ressources humaines. . .).

Say how long you've been with a firm:
Ça fait vingt ans **que je suis** dans l'entreprise.
Note the use of the present tense.

Introduce someone:
Je vous présente Madame Depardieu de la société Valourec.
Je vous présente mon équipe/mes collaborateurs.

Then state your colleagues' names and add their function:
Madame Depardieu. . . , Monsieur Leblanc, **mon assistant**.

When introduced, the ritual answers are:
Ravi(e) de vous connaître/de faire votre connaissance.
Enchanté(e).

A VOUS!

1 Jouez le rôle de Jacques ou de Catherine Dumas. Say you're head of personnel at Renault, you're married, with three children and you're 42 years old. You've been in the firm for fifteen years.

2 Présentez-vous vous-même. Introduce yourself, stating name, age, profession, marital status, number of children, if any, and training. Say how long you've been in your particular firm.

3 Présentez quelqu'un. It's your turn to introduce someone and offer hospitality.
Vous   Introduce Mr Pillon to your staff, then introduce Mr Leblanc, your assistant, and Ms Renard, your head of finance.
M. Pillon   Enchanté.
Vous   Ask Mr Pillon if he had a good journey.
M. Pillon   Excellent!
Vous   Ask him if he took a taxi to come here.
M. Pillon   Oui, j'ai pris un taxi.
Vous   Ask him at which hotel he's staying.
M. Pillon   A l'hôtel de Guise.
Vous   Say that's a good choice. The hotel's very near the city centre. Now ask Mr Pillon if he'd care to stay for lunch.
M. Pillon   Avec plaisir.

Travail et responsabilités

Philippe Deleplanque, Roland Marcoin and Henri Vion talk about their function within their respective companies. Listen to what they have to say and then answer the questions.

la gestion *management*
l'axe (m) *line*
le cahier des charges *terms and conditions of sale*
le déroulement *progress* (lit. *unravelling*)

assurer *to ensure*
proposer *to propose*
mettre au point *to complete*

la fabrication *manufacturing*
le contrat *contract*
le souci *worry*
le vœu *wish*
la sous-traitance *subcontractors*

être réalisé(e) *to be achieved*
figurer *to appear*
être obligé(e) de *to be obliged to*
faire appel à *to call upon*

en surcharge continuelle *constantly overworked*

l'informaticien(ne) *computer engineer*
la reconversion *retraining*
la retraite *retirement*

s'avérer *to come about, turn out*
supprimer *to suppress*
reprendre *to take up/on*
assumer *to keep on doing*

au sein de *within*

PHILIPPE DELEPLANQUE, BOLLORÉ TECHNOLOGIES

1 *a* In what way does Mr Deleplanque look after the management of the company's portfolio of products? *b* Up to what point does he control the progress of the company's development programme?

2 *a* En quoi consiste le travail de Monsieur Deleplanque?
Il consiste à assurer ....
b En quoi consiste essentiellement le rôle de M. Deleplanque?
Il consiste essentiellement à .... et définir ....
c Finalement que doit-il faire?
Ensuite il doit contrôler .... jusqu'au moment ....

ROLAND MARCOIN, SOCIÉTÉ FCB

1 *a* How long has Mr Marcoin been production manager? *b* What is his company's main concern? *c* In what circumstances would subcontractors and partners enter into his plans?

2 **Vrai ou faux?**
a Monsieur Marcoin est responsable de gestion.
b Il travaille depuis huit mois à FCB.
c Il a pour fonction de vérifier la bonne fabrication des produits.
d Les produits doivent partir conformes aux spécification techniques des clients.
e Les produits doivent être aussi conformes aux désirs des clients.

3 **A vous de trouver! Monsieur Marcoin a un vœu secret.** Quel est-il? Ecoutez à nouveau la dernière partie de l'enregistrement. Son vœu secret, c'est de ....

HENRI VION, SOCIÉTÉ FCB

1 *a* Has Mr Vion always occupied the same position? *b* Has he got plans for the future?

2 **Vrai ou faux?**
a Il est responsable de gestion.
b Il a commencé sa carrière comme responsable de gestion.
c Puis le poste a été supprimé.
d Il a environ cinquante-trois ans.
e Il a très peu d'aspirations professionnelles.
f Il espère terminer avant l'âge de la retraite.

Philippe Deleplanque

1 Au bureau. You're Mr Maldonado and your business counterpart introduces you to his assistant. Take part in the conversation as suggested.

M. Lambert   Je vous présente Monsieur Maldonado. Monsieur Maldonado, mon assistante et bras droit Mademoiselle Girardin.
Vous   *You're delighted to meet her.*
M. Lambert   A propos, vous avez fait bon voyage?
Vous   *Your plane was late, then you took a taxi to your hotel, but because of the TGV works, you arrived very late at the hotel and you had to accept a room with a shower.*
M. Lambert   Eh oui, les hôtels sont complets à cause de la Grande Braderie.
Vous   *Ask what is exactly la Grande Braderie.*
M. Lambert   C'est une foire qui a lieu tous les ans à Lille. Mais vous resterez bien déjeuner avec nous?
Vous   *You accept.*

2 Une demi-heure plus tard...
M. Lambert   Ça fait longtemps que vous travaillez dans l'entreprise?
Vous   *Answer fifteen years and go on to explain you're a trained engineer and started your career as a computer engineer.*
M. Lambert   Mais vous êtes bien dans l'exportation aujourd'hui?
Vous   *Tell him you retrained as export salesman.*
M. Lambert   Vous avez des aspirations professionnelles?
Vous   *Your secret wish is to become head of the export department!*
M. Lambert   Vous avez des enfants?
Vous   *You're married with two children. What about him?*
M. Lambert   Moi? Non, je ne suis pas marié mais j'ai un enfant, un petit garçon de sept ans qui s'appelle Jonathan. *(he looks at the time)* Ah, déjà quatorze heures! Monsieur! L'addition s'il vous plaît!

La Météo

QUEL TEMPS FERA-T-IL À BIARRITZ?
Vous partez en voyage d'affaires à Biarritz. Vous écoutez la météo avant votre départ. Complete the following.
a Le matin .... *b* Puis toute la journée .... *c* Attention .... *d* Côté températures ....

le brouillard   *fog*
l'averse(*f*)   *shower*
la dissipation   *disappearance*
la rafale   *gust*
la moyenne   *average*
le pourtour méditerranéen
    mediterranean coastline

briller   *to shine*

matinal(e)   *of the morning*

● **Le futur**
There are three ways of expressing the future.

1   Using the **present tense**:
    Il suffit de téléphoner et on vous l'**apporte**.
    D'accord, je la **prends**.

2 Using **aller** + **infinitif**:

> Je crois que je **vais suivre** vos conseils.
>
> On **va nous apporter** le café dans quelques instants.

Note the element of intention or probability in the above.

3 Using the **future tense**:

> J'**aurai** environ une demi-heure de retard.
>
> Vous **resterez** bien déjeuner avec nous?
>
> Le soleil **brillera** toute la journée.

The **future tense** also indicates an element of probability, but it's less obvious or certain than in examples **1** and **2**. Also, the tense is often modified with words like: **probablement**, **peut-être**, **si possible**.

(*See also page 153*)

- **Masculin et féminin**

Nouns in French are either masculine, used with **un**, **le**, **l'**, or feminine, used with **une**, **la**, **l'**. Apart from nouns with a 'natural' gender, **le monsieur**, **la dame**, the best way to remember which is which is to learn the gender of each new noun as you come across it. However, there are some rules and patterns. See if you can find them for yourself. Here are some nouns with their respective indefinite articles:

une récep**tion** **une** socié**té** **un** direc**teur** **un** supplé**ment**
une réserva**tion** **un** ascens**eur** **un** mo**ment**

- **Les adjectifs possessifs: mon, ma, mes** (*my*), etc.

le	travail	**mon**	travail
l'	assistant (*m*) exportation (*f*)	**mon**	assistant exportation
la	fonction	**ma**	fonction
les	responsabilités (*f*) clients (*m*)	**mes**	responsabilités clients

It's the same for **ton**, **ta**, **tes** (*your*) and for **son**, **sa**, **ses** (*his/her*). They always agree with the person or thing possessed.

la **le**	gestion contrat	**notre** **votre**	gestion contrat
les	aspirations (*f*) désirs (m.)	**nos** **vos**	aspirations désirs

Notre, nos (*our*) and **votre, vos** (*your*) don't change, whether the noun is masculine or feminine:

★ (*See also page 150*)

les jours de la semaine

la semaine	*week*
lundi	*Monday*
mardi	*Tuesday*
mercredi	*Wednesday*
jeudi	*Thursday*
vendredi	*Friday*
samedi	*Saturday*
dimanche	*Sunday*

les saisons

le printemps	*spring*
l'été (*m*)	*summer*
l'automne (*m*)	*autumn*
l'hiver (*m*)	*winter*

les mois de l'année

janvier	*January*
février	*February*
mars	*March*
avril	*April*
mai	*May*
juin	*June*
juillet	*July*
août	*August*
septembre	September
octobre	*October*
novembre	*November*
décembre	*December*

1   Quel temps fera-t-il ce week-end?

● Ecoutez à nouveau l'enregistrement **Météo**.
● Consultez à nouveau le vocabulaire sur le temps, p. 31.
● Dites à votre collègue quel temps il fera ce week-end:

On Friday   Foggy to start with, then morning clouds will disappear. Then sunny all day. It will be hot. Maximum temperature will be 29°C.

On Saturday   Strong winds, lower temperatures, a bit of rain in the afternoon. Cold in the evening.

On Sunday   The sky will stay cloudy all day. There will be fog and heavy rain. It will be mild all day. Minimum temperature will be 17°C.

2   Devinez! Work out the gender of the following nouns:

...... circulation ...... distributeur ...... bâtiment ...... gestion
...... spécialité ...... qualité ...... exportation ...... aspiration
...... développement ...... déroulement ...... ingénieur ...... attribution

3   Complétez les phrases suivantes avec l'adjectif possessif approprié.
a Quelle est votre fonction?
Je suis directeur commercial à FCB. .... fonction c'est de commercialiser les nouveaux produits.
b Vous savez quel est le désir le plus cher de Monsieur Lambert?
.... désir le plus cher, c'est de toujour satisfaire .... clients.
c Allô, oui?
Vous pouvez prévenir Monsieur Marraud de .... retard, s'il vous plaît? Il y a une déviation sur la voie rapide.
d Vous connaissez Raymond Bouvier?
Oui, pourquoi?
Eh bien, il dit que .... ateliers sont en surcharge continuelle!

Infos utiles

Limitation de vitesse

The speed limit on French motorways is now 130 km/h (110 km/h when foggy); on a **route nationale** it's 80 km/h, and driving in town or a village it's 50 km/h. The CRS (**Compagnie Républicaine de Sécurité**), or in the countryside the **gendarmes**, who patrol the roads, are empowered to fine you for exceeding the speed limit – and you have to pay on the spot before being allowed to continue your journey. As in England, where ignorance of the law is no defence, so it is in France: **Nul n'est censé ignorer la loi** (lit. *No one is supposed not to know the law*).

Minitel 12

LA TECHNOLOGIE

Le Langage téléphonique

NE QUITTEZ PAS, S'IL VOUS PLAÎT

As with every language, French has a number of set phrases for talking on the phone. How many do you already know?
a Hello! Is that 48 36 92 71? *b* I'd like to speak to Mrs Laloy, please. *c* Hold the line, I'll put you through. *d* Mrs Laloy speaking.

Maintenant, écoutez l'enregistrement.

M. Deschamps   Allô! C'est bien le 21 23 45 98?
Standardiste   Excusez-moi, vous vous êtes trompé de numéro. Ici ce n'est pas le 21 23 45 98 mais le 20 23 45 98.

M. Deschamps   Je voudrais parler à Monsieur Durielle, s'il vous plaît. C'est le poste 56 38, merci!
Standardiste   Ne quittez pas, s'il vous plaît.

M. Renard   Allô! Excusez-moi, la ligne est mauvaise. Vous pouvez répéter, s'il vous plaît? . . . Je ne vous entends pas! Vous pouvez parler plus fort? Allô? . . . Ah, excusez-moi si j'ai crié, mais je ne vous entendais pas, là je vous entends bien maintenant.

Avez-vous compris? Vérifiez le sens des phrases suivantes.
c'est bien le. . . ?
vous vous êtes trompé de numéro
ici ce n'est pas le. . . mais le. . .
je voudrais parler à. . ., c'est le poste. . .
la ligne est mauvaise, vous pouvez répéter?
je ne vous entends pas, vous pouvez parler plus fort?

---

le poste   *extension*
la ligne   *line*

se tromper   *to make a mistake*
se tromper de numéro   *to dial the wrong number*
quitter   *to leave*
répéter   *to repeat*
entendre   *to hear*
crier   *to shout*

mauvais(e)   *bad*
ne quittez pas   *hold the line*

Quelle est la réponse qui convient? Choose the right answer.

a Quel est le résultat du premier coup de téléphone?   *i* C'est le bon numéro.   *ii* C'est le mauvais numéro.

b Quel est le poste demandé au deuxième coup de téléphone?   *i* Le poste 36 58   *ii* Le poste 56 38.

c Que se passe-t-il au troisième coup de téléphone?   *i* La communication est excellente tout de suite.   *ii* La communication est mauvaise pour commencer.

Here's some of the most frequently used telephone language:

l'erreur (*f*) *mistake*

demander *to ask*
couper *to cut off*
raccrocher *to hang up*

occupé *engaged*
elle-même *she, herself*
lui-même *he, himself*
moi *me*
quel? *which?*
de la part de qui? *from whom?*
très mal *very badly*
à peine *just, barely*

Answering the phone:
Allô, oui. J'écoute.
Allô, ici la société...
Allô, c'est Jean Legras à l'appareil...
Allô, oui... C'est elle-même/lui-même/moi.

Asking to speak to someone:
Je voudrais parler à..., s'il vous plaît.
Est-ce que je pourrais parler à..., s'il vous plaît?

Have you got the right number?
Je suis bien chez Madame...?
C'est bien **le** 21 23 45 70?
Quel numéro demandez-vous?
Note the use of the article in front of the number.

Who's calling?
Qui est à l'appareil?
C'est de la part de qui?

You've got the wrong number:
Vous vous êtes trompé de numéro.
Vous faites erreur.

There's a noise on the line:
Je vous entends très mal/à peine.
Parlez plus fort, s'il vous plaît!
La ligne est mauvaise.
Je ne vous entends pas.

More useful phrases:
Vous m'avez passé la ligne, mais je n'ai pas la communication.
On a été coupés.
Ne raccrochez pas!
Ne coupez pas!
C'est occupé/La ligne est occupée, vous patientez?
Ça sonne.

Une standardiste

QUEL EST LE MESSAGE?

Répondeur Vous êtes bien chez Madame Lebon. Elle n'est pas là pour le moment. Vous pouvez laisser un message après le bip sonore.

M. Jiguedette Bonjour, c'est Joseph Jiguedette à l'appareil. J'épelle: J comme Jean, I comme Isidore, G comme Gérard, U comme Ursule, E comme Emile, D comme Daniel, E comme Evelyne, T comme Thomas, T comme Thierry, E comme Etienne. C'est au sujet de notre entretien. Rappelez-moi s'il vous plaît dès votre retour au 20 89 87 21. Merci.

laisser un message	*to leave a message*
épeler	*to spell*
rappeler	*to call back*
après le bip sonore	*after the tone*
c'est au sujet de...	*it's about...*
dès votre retour	*as soon as you return*

L'alphabet téléphonique

Though people often use their own version, this is the official code for spelling names on the telephone:

Anatole	**F**rançois	**L**ouis	**R**aoul	**X**avier
Berthe	**G**aston	**M**arcel	**S**uzanne	**Y**vonne
Célestin	**H**enri	**N**icholas	**T**hérèse	**Z**oé
Désiré	**I**rma	**O**scar	**U**rsule	
Eugène	**J**oseph	**P**ierre	**V**ictor	
Emile	**K**léber	**Q**uintal	**W**illiam	

A VOUS!

Quel est le message? Répondez aux questions suivantes.
a Qui a téléphoné?   *b* Au sujet de quoi?   *c* Quel est le message?

France Telecom: information client

Quand utiliser le téléphone? Study the tables below and on page 37 and find out when it's cheapest to phone the office. Then answer questions *a, b, c* and *d*.

a Quelles sont les heures de tarif réduit pour téléphoner en Grande-Bretagne?
b Peut-on téléphoner en Amérique du Nord à minuit au tarif réduit?
c Quel est le tarif pour téléphoner en Suède le vendredi à 9 heures?
d Dans quels pays peut-on téléphoner au tarif réduit II?

Tarifs téléphoniques internationaux: nouvelles baisses des prix	PRIX A LA MINUTE (Prix TTC) (Accès automatique)			SERVICE PAR OPERATEUR (Prix à la minute avec un minimum de perception de 3 minutes)
	Tarif normal	Tarif réduit I	Tarif réduit II	
CEE + Suisse	4,26	3,04		5,40
RESTE DE L'EUROPE	6,57	4,38		7,70
AMERIQUE DU NORD (USA et Canada)	6,93	5,96	5,23	11,30

France Telecom

le tarif *rate, charge*

la CE/CEE Communauté (économique) européenne *EC/EEC*

l'accès (m) automatique *direct dialling*

le service par opérateur *operator service*

le plein tarif *full rate*

réduit(e) *reduced*

HORAIRES DES TARIFS REDUITS

CEE + Suisse: du lundi au vendredi de 21 h 30 à 8 h, le week-end du samedi 14 h au lundi 8 h, sauf Portugal du lundi au samedi de 23 h à 9 h 30 et le dimanche.

RESTE DE L'EUROPE: du lundi au vendredi de 21 h 30 à 8 h, le week-end du samedi 14 h au lundi 8 h.

AMERIQUE DU NORD: Tarif I réduit: du lundi au samedi de 0 h à 2 h, de 12 h à 14 h, de 20 h à 24 h et le dimanche de 0 h à 2 h et de 12 h à 24 h.

Tarif II: tous les jours de 2 h à 12 h.

---

le transfert *transfer*

l'appel (m) *(telephone) call*

l'abonnement (m) *subscription fee*

la ligne *(telephone) line*

suivre *to follow*

renvoyer *to transfer*

lorsque *when*

Le Signal d'Appel ...

pour prendre un appel quand vous êtes déjà en ligne.
En cours de communication, un "bip" vous prévient qu'un autre correspondant cherche à vous joindre. Vous pouvez prendre cet appel et passer d'un correspondant à l'autre.
Abonnement : 10 F par mois.

Le Transfert d'Appel ...

pour faire suivre vos communications là où vous allez.
Lorsque vous quittez votre domicile, vous renvoyez vos communications partout où vous le souhaitez en France Métropolitaine.
Abonnement : 10 F par mois.

France Télecom

---

1 Que faut-il faire? What's the correct line of action?

a Vous quittez votre domicile. Vous voulez renvoyer vos communications. Que faites-vous? *i* Vous vous abonnez au Transfert d'Appel. *ii* Vous vous abonnez au Signal d'Appel.

b Vous êtes en cours de communication. Vous entendez un bip sur la ligne, qu'est-ce que cela veut dire? *i* Cela veut dire que vous pouvez laisser un message. *ii* Cela veut dire qu'un autre correspondant cherche à vous joindre.

2 Utilisez votre mémoire! Complétez les phrases suivantes.

a Le Transfert d'Appel: Que faut-il faire pour faire suivre ses communications?

Il suffit de .... ses communications.

b Le Signal d'Appel: Comment savez-vous qu'un autre correspondant cherche à vous joindre?

On entend un .... en cours de communication.

3

SAVIEZ-VOUS QUE. . . ?

La télécarte est maintenant en vente aux guichets SNCF et RATP, en plus des 600 Agences Commerciales de FRANCE TELECOM, des bureaux de LA POSTE, et des bureaux de tabac. Il y a 225.000 téléphones publics (publiphones) à cartes ou à pièces en France.

3 Vive le téléphone! Complétez les dialogues suivants.

a First attempt. . .

Allô, oui. J'écoute.

Ask if that's 83 75 12 97.

Ah, non. Vous vous êtes trompé de numéro. Ici c'est le 83 75 12 79.

Apologise.

b You dial again . . .

Allô, oui.

Ask if that's 83 75 12 97.

Oui. Quel poste voulez-vous?

Say the line isn't very good. Ask the switchboard operator to repeat.

Oui. A qui voulez-vous parler?

Say you can't hear them. Could they speak louder?

Ne criez pas comme ça! Quel poste demandez-vous?

Apologise for shouting. Say you can hear her fine now. Ask to speak to Mrs Lebon.

Bien. Je vous la passe.

c You're put through . . .

Allô, oui.

Check that it's Mrs Lebon.

Ah, non! Madame Lebon est dans un autre service maintenant. Ne quittez pas. Je renvoie votre appel. . .

d You're put through to a different extension . . .

Oui, j'écoute.

Say you'd like to speak to Mrs Lebon.

Madame Lebon? Mais elle est partie, elle ne travaille plus ici.

Check it's Mrs Christine Lebon who's left.

Madame Christine Lebon? Ah, non! Je ne la connais pas. Je connais Madame Solange Lebon. Elle est partie. Elle est à la retraite.

Ask if she could transfer you back to the switchboard.

Bien, bien. Je vous renvoie au standard. Ne quittez pas. (*à la standardiste.*) Janine? J'ai un correspondant sur la ligne qui veut parler à Mme Christine Lebon. Tu peux faire suivre son appel? Merci.

e The operator comes on the line . . .

Alors, vous voulez parler à Christine Lebon?

Tell the operator you've been trying to speak to Mrs Lebon for the last 20 minutes. It's urgent, very urgent!

Très bien, très bien! Je vous passe le poste 36 15. Ah! Je suis désolée, monsieur, mais le 36 15 est occupé. Vous patientez?

Yes, okay . . .

f You don't have to wait long this time . . .

Ah, voilà ça sonne! (*the operator puts you through to the extension.*)

Vous êtes en communication avec le répondeur automatique de Christine Lebon. Je suis désolée, je ne suis pas là pour le moment. Mais si vous voulez laisser votre nom, votre numéro de téléphone et votre message, je

vous rappellerai dès mon retour. Parlez après le bip sonore. Merci.
Follow her instructions and explain that you've tried calling her home number, but there was no answer. It's about your meeting tomorrow morning. Is it still at ten o'clock in the hotel bar? You're at the hôtel de Guise, tel. 83 32 24 68, room number seven. Can she leave you a message there? Thanks.

Vive le Minitel!

Minitel 2

Que savez-vous déjà sur le Minitel? Before listening to the recordings and reading the publicity, try this test and pick the right answer.

a Qu'est-ce que c'est le Minitel?   *i* Un terminal de télé-informatique.
ii Un mini-téléviseur branché sur téléphone.
b Quand est-il né?   *i* En 1981.   *ii* En 1984.
c Qui peut avoir le Minitel?   *i* Tous les abonnés au téléphone.   *ii* Tous les abonnés professionnels au téléphone.
d Que peut-on faire sur Minitel?   *i* Consulter simplement l'annuaire électronique.   *ii* Consulter près de 12.000 services.
e Combien existe-t-il de Minitels?   *i* Près de six.   *ii* Juste un.
f Faut-il payer les services Minitel?   *i* Certains sont payants, certains sont gratuits.   *ii* Ils sont tous payants.

Pour vérifier vos réponses *a–d* écoutez les enregistrements 3 et 4. Pour vérifier vos réponses *e–f* lisez les informations ci-dessous.

EQUIPEMENTS TERMINAUX	PRIX TTC

• **Redevance mensuelle en location entretien (quota annuel compris dans l'abonnement au service téléphonique):**

Minitel 1 ou 1 B	sans supplément d'abonnement
- Minitel 1 Dialogue	10,00 F
- Minitel 2	20,00 F
- Minitel 10	65,00 F
- Minitel 12 ou 10 B	85,00 F
- Minitel 5	272,78 F

PRIX DES COMMUNICATIONS	PRIX TTC

• **Services Télétel de FRANCE TELECOM**

Services	N° d'accès	Coût de la communication
Annuaire électronique	11	**3 premières mn gratuites** **0,37 F la minute supplémentaire** (modulation horaire du téléphone)
MINICOM	3612	**0,98 F/mn** (modulation horaire du téléphone) Accès gratuit à la liste des messages reçus
(Annuaire des services Minitel) MGS	3613/3614 3615/3616 3617 ou 3619 touche GUIDE	**0,36 F/mn**

France Telecom

TTC (toutes taxes comprises)
inclusive of all taxes
la redevance mensuelle *monthly payment*

le numéro d'accès *access number*
la modulation horaire *timetable call rates*

39

3

Services publics

A huge variety of services have rapidly become available on Minitel. To obtain one of them, you dial or key in a four-digit code and then key in the codename. Minitel codes have become an essential feature of advertisements and printed information.

3615 FNAC
De nombreux spectacles en réservation directe. Guide des disques compacts.

3615 METEO
La méteo d'une ville, d'une région, de la France et même du monde entier.

3615 SEALINK
Horaires, tarifs, réservations pour l'Angleterre et l'Irlande.

3615 SNCF
Fumeurs, non fumeurs, fenêtre ou couloir? Réservations de toutes les places et de tous les trains.

3615 LESPORT
Résultats de tous les sports, foot, rugby, basket, ski...

3615 RATP
Le meilleur itinéraire à pied, en bus, en RER, en métro. Horaires des navettes aéroport.

3615 FLORITEL
Anniversaires, mariages, naissances, offrez des fleurs!

3614 CAPITALE
Précision sur les musées, les bibliothèques, le patrimoine parisien.

3615 PARIS
Loisirs, sports, environnement, circulation, emploi...

3615 INFOS
Les dernières dépêches de l'actualité du jour.

3615 ENGREVE
Perturbations dans le métro, grève chez les pilotes, les pompiers, les lycéens...

3615 HORAV
Les horaires des vols passant par les aéroports de Paris.

France Télecom

A VOUS! ▶

1 Quel code faut-il taper sur votre Minitel? What code should you call up if you want the following information?
a avoir une information sur les grèves; *b* envoyer des fleurs; *c* réserver des billets Calais–Douvres; *d* avoir une information sur la circulation dans Paris; *e* vérifier l'heure d'ouverture du musée d'Orsay à Paris; *f* savoir comment aller en Belgique; *g* réserver un billet Paris–Lyon en TGV; *h* avoir des informations sur le temps; *i* avoir le résultat du match de cricket Angleterre–Australie.

2 L'annuaire électronique. Vous recherchez le numéro de téléphone d'une collègue, Judith Fichot, qui habite maintenant à Paris. Que faites-vous sur votre Minitel? Renseignement supplémentaire: elle est docteur. Vous tapez le 11 et vous voyez le tableau à la page 41 sur l'écran.

Remplissez le tableau.

Remember to look up the **Glossary** for any words you're not sure about that are not listed in the unit itself. For example, do you know the meaning of **l'écran, l'annuaire, la rubrique**? **Vous pouvez préciser** gives you the option to add details if you know them.

4 0

SAVIEZ-VOUS QUE... ?

C'est le designer Roger Tallong qui a inventé le nom MINITEL. On a échappé au nom TELETRANS! Déjà plus de 5,6 millions de Minitels sont aujourd'hui installés chez les particuliers et dans les entreprises. 93 pour cent des utilisateurs sont «très satisfaits» ou «plutôt satisfaits» de leur Minitel.

Annuaire éléctronique

RECHERCHE
PAR NOM
OU PAR RUBRIQUE

NOM ....
RUBRIQUE ....
LOCALITE ....

Vous pouvez préciser

DEPARTEMENT ....
ADRESSE ....
PRENOM ....

Comment formuler
la demande   `GUIDE`
Tous les services du 11 `SOMMAIRE`
Numéros d'urgence   `RETOUR`

---

le geste *movement, gesture*

empêcher *to prevent*
conférer *to give*
mémoriser *to store, memorize*

à votre insu *without your knowledge*
affichable *on screen*

EN SAVOIR PLUS SUR MINITEL.

Ecoutez une présentation sur Minitel 2.

1 Comment diriez-vous en français?

a marketed *b* at present *c* the ten services most used *d* immobilization of the keyboard *e* the rental *f* a password *g* a range of ten numbers *h* better security *i* at a cost of ... *j* per month.

Vérifiez vos réponses: écoutez à nouveau l'enregistrement.

Read the following extract from a Minitel publicity brochure.

ASTUCIEUX

Vers une plus grande simplicité d'emploi

Vous appuyez sur une simple touche et votre MINITEL 2 vous offre immédiatement toutes ses possibilités. Vous composez les numéros d'appel Télétel, directement sur le clavier de votre MINITEL 2, sans utiliser votre poste téléphonique.

Un simple geste pour consulter le service Télétel que vous avez choisi

L'appel automatique de services Télétel confère au MINITEL 2 une grande efficacité. Le MINITEL 2 possède un répertoire affichable qui vous permet de mémoriser l'accès aux 10 services Télétel que vous consultez le plus souvent.

Protection par mot de passe

Grâce à la protection par mot de passe, vous avez la possibilité de personnaliser votre MINITEL 2 pour définir l'usage qui en est fait et empêcher toute utilisation à votre insu.

Deux possibilités de protection vous sont proposées:
● L'utilisation du MINITEL 2 est impossible sans mot de passe.
● L'utilisation du MINITEL 2 est limitée aux seuls services que vous aurez inscrits dans la mémoire de votre MINITEL 2.

France Telecom

1   Faites la pub de Minitel 2. Write your own advertisement for Minitel 2. Include its three main characteristics: **efficacité**, **sécurité**, **simplicité d'utilisation**.

2   Test de vocabulaire. Use what you've learned so far to construct verbs from nouns, and vice versa.

a EXAMPLE un créateur (*nom*): créer (*verbe*)

un répondeur, un enregistreur, une mémoire, une protection, une utilisation, un emploi, une touche, un appel, un répertoire, une information, une communication.

b EXAMPLE réserver (*verbe*): une réservation (*nom*)

a souhaiter, consulter, allumer, décrocher, composer, pouvoir, apparaître, appuyer, interrompre, modifier, répéter.

COMMUNICATIONS

Giving instructions and explanations

Ask someone to do something:

  Utilisez votre mémoire!
  Prenez des notes!
  Lisez les instructions suivantes!

Explain how to install a piece of equipment:

Installez votre Minitel 12

1   Raccordez l'écran au clavier. **Enfoncez** le petit connecteur jusqu'au déclic.

2   Branchez la prise de courant et la prise téléphonique et effectuez les vérifications correspondantes.

3   Mettez les piles de sauvegarde de la mémoire.

4   Placez l'appareil devant vous de manière à avoir bien en vue le voyant rouge situé dans la partie haute du clavier.

5   Allumez l'appareil. Vous voyez alors la lettre 'F' apparaître en haut et à droite de l'écran tandis qu'un bip sonore vous indique que votre Minitel 12 est prêt.

France Telecom

When giving instructions or explanations, the *imperative* form of the verb is used (*2nd person plural*). But after **pour** (*in order to*) and **ne pas** (*do not*), the *infinitive* is used:

  Pour vérifier vos réponses ...
  Ne pas oublier de mettre les piles.

But note you could also say:

  N'oubliez pas de mettre les piles!

Donnez des instructions: complétez la brochure de Minitel 1. Utilisez l'impératif ou l'infinitif comme il convient.

l'interrupteur (m.) marche-
arrêt   *on-off switch*
la panne   *breakdown*

renouveler   *to renew*
régler   *to adjust*
mettre fin à   *to end*
éteindre   *to switch off*

a (*Mettre*) le Minitel sous tension à l'aide de l'interrupteur marche-arrêt.

b (*Décrocher*) le combiné téléphonique.

c (*Composer*) le numéro d'appel du service Télétel à partir de votre poste téléphonique.

d Dès l'audition de la tonalité aiguë, (*appuyer*) sur la touche CONNEXION FIN.

e (*Raccrocher*) le téléphone.

f (*Suivre*) les instructions de l'écran. Si la première page n'apparaît pas, renouvelez l'appel.

g Pour (*obtenir*) la réponse après avoir tapé une information, n'oubliez pas d'appuyer sur la touche ENVOI.

h Pour (*mettre*) fin à la consultation, appuyez sur la touche CONNEXION FIN.

i Ne pas (*oublier*) d'éteindre le Minitel après chaque utilisation en appuyant sur l'interrupteur marche-arrêt.

j En cas de panne, (*composer*) le 13 (appel gratuit).

France Telecom

- **Les négatifs: ne... pas, ne... plus** (*not, no longer*)
  Nous **n'**avons **plus** de chambres pour une personne avec salle de bains.
  Ne quittez **pas!**
  Je **ne** sais **pas** ce que je ferais sans lui.
  Ici ce **n'**est **pas** le... , c'est le...
  Je **ne** vous entends **pas!**

The sentence construction is the same for:
  ne... jamais   *never, not any more*
  ne... rien   *nothing, not anything*
  ne... rien à   *nothing to + infinitive*

After **ne ... pas** or **ne ... plus**, use **de** rather than **des:**
  Je n'ai plus de piles. (*See p. 154*)

- **Les adjectifs**
You'll have noticed that adjectives agree with the noun they describe. That means they're either masculine or feminine, singular or plural.

masculine		feminine	
un téléphone	français	**une** région	française
un tabac	léger	**une** entrée	légère
un vent	fort	**une** rafale	forte
un Minitel	astucieux	**une** carte	astucieuse
un code	personnel	**une** adresse	personnelle
un service	utile	**une** réservation	utile
il est	bon	**elle** est	bonne

In the plural, adjectives ending in **x** or **s** don't change. Otherwise, add **s** to the masculine or feminine singular. *(See also p. 150).*

Most adjectives come after the noun:

le Marché **commun**   *the Common Market*
la République **française**   *the French Republic*

But some frequently used, short adjectives come before the noun. *(See p. 150)*

le TGV, le train à **grande** vitesse
le Minitel 2 c'est un **bon** choix

A VOUS!

impossible
français(e)
nombreux/nombreuse
disponible
astucieux/astucieuse
grand(e)
supplémentaire
simple
automatique
gratuit(e)
parfait(e)
portatif/portative

1   Comment diriez-vous en français?

a He never drinks before lunch.   *b* I never use my car in town.   *c* She eats nothing in the morning.   *d* I earn nothing in my firm!   *e* I never dream!   *f* He never rings his mum.   *g* I have nothing to declare.   *h* He has nothing to do.

2   Complétez le texte suivant avec les adjectifs ci-contre.

Le Minitel est une invention .... qui date des années 80. Il est .... Vous appuyez sur une .... touche et votre Minitel 2 vous offre de .... possibilités. Il a une .... efficacité car il possède un répertoire et un appel .... de dix services Télétel. Son utilisation est .... sans mot de passe. Le Minitel 2 est le .... communicateur. Il est répondeur et enregistreur. Le Minitel 5 est le Minitel .... des professionnels qui bougent. Le Minitel est .... auprès de votre agence FRANCE TELECOM. Pour toute information .... , composez le 14 (l'appel est ....).

3   A vous de trouver! Here are some adjectives you've already come across. List the ones you think come before the noun.

petit	bas	bon	vrai	nuageux	clément
ferme	tel	secret	faux	fort	rapide
simple	public	matinal	global	français	parfait
moderne	joli	mauvais	grand	gratuit	léger
chaque	vieux	tout	autre	direct	nombreux

La Communication interne

(6)
ÉTIENNE DENIS, SOCIÉTÉ FCB
Étienne Denis is assistant personnel director at FCB. Here he explains the principal functions of his department.

M. Denis Ça veut donc dire, d'une part effectivement gérer le quotidien, donc tout ce qui est problèmes sociaux, tout ce qui est relations sociales avec les partenaires sociaux et les organisations syndicales, également la négociation de tous les accords. C'est également assurer l'évolution des salariés au sein des. . . de l'entreprise. Donc les faire évoluer d'une division à l'autre ou d'un poste à l'autre.

Avez-vous compris? Vérifiez le sens des phrases suivantes.
d'une part
gérer le quotidien
la négociation de tous les accords

Note that **d'une part** (*on the one hand*) generally goes with **d'autre part** (*on the other*) and sometimes with **et également** (*and equally*).

les problèmes sociaux
  personnel problems
les relations sociales *labour relations*
les partenaires sociaux *employers and trade unions*
l'organisation syndicale (*f*)
  trade union
l'accord (*m*) *agreement*
le/la salarié(e) *wage earner*

au sein de *within*

A VOUS! ▶

1 Complétez les réponses aux questions suivantes.
a Que veut dire la communication interne à FCB d'une part?
Elle veut dire d'une part effectivement ...., donc
tout ce qui est ...., tout ce qui est .... et
également la négociation ....
b Et d'autre part, et également?
C'est également assurer .... au sein de l'entreprise.

2 Complétez le tableau suivant.
EXEMPLE **un** problème soci**al** **des** problèmes soci**aux**
          une relation soci**ale** **des** relations soci**ales**

a un frais général   des frais ....
b un texte original   des textes ....
c une conférence internationale des conférences ....
d un organisme international des organismes ....
e une solution globale   des solutions ....
f un terme global   des termes ....
g une assemblée nationale   des assemblées ....
h un parc régional   des parcs ....

(7)
GEORGES LANDRÉ, SOCIÉTÉ FCB
Georges Landré, head of internal communication at FCB, explains how all employees are guaranteed a reply to any question they put to the chairman.

Georges Landré

l'aspect (*m*) *component, aspect*
l'instauration (*f*) *institution, introduction*
les guillemets (*m pl*) *inverted commas*
l'imprimé (*m*) *form*
le droit *right*

croire *to believe*
poser *to put, pose (a question)*

tout employé *any employee*
sous-entendu *implying, meaning*

M. Landré Alors, un autre aspect, je crois, de la communication interne, c'est l'instauration de la fameuse «Question au...», «Question au...» entre guillemets, mais sous-entendu question à quelqu'un, ce quelqu'un étant le directeur général. C'est un imprimé sur lequel tout employé de la société FCB a le droit de poser une question à son directeur général. Et... engagement est pris par le directeur général de donner une réponse à cette question dans les quinze jours.

Avez-vous compris? Vérifiez le sens des phrases et mots suivants.
l'instauration de la «Question au...»
(la) question à quelqu'un
étant (verb: *être*)
c'est un imprimé
tout employé a le droit de poser une question
(un) engagement est pris
donner une réponse
dans les quinze jours

▶

A VOUS!

La défense du travail
«Si vous voulez faire de la technologie, si vous voulez donner des services de bon niveau, il faut que vous ayiez un personnel attaché à l'entreprise, un personnel donc motivé, et pour que ce personnel soit attaché à l'entreprise et motivé il faut qu'il soit sûr qu'une certain stabilité demeure dans l'entreprise. Donc c'est une défense du social, du travail.» (*Vincent Bolloré, Bolloré Technologies*)

1 Oui ou non? Quelles sont les affirmations correctes?
a La fameuse «Question au...» est posée au directeur général.
b C'est une question orale.
c Tout employé de la société a le droit de la poser.
d Le directeur général donne une réponse après quinze jours.

2 Utilisez votre mémoire! Comment diriez-vous en français?
a On the one hand ..., on the other ...; *b* everything concerning ...; *c* the negotiation of agreements; *d* to ensure employees' development; *e* within the company; *f* in inverted commas; *g* any employee has the right to ask a question; *h* to give an answer; *i* within fifteen days.

Informatique

DOMINIQUE ARRIGHI, SOCIÉTÉ FCB
You visit FCB on behalf of your company. The head of computing, Dominique Arrighi, gives you a run-down on company policy on computerization. Listen to what he says and use the headings below to make notes in English. Then write a brief report for your boss.

Name of company: ....
Type of business: ....
Head of computing: ....
Computer requirements **a** *and* **b***:* ....
Company policy on computers: ....

Key phrases:
   une usine clefs en main
   le problème de l'informatique
   répondre aux besoins de nos utilisateurs
   nous adapter aux évolutions
   en matière d'informatique
   le premier point est d'être standard

Infos utiles

La politique sociale
«La politique sociale est
déterminante en ce sens qu'elle
permet d'obtenir une paix sociale,
un bilan social extrêmement
favorable. Et ce bilan social signifie
peu de jours d'arrêt, peu d'heures de
travail perdues, ça veut dire des délais
respectés, des clients satisfaits, des
capacités de production maîtrisées.»
(*Philippe Deleplanque, Bolloré
Technologies*)

Questions sociales
Literal translations can be misleading. The French **social** is used in senses
that correspond both to the general English connotation of national policy
on social security and welfare, and to specific features of employment law
and industrial relations. In the latter, the use of the English *social* is in some
cases established, as in *social partners*, ie employers' associations and trade
unions, but in others it sounds alien and is not acceptable.

Les Syndicats
There are three main **syndicats** in France. **La Confédération Générale
du Travail (C.G.T.)**, the oldest, was created in 1895 and is historically
linked to the Socialist Movement in general and to the French Communist
Party in particular. It is still the largest trade union, boasting nearly 2.5
million members. **La Confédération Française Démocratique du
Travail (C.F.D.T.)**, established in 1964, is the second largest with 1.1
million members. Its roots are in Christian Socialism and it traditionally
follows the policies of the Socialist Party. Finally, **Force Ouvrière (F.O.)**,
a splinter group from the C.G.T. constituted in 1948, today counts 1
million members and follows middle of the road policies.

Le Conseil National du Patronat Français (C.N.P.F.), created in
1946, gathers the leaders of the major French industrial and commercial
firms. Its proclaimed dual mission is to defend and promote French
industry, and to represent industrial and commercial interests in nego-
tiations with trades unions and government.

CHAMBRE DE COMMERCE

Before listening to the recordings, read the statements by the Lille Chamber of Commerce and Industry.

Rôle et services rendus

Chambre de Commerce et d'Industrie (CCI), Lille

Représenter

La CCI est le seul organisme économique de la métropole, composé d'élus représentant les entreprises industrielles, commerciales et les sociétés de services.

Défendre

La Chambre est là pour défendre l'entreprise, pour lui donner les moyens d'assurer son développement et sa pérennité.

Promouvoir

Pour la Chambre, la promotion de l'entreprise passe aussi par la promotion de Lille.

l'élu(e)   *elected member*
le moyen (*sing*)   *means*
la pérennité   *perpetuity*

passer par...   *to take place through*

LA FONCTION ET LE FINANCEMENT DES CHAMBRES DE COMMERCE ET D'INDUSTRIE

Gérard Tiébot, President of the Chamber of Commerce and Industry for Lille–Roubaix–Tourcoing, talks to our reporter Laurence Relin about the role of Chambers of Commerce and their finance.

Mme Relin   Monsieur le président, est-ce que vous pouvez m'expliquer la fonction des Chambres de Commerce?
M. Tiébot   Alors, la fonction des Chambres de Commerce en... en France, en particulier, est dirigée dans tout ce qui va vers l'entreprise, dans le domaine du conseil, de sa gestion, de la formation des hommes de l'entreprise, mais aussi de ses marchés – marchés à l'export, marchés intérieurs.
Mme Relin   Comment est-ce que vous êtes financés?

le domaine   *area*
le conseil   *advice*
la formation   *training*
l'homme de
   l'entreprise   *businessman*
l'impôt (*m*)   *charge, tax*

la métropole   *urban area,*
  metropolis
la facturation   *invoicing*
la prestation   *service*
le mandant   *client (leg)*

prélever   *to levy (charge, tax)*
correspondre à   *to correspond to*
disposer de   *to have at one's*
  disposal
facturer   *to invoice*

indiscutablement   *unquestionably*
le/la meilleur(e)   *best*
cela va de soi   *it goes without*
  saying

M. Tiébot   Alors, les financements, les financements sont de deux ordres. Nous avons un… nous prélevons l'impôt, si vous voulez, mais un… un tout petit impôt… un tout petit impôt, si vous voulez, puisqu'il est de l'ordre dans la métropole de 3,5 pour cent, si vous voulez, et correspond en gros pour nous à 20 pour cent, si vous voulez, de… notre financement total. Les autres financements que… dont nous disposons sont indiscutablement, comme dans une entreprise, la facturation d'un certain nombre de prestations, prestations aéroportuaires, prestations portuaires mais aussi prestations de conseil et de formation que nous facturons, au meilleur prix, cela va de soi, à nos mandants.

Avez-vous compris? Vérifiez le sens des phrases suivantes.
la fonction des Chambres de Commerce est dirigée vers…
dans le domaine du conseil
les financements sont de deux ordres
les autres financements dont nous disposons
la facturation d'un certain nombre de prestations

1   Vrai ou faux? Quelle est l'affirmation correcte?
a D'après Monsieur Tiébot la fonction de la Chambre de Commerce est simplement dirigée vers la formation.
b La Chambre de Commerce a un financement double.
c Elle prélève l'impôt uniquement.
d Elle prélève l'impôt et facture un certain nombre de prestations.
e L'impôt est de 20 pour cent.
f Les services facturés sont les prestations aéroportuaires, de conseil et de formation.
g Les services facturés sont les prestations portuaires, aéroportuaires, de conseil et de formation.
h Ces services sont d'un très bon prix pour les clients de la Chambre de Commerce.

2   Utilisez votre mémoire. Complétez le dialogue suivant.
La fonction des Chambres de Commerce est .... dans tout ce qui va vers ...., dans le domaine du ...., de sa ...., de la formation des .... de l'entreprise mais aussi de ses ....
Comment est-ce que vous êtes financés?
Les .... sont de deux .... Nous .... l'impôt, mais un tout petit .... puisqu'il est de l'ordre dans la .... 3,5 pour cent et correspond en gros pour nous .... 20 pour cent de notre financement total. Les autres .... dont nous .... sont indiscutablement la .... d'un certain nombre de .... Prestations de .... et de .... que nous .... au meilleur ...., cela va de soi, à nos ....
Vérifiez vos réponses: écoutez à nouveau l'enregistrement.

A VOUS! ▶

Gérard Tiébot

Aide-mémoire:
l'entreprise   hommes
gestion   ordres
financements   dirigée
prélevons   impôt   conseil
disposons   facturation   à
de prestations   facturons
marchés   formation
mandants   métropole

4 9

3   Devinez la formation des adverbes!

indiscutable	indiscutable**ment**
astucieux/astucieuse	astucieuse**ment**
personnel/personnelle	personnelle**ment**
heureux/heureuse	....
malheureux/malheureuse	....
relatif/relative	....
éventuel/éventuelle	....
correct/correcte	.... Can you work
habituel/habituelle	.... out the rule?

LES SERVICES DE LA CHAMBRE DE COMMERCE ET LE CENTRE DES FORMALITÉS

la formalité   *form, formality*
l'aménagement (*m*)
    development
la façon   *manner*
le cheminement   *way*
le parcours du
    combattant   *assault course*
les pouvoirs publics (*m pl*)
    authorities
les Compagnies Consulaires:
    Chambres de Commerce

se rendre à   *to call upon*
apporter   *to bring*
toucher   *to touch (upon)*
gagner   *to gain*
s'améliorer   *to improve*
ouvrir   *to open, set up*
mettre en place   *to put in place*

Mme Relin   Quels sont les services dont peut bénéficier une entreprise quand elle se rend à la Chambre de Commerce?

M. Tiébot   Alors, en dehors de l'aménagement, nous apportons un... d'une façon permanente et continue un certain nombre de services qui sont... qui sont le conseil, qui sont l'information, mais aussi tous les services, disons annexes au fonctionnement et au développement des entreprises et en particulier aujourd'hui, tout ce qui touche l'export, c'est-à-dire les contacts, la commercialisation, la... la distribution et... disons le cheminement à... à l'étranger.

Mme Relin   L'autre chose qui est intéressante, c'est le Centre des Formalités. En quoi est-ce que ce service permet aux chefs d'entreprise de gagner du temps?

M. Tiébot   Ben, il faut savoir que si cela s'est amélioré. Ouvrir une entreprise était un parcours du combattant en France. C'est à dire qu'on avait..., il fallait attendre relativement long pour ouvrir un commerce ou une entreprise, plusieurs semaines quand c'était pas plusieurs mois, et l'importance des formalités était... était... pfou!, exagérée, à notre avis. Donc l'idée est venue aux pouvoirs publics... de mettre en place dans les Compagnies Consulaires un Centre de Formalités des Entreprises qui permet, si vous voulez, à un commerçant ou à une petite entreprise d'avoir la capacité de... de trouver tous les éléments, tous les documents qui lui permettent en huit jours de... en... une semaine d'ouvrir une entreprise ou un commerce.

Note that **relativement long** is familiar language for **relativement longtemps**.

Avez-vous compris? Vérifiez le sens des phrases suivantes.
en dehors de l'aménagement
tous les services annexes
tout ce qui touche l'export
gagner du temps

il fallait attendre (*from* il faut)
l'importance des formalités était exagérée
l'idée est venue de mettre en place
ouvrir une entreprise, un commerce

LE CENTRE DE FORMALITES DES ENTREPRISES (C.F.E.)

Finies les interminables démarches administratives! En un seul lieu et une seule opération, le créateur satisfera aux conditions de création ou de modification des statuts de son entreprise.

CFE

SAVIEZ-VOUS QUE...?
Il y a 13 Chambres de Commerce et d'Industrie (CCI) dans le Nord–Pas de Calais, sept dans le Nord et six dans le Pas de Calais. Ces 13 Chambres sont fédérées par une Chambre dite régionale: la Chambre Régionale de Commerce et d'Industrie.

1   Quelle est la réponse qui convient?
a Quelles sont les autres services de la Chambre de Commerce en dehors de l'aménagement?   *i* uniquement les services annexes;   *ii* les services d'informations et aussi les services annexes.
b Que sont les services annexes?   *i* le fonctionnement et le développement d'une entreprise;   *ii* les contacts, la commercialisation, la distribution.
c Combien de temps fallait-il attendre?   *i* plusieurs semaines/mois; *ii* une semaine/huit jours.
d Combien de temps faut-il attendre aujourd'hui?   *i* plusieurs semaines/mois;   *ii* une semaine/huit jours.
e Qui a eu l'idée de créer un Centre de Formalités?   *i* les compagnies consulaires;   *ii* les pouvoirs publics.

2   Utilisez votre mémoire! Comment diriez-vous en français?
a apart from;   *b* we provide a certain number of services;   *c* in particular;   *d* everything that is connected with export;   *e* that is to say;   *f* to gain time;   *g* one had to wait many weeks;   *h* to set up a centre;   *i* to set up a company.

La mission de l'APIM
Created by the Lille Chamber of Commerce specifically to attract business to the city, l'APIM (l'Agence pour la promotion industrielle de la métropole Lilloise) has been so successful that it has been copied in cities throughout France. Read the following extract from an interview with the president of l'APIM, Gérard Thiriez, published in the Chamber of Commerce magazine *FACE*.

L'APIM, Lille

l'emploi (*m*)   *employment*
la valeur ajoutée   *value added*
la cible   *target*
le critère   *criterion*
l'atout (*m*)   *trump card,*
   advantage
le consommateur   *consumer*
la main-d'œuvre   *workforce*

mettre en avant   *to put forward*
être sensible à   *to be sensitive to*

à notre disposition   *at our disposal*
tant... que...   *as much ... as...*
dans un rayon de   *in a radius of*
auprès de   *for, on behalf of*
auquel   *(to) which*

FACE: le magazine d'actualité économique et commerciale de Lille métropole, édité par le département Information–Communication de la Chambre de Commerce et d'Industrie de Lille–Roubaix–Tourcoing.

A VOUS! ▶

■ **FACE** *Depuis six ans, l'APIM assure en France et à l'étranger la promotion économique de la métropole auprès des investisseurs et des entreprises. En quoi consiste exactement cette mission?*
Gérard Thiriez La mission de l'APIM est de contribuer à l'implantation sur la métropole de tout investissement à la fois créateur d'emploi, de valeur ajoutée et d'effets induits sur l'ensemble de l'économie. Pour cela, nous utilisons tous les moyens de promotion et de marketing à notre disposition auprès d'une cible d'entreprises et d'investisseurs, tant en France qu'à l'extérieur du territoire national.
■ **FACE** *Quels critères mettez-vous en avant pour vendre la métropole, quels sont ses meilleurs atouts auprès des investisseurs potentiels?*
Gérard Thiriez Les critères principaux sont plus que jamais son positionnement géographique et ses moyens de transport (100 millions de consommateurs dans un rayon de 300 kilomètres, au centre du triangle Paris–Londres–Bruxelles). Puis viennent son marché, sa main-d'œuvre, les grands projets d'infrastructures économiques et de services aux entreprises (Euralille, l'Euro-téléport de Roubaix, le TGV et le Tunnel, la Technopole de Villeneuve d'Ascq, le CIT de Roncq, l'aéroport de Lesquin...). Nous évoquons encore le potentiel régional, la présence de la sous-traitance, la tradition et le savoir-faire industriel, les moyens de formation... Enfin, la notion d'Eurométropole est un argument auquel nos contacts sont de plus en plus sensibles.

FACE, CCI, Lille

1   Trouvez dans le texte ci-dessus les mots/phrases-clefs. Find the key words and expressions in the above to answer the questions.
a Quelle est la mission principale de l'APIM?
b Comment l'APIM la réalise?
c Quels sont les critères principaux mis en avant pour 'vendre' la métropole?
d Est-ce qu'il y a d'autres critères?
e Finalement, quelle est la notion à laquelle les investisseurs sont de plus en plus sensibles?

2   Write a summary of the piece in English in about 50 words.

🎧(3)   LA FONCTION DE L'APIM
Jean-Pierre Nacry is the director of l'APIM. Laurence Relin asked him to explain the organization's role and how it's funded.

Mme Relin   Monsieur Nacry, quelle est la fonction de l'APIM?
M. Nacry   La fonction de l'APIM est de promouvoir et de faire connaître la métropole lilloise auprès des investisseurs français et étrangers, de détecter

Jean-Pierre Nacry

<table>
</table>

promouvoir	*to promote*
accueillir	*to welcome*
s'implanter	*to establish oneself*
retrouver	*to find*

des projets d'investissements, et ensuite d'accueillir les investisseurs qui souhaitent s'implanter dans cette région lilloise.

Mme Relin   Par qui êtes-vous financés?

M. Nacry   Nous sommes financés par la Chambre de Commerce et d'Industrie de Lille, la Communauté Urbaine de Lille et la Chambre de Commerce d'Armentières.

Mme Relin   Parce qu'en fait, vous êtes une émanation de la Chambre de Commerce?

M. Nacry   Nous sommes une émanation de la Chambre de Commerce et de la Communauté Urbaine qui financent à 50 pour cent à parité... l'APIM.

Mme Relin   Donc, est-ce que c'est une structure originale à la métropole ou est-ce qu'on retrouve des petites structures comme ça partout en France?

M. Nacry   C'était une structure originale, je pense à sa création en 1985, aujourd'hui d'autres villes françaises nous ont beaucoup copiés.

DONNER CONFIANCE AUX INVESTISSEURS ÉTRANGERS

Ms Relin went on to ask Mr Nacry what his clients needed most.

la chose	*thing*
essayer	*to try*
jouer	*to play*

Mme Relin   De quoi ont besoin vos clients?

M. Nacry   Ah, nos clients ont besoin de... de... de beaucoup de choses. Bien souvent quand ce sont les... les investisseurs étrangers, ils arrivent dans une région qu'ils ne connaissent pas, donc ils ont besoin toujours d'avoir confiance en quelqu'un et d'avoir un interlocuteur qui va les mettre en rapport avec une multitude de services et d'administrations, et nous essayons de jouer ce rôle-là.

Avez-vous compris?

faire connaître	avoir besoin de
détecter des projets	avoir confiance en
une émanation	avoir un interlocuteur
être financé	mettre en rapport avec
à parité	une multitude de

Déjeuner d'affaires

A VOUS! ▶

1   Complétez la fiche technique de l'APIM.

FONCTION:	1 promouvoir la métropole lilloise
	2 faire connaître ....
	3 détecter ....
	4 ....
FINANCEMENT:	....
CREATION:	L'APIM est née en ....
	Elle a une structure ....

2   **La chose la plus importante.** Quelle est, d'après Monsieur Nacry, la chose la plus importante pour les investisseurs étrangers?

3   **Avez-vous bonne mémoire?** Trouvez des synonymes pour les mots et expressions suivants.

EXEMPLE   le rôle: la fonction

a surtout   *b* une taxe   *c* un mandant   *d* trouver   *e* la naissance (d'une entreprise)   *f* un grand nombre de   *g* la note   *h* à part   *i* se fixer   *j* mettre en contact avec

4   **Test de vocabulaire!** Trouvez les verbes à partir des noms suivants.

EXEMPLE   la promotion (*nom*) promouvoir (*verbe*)

a l'investisseur   *b* l'entreprise   *c* l'implantation   *d* l'emploi   *e* l'économie   *f* la disposition   *g* le consommateur   *h* le rayon   *i* l'argument

5   **Travail d'association.** Starting from the word given, can you find five related words?

EXEMPLE   promotion: promouvoir, promoteur, publicité, vendre, critères (de vente), investissement, etc.

a emploi: employé(e)...

b atout: carte...

c projet: investissements...

Le Savoir-lire

By now you'll have read a number of extracts from brochures and press articles. In reading, as in listening, it isn't just a matter of understanding each word, but of interpreting the text in the right context. Looking up a word in a dictionary is often not enough: you have to use your general knowledge and common sense! Let's have a look at some strategies.

> ## Lille devient française!
>
> En 1667, Louis XIV prend la ville. Durant la guerre de succession d'Espagne, Lille est conquise par les Hollandais et redevient définitivement française en 1713 à l'occasion du Traité d'Utrecht.

The title usually summarizes a text: **Lille devient française** tells us that Lille *becomes* French, which means that previously it wasn't. So we may expect to be told how it came to be French.

L'hôtel de ville, Lille

En 1667, Louis XIV prend la ville. We've heard of Louis XIV, **le Roi Soleil** (*the Sun King*). Like all kings of that time, he waged wars and won many battles; he took the city of Lille in 1667.

Durant la guerre de succession d'Espagne... We know, or can guess, that **durant** means *during* and that **Espagne** is Spain. But what's **guerre**? As for **succession**, it's much like the English *succession*, as in *in succession*. So the sentence reads: *during the (...) of succession of Spain...* In this context, the *(...)* could well be *battle* or *war*.

... Lille est conquise par les Hollandais... If we try looking up **conquise** in a dictionary, we won't find it. But we know that battles or wars end in conquests and defeats, and **conquise** looks a lot more like *conquest* than *defeat*. So we could deduce that Lille is a conquest, hence *is conquered by the Dutch.*

... et redevient définitivement française... We know that **devenir** means *to become* and **re-** is something that exists in English in words like *re-order, re-record*, hence we may conclude that **redevenir française** means *to become French again*. This follows since the previous sentence told us it had been conquered by the Dutch.

... à l'occasion du Traité d'Utrecht. A l'occasion sounds much like *on the occasion of*, therefore *at the Treaty of Utrecht*. So we can assume that Lille became French first in 1667 and then again in 1713 thanks to the Treaty of Utrecht. Prior to the Treaty, it was conquered by the Dutch who were fighting the Spaniards for the succession of the Crown. Even if we've no idea what the Treaty of Utrecht was all about, we can at least conclude that the outcome for Lille was that it finally became French – thanks to the Dutch who presumably must have bargained it away for something else!

A VOUS! ▶

1   A vous de prédire! Let's apply the same principle to the rest of the article on Lille. It's in two sections, headed **Lille... aujourd'hui** and **Lille demain**. Predict the content by choosing the words and expressions you think might appear in each section.

population	importance régionale	art et architecture
industrie textile	transport	sport
les service tertiaires	métropole	centre de communications
modernisation	Euralille	ville universitaire
économie	Europe	importance commerciale

 Now find out what does appear by reading quickly through both sections.

LILLE... AUJOURD'HUI

1 Avec près de 170.000 habitants dont 27,2% ont moins de 20 ans, Lille est une ville jeune et dynamique. Capitale régionale, ville-centre d'une métropole millionnaire, premier pôle d'emplois dans le Nord-Pas de Calais, elle est devenue une cité puissante et une grande ville universitaire.

2 En 1966 elle s'est intégrée dans une communauté urbaine qui compte aujourd'hui 86 communes et plus d'un million d'habitants.

3 Par ailleurs, Lille a connu une "tertiarisation" accentuée, avec le développement des fonctions bancaires, administratives et commerciales.

4 Lille accueille également chaque année de nombreuses manifestations commerciales ainsi que des salons spécialisés de renommée internationale.

5 Grâce à son Palais des Congrès et de la Musique, Lille affirme sa vocation de Ville de Congrès au cœur de l'Europe du Nord.

6 Enfin, Ville d'Art et d'Histoire, au contact de deux cultures française et flamande, Lille se distingue par l'originalité, la spécificité et la richesse de son patrimoine architectural et artistique.

LILLE DEMAIN

7 La mise en place, dans les quelques années qui viennent, de deux axes nouveaux de transport, le tunnel sous la Manche d'une part, le T.G.V. Nord d'autre part, va apporter à Lille des flux importants et donner à cette ville-centre déjà très active une dimension réellement européenne.

8 Point de transit du futur lien fixe transmanche mais également point de jonction des différentes liaisons ferroviaires entre les villes de Paris, Londres, Bruxelles, Cologne et Amsterdam, la ville connaîtra une étape décisive dans son développement.

9 C'est pourquoi il a été décidé la création d'un important Centre International d'Affaires, "Euralille", autour de la gare. Renouant ainsi la fonction d'échanges qui l'avait fait naître, Lille sera prête à aborder le XXIᵉ siècle.

Office de Tourisme, Lille

2 Read the article again, making a list of *a* the key words and phrases you know or can guess, and *b* those you don't understand, and check their meaning.

3 From the words you've picked to fit the two sections (activity 1), choose a subtitle for each of the nine paragraphs. Then list the key words or phrases that have prompted your choice.

4 Write a brief summary in French (about 50 words) on Lille, showing the growing importance of **la capitale de la région Nord-Pas de Calais.**

SAVIEZ-VOUS QUE...?
Lille est née de l'eau. Lille vient du mot 'l'île' car au début il y avait de l'eau partout. La Deûle s'étalait en affluents, méandres et marais dans ce plat pays.

L'Implantation

Utilisez votre savoir! Que savez-vous sur la Belgique? Which of the following statements are correct?
a La Belgique est située au cœur de l'Europe occidentale.
b La Belgique est née au début du XIXᵉ siècle.
c Bruxelles, capitale de la Belgique, est bilingue.
d On parle le français et le néerlandais en Belgique.

e Deux Belges sur trois vivent dans des zones urbaines.

f Les Belges sont de culture latine et germanique.

g La Belgique est une république.

h La Belgique est le pays des tulipes.

i La Belgique fait partie de la CEE depuis 1957.

j Les chocolats belges sont très connus partout dans le monde.

k La Belgique a un réseau autoroutier très important.

l Anvers est le premier port d'Europe en importance.

m La Belgique a un niveau de vie supérieur au niveau de vie de la France.

n La Belgique est une plaque-tournante pour le commerce international.

o La majorité des emplois se trouve dans les services.

Vérifiez vos réponses: lisez les articles ci-dessous.

Belgique

Capitale: Bruxelles
Superficie: 30.518 km^2
Population: 9,9 millions d'habitants
Langues officielles: français, néerlandais, allemand
Densité moyenne de population: 325 habitants/km^2
Devise: le franc (100 FB = environ 3USD, 5DM, 2,3 ECU)

Où se trouve la Belgique?

La Belgique est située au cœur de l'Europe occidentale.

Population

A l'intersection des cultures latines (au sud) et germaniques (au nord), cette partie florissante de l'Europe a toujours été convoitée par de puissants voisins.

La Belgique, terre d'accueil

La Belgique fut l'un des signataires de l'acte instituant la Communauté Economique Européenne en 1957. Elle est aujourd'hui le centre politique et économique de la Communauté européenne.

Mode de vie

Deux Belges sur trois vivent dans des zones urbaines. Dans certains centres – le triangle Bruxelles–Gand–Anvers notamment – la densité de population atteint 750 habitants au km^2.
La Belgique est un pays prospère. Un tiers de sa population jouit de revenus nettement supérieurs à la moyenne européenne. 61% des familles belges sont propriétaires de leur habitation.

Monarchie constitutionnelle

La Belgique est un état jeune. Le Roi Baudouin 1er est le cinquième Roi des Belges depuis l'indépendance de 1830. En tant que chef de l'Etat, le Roi doit agir conformément à la volonté du peuple, et est soumis à la Constitution belge.

Bruxelles, capitale cosmopolite

Sur le million d'habitants vivant à Bruxelles, un quart sont des étrangers. Bien que la capitale de la Belgique soit officiellement bilingue (on y parle le français et le néerlandais), Bruxelles est une ville très cosmopolite.

Anvers, la métropole

Anvers est le second port d'Europe en importance.

Un paradoxe

La Belgique est 14 fois plus petite que la France et 12 fois plus petite que l'Allemagne, mais son niveau de vie est comparable à celui de ces deux grands voisins.

Plaque tournante

Aujourd'hui, la Belgique est une véritable tête de pont pour tous les échanges en provenance et à destination de l'Europe. Son infrastructure en matière de transport est impressionnante: la Belgique est couverte par un réseau autoroutier particulièrement dense, dont l'éclairage nocturne constitue un point de repère pour les astronautes.

4

s'installer   *to set up*
traduire   *to translate*

dix-neuf-cent-nonante-
   trois   *1993*
fort facile   *very easy*

le conseil juridique   *local
   authority legal office*
la filiale   *subsidiary company*

conduire   *to lead*
se dire   *to tell oneself*

utile   *useful*
soit… soit…   *be it … , or …*

A VOUS! ▶

**La Grande-Bretagne va
descendre…**

«Nous avons choisi la zone Nord-Pas
de Calais parce que c'est une zone
qui est en pleine expansion, qui se
remet complètement de la crise
textile, et en plus le TGV, je crois, va
apporter énormément d'industries
nouvelles par le fait que la Grande-
Bretagne va sans doute devoir
descendre sur le continent, comme
ils disent.» (*Jean Druard, chef
d'entreprise belge*)

UN CHEF D'ENTREPRISE BELGE S'INSTALLE DANS LE NORD-PAS DE
CALAIS
Jean Druard, director of a Belgian plumbing and heating company, has
decided to set up a subsidiary at Roubaix, just outside Lille. The location
is close to the Belgian border and gives him direct access to the French
market.

«L'APIM M'A OUVERT TOUTES LES PORTES.»
Once Jean Druard had decided on the move into France, his first step was
to visit Lille, where he soon discovered the existence of l'APIM.

Avez-vous compris? Vérifiez le sens des phrases suivantes.
d'ailleurs sans intérêt pour moi
il m'a vraiment été très utile
en ce sens qu'on prenait rendez-vous…
l'achat des terrains
il m'a fait gagner des mois et des mois

Le SIAR (le Syndicat Intercommunal de l'Agglomération Roubaisienne)
représente huit villes aux atouts complémentaires: Roubaix, Wasquehal,
Leers, Croix, Hem, Lannoy, Lys-Les-Lannoy, Wattrelos.

Note Mr Druard's use of colloquial expressions: j'ai été me promener
(*je suis allé me promener*); j'ai pris le téléphone (*j'ai téléphoné*); c'est pas
si simple (*ce n'est pas si simple*).

1   Pourquoi est-ce que Monsieur Druard est venu s'installer dans le
Nord-Pas de Calais? Give the two principal reasons why Mr Druard has
set up in the area: **C'est parce que…**

2   **Remettez les phrases dans le bon ordre!** Monsieur Druard a fait
plusieurs démarches quand il est arrivé dans le Nord-Pas de Calais pour
installer sa filiale. Commencez avec la phrase *c* et remettez ses démarches
dans le bon ordre.
a J'ai rencontré Monsieur Lalet.   *b* J'ai remarqué l'APIM dans un
prospectus.   *c* J'ai assisté à une conférence.   *d* Il m'a fait gagner des
mois et des mois.   *e* J'ai pris le téléphone.   *f* Il m'a ouvert toutes les
portes.   *g* J'ai pris des prospectus.

3   **Pour le plaisir!** Sont-ils belges ou français?
a L'écrivain Georges Simenon.   *b* Le chanteur Jacques Brel.   *c* Le
peintre Brueghel.   *d* Le héros de la bande dessinée «Tintin».   *e* La
chanteuse Edith Piaf.   *f* Le champion cycliste Eddie Merckx.   *g* La
bière Kronenbourg.   *h* L'acteur Gérard Philippe.   *i* Le cinéaste André
Delvaux.   *j* Le peintre René Magritte.   *k* Le poète Arthur Rimbaud.
l Les chocolats Léonidas.

Demander des explications et des précisions.

You could start by asking:

Vous avez dit que. . .   J'ai entendu dire que. . .
On m'a dit que. . .   J'ai compris que. . .
On m'a expliqué que. . .   J'ai lu que. . .

And you could complete your question with:
Mais, moi ce qui m'intéresse, c'est. . .
Je voudrais savoir ce que cela signifie
Qu'est-ce que cela veut dire exactement?
Que voulez-vous dire exactement?
Je voudrais plus d'explications/précisions à ce sujet
Est-ce vrai?

- **L'imparfait** (*the imperfect tense*)
The main function of the imperfect is to describe things as they were or
used to be, or to describe an event in the past (*see p. 153*).

Il **fallait** attendre plusieurs semaines quand **c'était** pas plusieurs mois.
Une conférence qui **était** d'ailleurs sans intérêt pour moi.
Il y **avait** donc l'APIM.

- **Qui, ce qui, que, ce que**
L'autre chose **qui** est intéressante. . .
Un Centre de Formalités **qui** permet. . .
Tout **ce qui** va vers l'entreprise. . .
Des prestations de conseil **que** nous facturons.
Je sais **qu'**elle a assisté à la conférence.
Nous n'avons pas **ce que** vous voulez.
Je ne comprends pas **ce que** vous avez.

Note that **ce qui**, like **qui**, is followed by a verb, but **ce que**, like **que**,
is followed by a new subject (*see p. 151*).

1 How would you say the following in French?
a I've read that Lille is a young and dynamic city.
b I've been told that Lille will soon be a major European city.
c It has been explained to me that Lille was conquered by the Dutch.
d You said that Brussels is bilingual.

2 For each of the above sentences *a–d*, ask for further information, as
follows:
a Ask for more explanation on the matter.
b Ask if it's true.
c Ask when it became definitely French.
d Ask what is meant exactly.

4

l'habillement (*m*)	*clothing*
la plainte	*complaint*
la purée de châtaignes	*mashed chestnuts*
l'agape (*f*)	*meal*
le pouce	*thumb*
consacrer	*to devote*
s'habiller	*to dress*
oublier	*to forget*
réchapper	*to come through*
davantage	*more*
autrefois	*previously, in other times*

3 Hier était-il mieux qu'aujourd'hui? Was yesterday better than today? Which of the following statements do you think are true?

a Avant, on dépensait plus pour s'habiller.
b Avant, on lisait davantage.
c Avant, on mangeait beaucoup mieux.
d Avant, il y avait moins de pollution.
e Avant, les personnes âgées vivaient mieux.
f Avant, la vie était moins chère.
g Avant, il y avait moins d'immigrés.
h Avant, les voitures étaient plus solides.
i Avant, on était moins atteints de cancers.
j Avant, les commerçants étaient plus honnêtes.
Vérifiez vos réponses: lisez l'article ci-dessous.

Hier était-il mieux qu'aujourd'hui?

AVANT, ON DEPENSAIT PLUS POUR S'HABILLER

Vrai: En 1870, nous consacrions 12% de notre budget à l'habillement, et seulement 7% en 1989, car nous payons nos vêtements moins cher.

AVANT, ON LISAIT DAVANTAGE

Faux: «La télévision a tué la lecture.» Cette plainte, souvent répétée, n'est pas justifiée, si l'on en juge par l'explosion de l'industrie du livre: 11 400 titres publiés en 1960, 38 414 en 1990.

AVANT, ON MANGEAIT BEAUCOUP MIEUX

Faux: C'est oublier qu'autrefois la viande était réservée aux jours de fête et les oranges à Noël. Nos ancêtres, qui se nourrissaient de purées de châtaignes tout au long de l'année, ou de soupe au pain, auraient envié nos agapes quotidiennes.

AVANT, IL Y AVAIT MOINS DE POLLUTION

Vrai: Hélas oui, le dernier rapport du World Resource Institute indique qu'environ 1,2 milliard d'hectares (soit la superficie de l'Inde et de la Chine réunies) ont été sérieusement dégradés depuis la fin de la Seconde Guerre mondiale.

AVANT, LES PERSONNES AGEES VIVAIENT MIEUX

Faux: En vingt ans, le revenu minimal des personnes âgées a été multiplié par vingt, et les plus de 65 ans ont multiplié leurs dépenses par 3, contre 2,6 pour le reste de la population.

AVANT, LA VIE ETAIT MOINS CHERE

Faux: En francs actuels, la baguette de pain de 1962 coûtait, certes, 2,64 F (3,50 F en 1992); le kilo de rumsteack 79,50 F (92,60 F) et un quotidien 1,65 F (6 F).

AVANT, IL Y AVAIT MOINS D'IMMIGRES...

Faux: La France a toujours été un pays d'immigration: les Polonais dans les mines de charbon du Nord au début du siècle, les Italiens et les Espagnols entre les deux guerres sont les grands-parents de nombre d'entre nous.

AVANT, LES VOITURES ETAIENT PLUS SOLIDES

Faux: Elles en avaient peut-être l'apparence, mais à quel prix! A 50 à l'heure contre un arbre, une Traction avant ou une 403 résistaient bien. Les passagers, eux, en réchappaient rarement.

AVANT, ON ETAIT MOINS ATTEINTS DE CANCERS

Faux: Le cancer a toujours existé. A âge égal, on compte autant de cancers aujourd'hui qu'autrefois, et ceci quel que soit le pays.

AVANT, LES COMMERÇANTS ETAIENT PLUS HONNETES

Faux: Le petit coup de pouce sur la balance est un sport pratiqué depuis des temps immémoriaux.

Modes et Travaux, août 92

▶

1 List all the verbs you can find in the article in the imperfect tense, starting with **dépensait**.

2 Complétez les phrases suivantes avec **qui**, **que**, **ce qui** or **ce que**.
a Ils veulent avoir un interlocuteur ………… va les mettre en rapport avec une multitude de services.
b Nous sommes une émanation de la Chambre de Commerce et de la Communauté Urbaine ………… financent à 50 pour cent l'APIM.
c Nous avons là dans le sud un marché ………… est un très grand marché.
d Tout ………… touche l'export.
e Ils arrivent dans une région ………… ils ne connaissent pas.
f C'est Lille ………… est la capitale de la région Nord-Pas de Calais.
g Et finalement, notre quatrième mission, ………… est une mission de formation.
h ………… nous défendons, ce sont les intérêts des entreprises locales.
i Le néerlandais est une langue ………… je ne comprends pas.
j ………… nous aimons ici, c'est le marché potentiel des investisseurs.

Proverbe: Tout ce qui brille n'est pas or!

Infos utiles

En travaillant pour soi
«A partir du moment où chacun travaille pour soi, il est évident que la motivation, elle est plus qu'exemplaire, elle est totale.»
(*Michel-Edouard Leclerc, GALEC*)

L'APIM
L'Association pour la Promotion Industrielle de la Métropole was created, and is managed, by Lille Council, the Chambers of Commerce and Industry of Lille–Roubaix–Tourcoing and of Armentières, and the Employers' Union of the **Métropole de Lille**. It prides itself in being **l'interlocuteur privilégié** (*the best go-between*) for people planning to set up a business in the area. L'APIM will not only welcome you, advise you on a suitable locality and help you find the right premises, it can also help you raise the finance needed for your new enterprise.

Le Centre de Formalités des Enterprises of the CCI will guide you through all the legal and administrative procedures necessary for opening a business in France.

Similar development agencies exist throughout France. For information, advice and addresses, contact the appropriate regional Chamber of Commerce, **la Chambre Régionale de Commerce et d'Industrie**. You will find one based in all major cities.

A French philosopher once said: «Il faut manger pour vivre et non pas vivre pour manger» (*One must eat to live and not live to eat*), but it's a well-known fact that the French love their food and tend not to follow the philosopher's advice.

...rne de Maître Kanter

«Je souhaite voir appliquer trois principes dans mes tavernes: premièrement la qualité, deuxièmement la qualité et troisièmement la qualité.» Maître Kanter

La qualité de nos fruits de mer...
arrivage quotidien toute l'année

Les huîtres

FINES DE CLAIRES	Les 6	Les 12
Nº 1 grosses	59,00	118,00
Nº 2 moyennes	49,00	98,00
Nº 3 petites	39,00	78,00

SPECIALES DE CLAIRES	Les 6	Les 12
Nº 1 grosses	73,00	146,00
Nº 2 moyennes	59,00	118,00
Nº 5 petites	49,00	98,00

Le plateau Kanter 156,00
avec son demi tourteau.

Le plateau royal 249,00
avec son demi tourteau
et son demi homard.

L'assiette du mareyeur.....62,00
2 spéciales nº 5, 2 claires nº 3,
    2 palourdes, 2 amandes,
    2 moules, 2 bouquets.

Coquillages et crustacés

Le buisson de crevettes roses	44,00
Le buisson de langoustines	98,00
Le bouquet de crevettes norvégiennes	32,00
La coquille de crevettes grises	36,00
Les moules d'Espagne (les 6)	23,00
La timbale de bulots	32,00
Les amandes (les 6)	22,00
Les clams (la pièce)	18,00
Les bigorneaux	24,00

Les Entrées

Assiette de crudités	28,00
Terrine du Chef	38,00
Escargots à l'Alsacienne	45,00
Saumon mariné à l'aneth	54,00
Terrine de tourteaux au coulis d'avocat	42,00

Le Tavernier vous suggère...

Suprême de volaille à l'ancienne	67,00
Magret de canard au cidre	86,00
Côte à l'os grillée sauce béarnaise	98,00
Andouillette de Cambrai	52,00
Faux-filet grillé au beurre rouge	66,00

Les Choucroutes

La Choucroute Brasserie 52,00
(saucisse de Francfort, saucisse de Strasbourg,
poitrine fumée)

La Choucroute Paysanne 58,00
(petit salé, saucisse de Montbéliard)

La Choucroute de la Taverne 59,00
(saucisse de Francfort, poitrine fumée, saucisse
de campagne fumée, saucisson)

Les Poissons

Médaillon de lotte au safran	99,00
Filet de sandre rôti à l'ail	78,00
Escalope de saumon maraîchère	83,00

Les Fromages

Plateau de fromages	35,00
Salade de chèvre chaud	45,00

Prix nets – Service 15% inclus   Ouvert 7/7 jours de 8 h 00 à 1 h 00 du matin   DEMANDEZ LA CARTE DES DESSERTS

Au restaurant

À LA TAVERNE DE MAÎTRE KANTER

Christophe Delay va déjeuner à la Taverne de Maître Kanter à Lille. C'est la première fois qu'il déjeune là. Aussi il veut savoir ce qui est bon.

M. Delay   Bonjour, monsieur. Qu'est-ce que vous me conseillez là, qu'est-ce que vous avez de particulièrement bon?
Me Kanter   Alors, notre spécialité c'est la choucroute, hein, notamment la choucroute, les fruits de mer, et ce midi en plat du jour, j'ai une côte à l'os, sauce béarnaise... quelques salades composées, le carpaccio ou la viande grillée.
M. Delay   Ah oui, en viandes vous avez ça. Vous avez autre chose en viandes?
Me Kanter   Absolument, nous avons du filet mignon de porc, du magret de canard, du faux filet grillé, nous avons des rognons et ris de veau.
M. Delay   Et... je vais prendre des rognons et ris de veau. Avec ça, vous pouvez me recommander une entrée peut-être?
Me Kanter   Oh, dans ce cas, une petite entrée légère, pourquoi pas une... une terrine de lapin aux pruneaux?
M. Delay   D'accord.

Avez-vous compris? Vérifiez le sens des phrases suivantes.

qu'est-ce que vous avez de bon à manger?
notre spécialité, c'est...
en plat du jour
vous avez autre chose en viandes?
je vais prendre...
vous pouvez me recommander une entrée?

la choucroute	*sauerkraut*
les fruits de mer (*m pl*)	*seafood*
la viande	*meat*
le canard	*duck*
le rognon	*kidney*
le ris de veau	*calves' sweetbreads*
l'entrée (*f*)	*first course, starter*
le lapin	*rabbit*

MOULES
MARINIÈRES
54,000ᶠ

A VOUS! ▶

Quelle est la réponse qui convient?

a En entrée Christophe prend: *i* une salade composée; *ii* une terrine de lapin aux pruneaux.
b En viande il prend: *i* des rognons et ris de veau; *ii* un magret de canard.

La truite au bleu

DÉJEUNER AVEC UN AMI

Christophe Delay déjeune avec Jean-Marie qui le conseille à choisir ses plats.

Christophe   Bon, Jean-Marie, tu as jeté un coup d'œil à la carte?
Jean-Marie   Oui, tout à fait.
Christophe   Qu'est-ce que..., qu'est-ce que tu prends, toi?
Jean-Marie   Alors, dans les entrées et salades composées, une salade de chèvre chaud.

SAVIEZ-VOUS QUE...?

Un Français sur quatre va au bistro au moins une fois par semaine. Les gens du nord battent le record, car il y a une personne sur trois qui y va. Les gens du nord sont suivis de près par les Bretons et les Parisiens.

Christophe Tu peux me... recommander quelque chose, parce que là je suis un peu perdu.
Jean-Marie Viande ou poisson?
Christophe Plutôt poisson.
Jean-Marie Alors poisson..., nous avons une brochette de Saint-Jacques et de langoustines, un filet de sandre au Riesling, une truite au bleu, un gigottin de zlot à la citronnelle, et une nage de coquillages et de saumon au choux.
Christophe Est-ce qu'il y a... quelque chose que tu as déjà pris, qui est bon?
Jean-Marie Non, mais le plus simple c'est la truite au bleu. C'est une, une truite à l'eau, quoi, une truite à la vapeur, donc c'est le plus simple.
Christophe Bien, je vais prendre ça.

1 Comment diriez-vous en français? (Vous êtes avec un ami.)
a What are you having? *b* Can you recommend me something? *c* Is there something you've already had which is good? *d* The simplest is trout.

2 Répondez aux questions suivantes.
a Il y a combien de personnes? *b* Où sont-elles? *c* Que prend Jean-Marie? *d* Que recommande-t-il à Pierre? *e* Qu'est-ce que c'est exactement?
Vérifiez vos réponses: écoutez à nouveau l'enregistrement 2.

Read the information on the Beaujolais leaflet. Which one most appeals to you?

A VOUS!

la robe *colour (of wine)*
le nez *nose*
les gibiers (*m pl*) *game*
le cru *vineyard*
le gigot *leg of lamb*
les volailles (*f pl*) *poultry*
la charcuterie *cooked pork*
digne *worthy*

Les Beaujolais n'ont pas fini de vous étonner!

Brouilly
Robe rubis profond, il a un nez de fruits rouges, de prune, de pêche, avec des notes minérales. Servir à 12° sur petit gibier à plumes, viandes rouges.

Moulin à vent
Le 'Seigneur des Beaujolais'. C'est un vin de garde digne de figurer parmi les plus grands. Servir à 14° s'il est à maturité, sur viandes rouges, gibier, fromages corsés.

Morgon
C'est un vin qui mérite de prendre un peu d'âge pour être à son apogée. Servir à 13°, sur viandes en sauce, gibier.

Fleurie
D'une belle robe carminée, on le considère souvent comme le plus féminin des crus du Beaujolais. A servir à 13°, sur gigot à la beaujolaise, volailles et viandes blanches.

Juliénas
Robe rubis très soutenue pour ce vin nerveux qui s'apprécie aussi bien jeune qu'après quelques années de bouteille. Servir à 13°, sur coq au vin, gibier à plumes et volailles en sauce.

Beaujolais Villages
39 communes peuvent utiliser l'appellation Beaujolais Villages. Ils accompagnent à merveille bon nombre de plats. Servir frais, à 11–12° sur charcuteries, volailles.

UIVB

Tu/vous

> **Tu** as jeté un coup d'œil à la carte?
> Qu'est-ce que **tu** prends?
> Ça **te** va?

There are two forms of address in French: the **tu** and the **vous** forms. **Tu** is used with family, friends and children; **vous** with everyone else. **Note** that **te** above is the object form of **tu**.

l'assiette (*f*)   *platter*
le salé   *salt pork*
le pavé   *thick piece (of meat)*

1 Vous êtes dans une petite brasserie et la patronne s'approche. Complétez la conversation.

Patronne   Bonjour, monsieur.
Vous   Say hello and ask for the menu.
Patronne   Voilà le menu.
Vous   Ask if she can recommend you something.
Patronne   Oui, alors en entrée nous avons l'assiette Saint-Antoine.
Vous   Ask for an explanation.
Patronne   C'est une assiette de jambon avec du pâté, du saucisson sec et du petit salé.
Vous   Have they got something else?
Patronne   Oui, vous pourriez prendre une Parisienne. C'est de la tomate, des œufs durs et du jambon.
Vous   You'll have that. What meat dishes do they have?
Patronne   Alors, en viandes nous avons un pavé de rumsteak, sauce au poivre, une entrecôte grillée, un tournedos ou un steak tartare.
Vous   What does she recommend, what's particularly good today?
Patronne   Alors, aujourd'hui je vous recommande l'entrecôte. Elle est très tendre.
Vous   Okay, you'll have a grilled entrecôte with French fries and French beans.
Patronne   Bien. Et vous prenez du vin?
Vous   You'll have the house wine.
Patronne   Une bouteille ou une demie?
Vous   A half bottle.
Patronne   Parfait. Je vous l'apporte tout de suite.
Vous   Thank her.

2   Tu ou vous? Pour chaque personne, décidez si la question posée est correcte.

a A Monsieur Mullon du service des ventes: «Alors, qu'est-ce que **tu** prends – une choucroute?»
b A Madame Depardieu de la société Valourec: «**Vous** aimez le vin rouge?»
c A Frédéric, votre ami: «Qu'est-ce que **vous** me conseillez?»
d A Héléna, votre fille: «**Tu** prends une salade composée ou un steak?»
e A la réceptionniste de l'hôtel des Flandres: «**Tu** m'expliques comment on fait pour appeler à l'extérieur?»

Une sélection de fromages

SAVIEZ VOUS QUE... ?
Il y a plus de 350 variétés de fromages en France. Les plus connus sont le Brie, le Camembert, le pont l'Evêque, le Roquefort, le carré de l'Est, le bleu de Bresse, le Saint-Paulin, le Chaumes, le demi-sel.

f A la standardiste de la société Sandoz: «**Vous** pouvez prévenir Madame Curie que j'aurai quinze minutes de retard, s'il vous plaît?»

g A votre femme/mari: «**Tu** as réservé une chambre à l'hôtel de Guise?»

h A Mademoiselle Lambert, votre collègue: «**Vous** êtes déjà allée à la Grande Braderie?»

Vérifiez vos réponses à la page 163. Si une réponse est fausse, essayez de vous corriger.

Dîner chez un collègue

DISCUSSION APRÈS LE DÎNER

Bruno Fontaine a invité son collègue Alain Guichard à déjeuner chez lui. Après le repas, ils discutent de choses et d'autres.

M. Guichard	Madame, votre steak au poivre est absolument succulent!
Mme Fontaine	Ah, vous exagérez...
M. Fontaine	Avouez que vous n'êtes pas déçu.
M. Guichard	Absolument pas, et vos fruits de mer en entrée, c'était parfait.
Mme Fontaine	Et ils étaient frais.
M. Guichard	Ça me rappelle d'ailleurs un repas que j'avais fait l'été dernier avec ma femme. Nous étions en vacances dans le midi à Saint-Trop et nous y avons mangé des fruits de mer aussi excellents.
Mme Fontaine	Vous avez une villa à Saint-Trop?
M. Guichard	Ah non, pas du tout, non! Nous étions en vacances chez des amis, parce que d'habitude nous partons plutôt à l'étranger en voyage, en Italie, en Espagne, par exemple.
Mme Fontaine	Mmmn, c'est intéressant!
M. Fontaine	Ah, mais tu te souviens, chérie, le dernier grand voyage qu'on a fait, c'était en Australie.
Mme Fontaine	Oh là là!
M. Fontaine	Fantastique!
Mme Fontaine	Superbe! Tu te souviens de cet hôtel qui donnait sur la baie de Sydney?
M. Fontaine	Vue sur la mer, vraiment un voyage extraordinaire! Si vous pouvez y aller d'ailleurs, n'hésitez pas, on a de très bonnes adresses, de très bons restos et on était dans un hôtel, c'est vrai, il faut le dire, très bon.
Mme Fontaine	Et on a aussi beaucoup de photos, on pourra vous les montrer après le repas, si vous voulez.
M. Guichard	Ah, oui, très bien, oui, pourquoi pas? D'ailleurs à l'occasion, j'espère bien que vous viendrez manger à la maison à Toulouse, si vous avez l'occasion de passer, pour goûter le cassoulet de ma femme. Et moi-même, j'ai ramené beaucoup de photos de mes voyages en Amérique Centrale par exemple, et je compte bien vous les montrer aussi.

Saint-Trop: Saint-Tropez, une ville sur la Côte d'Azur

le resto *(fam)* restaurant
le séjour *stay*

avouer *to confess*
goûter *to taste, try*
ramener *to bring back*

déçu(e) *disappointed*
d'ailleurs *by the way*
accueillant(e) *welcoming*
là-bas *(down) there*

Plateau de fruits de mer

Mme Fontaine Ah, en Amérique Centrale, mais ça doit être passionnant!
M. Guichard C'est des régions assez troublées, mais c'est des régions où les gens sont vraiment très accueillants et on a passé de très bons séjours là bas.

Note: c'est des régions is often used in spoken French, but you should use the correct form, **ce sont des régions**, particularly in writing.

A VOUS! ▶

Place Charles de Gaulle, Lille

1 Avez-vous compris? Répondez aux questions suivantes.
a Qui est invité? *b* Qui a passé ses vacances à Saint-Trop? *c* Qui habite à Toulouse? *d* Qui a des photos à montrer après le repas? *e* Qui sait faire un très bon cassoulet? *f* Qui a cuisiné un steak au poivre? *g* Qui est allé à Saint-Trop l'été dernier? *h* Qui est allé en Australie? *i* Qui est allé en Amérique Centrale? *j* Qui va d'habitude en voyage en Espagne ou en Italie?

2 A vous de trouver! Comment dit-on en français?
a a pepper steak; *b* absolutely not; *c* as a starter; *d* it was perfect; *e* it reminds me; *f* last summer; *g* on holiday; *h* do you remember? *i* sea view; *j* don't hesitate; *k* if you have the opportunity; *l* in Central America; *m* it must be thrilling; *n* people are very hospitable.

3 Par extension: Comment diriez-vous en français?
a a melon with port; *b* certainly not; *c* as a dessert; *d* it was excellent; *e* she reminds me; *f* last winter; *g* a holiday abroad; *h* do you remember? (use **vous**); *i* as a dish of the day; *j* don't phone; *k* if you have the time; *l* in Latin America/Central Africa; *m* it must be perfect; *n* people are very interested.

Les Passe-temps

DANS LA RUE
Un de nos reporters demande à des passants quels sont leurs passe-temps favoris.

Reporter Quel est votre passe-temps favori?
Voix 1 Mon passe-temps favori est la photographie.
Reporter Vous y passez beaucoup de temps?
Voix 1 J'y passe pratiquement tous mes week-ends.

Reporter Quel est votre passe-temps favori?
Voix 2 La piscine, ça me fait oublier un petit peu mon travail, ça me fait oublier beaucoup de choses. Principalement, ça m'exerce.

Reporter Quel est votre passe-temps favori?
Voix 3 Et bien, je pense que peut-être les passe-temps qui me tiennent le plus à cœur c'est peut-être la lecture et en complément le. . . la marche.

5

la lecture   *reading*
la marche   *walking*
la piscine   *swimming pool,
   swimming*
le cheval   *horse, horse riding*
le vélo   *bicycle, cycling*

tenir à cœur   *to hold dear to*
ne rien faire   *to do nothing*

en complément   *in addition*
pénard(e) (*fam*)   *quiet*

Reporter   Quel est votre passe-temps favori?
Voix 4   Ah bon, écoutez, moi c'est ne rien faire, alors carrément ne rien faire. J'aime bien rester là comme ça, par exemple dans un fauteuil, je m'endors un petit peu, j'adore dormir d'ailleurs, et alors je reste là, tranquille, pénard. . .

Reporter   Quel est votre passe-temps favori?
Voix 5   Mais moi, j'aime beaucoup lire. . . parce que c'est un moyen. . . un moyen d'évasion pour moi. Je m'identifie aux divers personnages et je peux vivre à travers eux différentes expériences. Mais à part la lecture, j'aime énormément la musique, pour les mêmes raisons, c'est aussi un moyen d'évasion.

Voix 6   Moi, j'adore le cheval, l'équitation. Ça fait dix ans que j'en fais et ça me procure beaucoup d'évasion et surtout je retrouve un contact que je ju. . . , que je juge privilégié avec la nature et l'animal.

Voix 7   Alors, le vélo. C'est prendre ma bicyclette tous les dimanches matins, et m'en aller en dehors de la ville, seul, solitaire, c'est ce que j'aime.

A VOUS! ▶

1   Qui fait quoi, pendant combien de temps, et pourquoi?
Remplissez la grille ci-dessous.

	qui?	quoi?	combien de temps?	pourquoi?
a	Voix 1	la photographie	tous les week-ends	....
b	Voix 2	....	....	....
c	Voix 3	....	....	....
d	Voix 4	....	....	....
e	Voix 5	....	....	....
f	Voix 6	....	....	....
g	Voix 7	....	....	....

2   A vous de trouver! Complétez la grille ci-dessous.

	le passe-temps	le verbe	la personne qui fait l'action
a	la photographie	photographier	le/la ....
b	la natation	....	....
c	la lecture	....	....
d	la marche	....	....
e	la musique	....	....
f	l'équitation	....	....
g	le cyclisme	....	....

Les Vacances

(5)

QU'EST-CE QUE VOUS ALLEZ FAIRE PENDANT VOS VACANCES?

Un autre de nos reporters demande à d'autres passants ce qu'ils font pendant leurs vacances.

Voix 1	Je vais. . . dans ma ville d'origine.
Reporter	C'est à dire?
Voix 1	Lyon.
Reporter	Vous reposer? Qu'est-ce que vous allez y faire là-bas?
Voix 1	Voir les amis et ma famille.

Voix 2	Prendre du bon temps. . .
Reporter	Vous allez partir?
Voix 2	Oui.
Reporter	Où ça?
Voix 2	En Espagne.
Reporter	Combien de temps?
Voix 2	Euh, quinze jours.
Reporter	Et. . . tous les ans vous y allez?
Voix 2	Non, non.
Reporter	C'est la première fois?
Voix 2	Oui.
Reporter	Merci.

Voix 3	Travailler, hein.
Reporter	Combien de temps?
Voix 3	Tout le temps, tout le temps.
Reporter	Donc, pas de vacances cette année?
Voix 3	Pas de vacances, non.

Voix 4	Eh bien, partir en vacances et puis travailler.
Reporter	Pourquoi?
Voix 4	Pour gagner un peu d'argent.
Reporter	Pour financer quoi?
Voix 4	Pour financer mes loisirs, mes études, différentes choses en fait.
Reporter	Et où est-ce que vous allez travailler?
Voix 4	Chez un opticien. Je fais des études pour devenir opticien. Je suis en dernière année, et. . . j'ai trouvé un opticien. . . dans la région, chez qui je vais travailler le mois d'août.

Voix 5	Je vais travailler.
Reporter	Combien de temps?
Voix 5	Euh, deux mois. Pour un départ. . . au Népal, en octobre, donc mettre un maximum d'argent de côté.

la colonie *(holiday) camp*
le fric *(coll) dough, cash*

être en dernière année *to be in one's final year (of studies)*
mettre de côté *to put aside, save*

hallucinogène *hallucinogenic*

SAVIEZ-VOUS QUE. . . ?
La proportion des séjours à l'étranger est de 60 pour cent pour les Allemands et les Belges, 40 pour cent pour les Britanniques et seulement 17 pour cent pour les Français.

SAVIEZ-VOUS QUE. . . ?
Les congés payés datent du Front Populaire de 1936. La loi du 20 juin 1936 a accordé aux travailleurs deux semaines de congés payés par an. Ils sont passés à trois semaines en 1956 et à quatre semaines en 1969. Depuis 1982 ils sont de cinq semaines.

Reporter	Qu'est-ce que vous allez faire au Népal?
Voix 5	Ben, je vais étudier. . . les plantes hallucinogènes.
Voix 6	Moi, je vais faire une colonie.
Reporter	Où ça?
Voix 6	En Vendée.
Reporter	Pourquoi?
Voix 6	Ben, pour gagner du fric, quoi!

A VOUS! ▶

Qui va où, qui travaille, pendant combien de temps, et pourquoi?
Remplissez la grille ci-dessous avec les informations qui conviennent.

		Qui va/travaille où?	combien de temps?	pourquoi?
a	*Voix 1*	à Lyon		
b	*Voix 2*			
c	*Voix 3*			
d	*Voix 4*			
e	*Voix 5*			
f	*Voix 6*			

GRAMMAIRE ▶

• **En, au, aux + les noms de pays**

la France **l'** Italie *(f)*	Je vais Je téléphone	**en**	France Italie
le Canada **le** Mali **le** Sénégal	Je vais Je téléphone J'ai voyagé	**au**	Canada Mali Sénégal
les Etats-Unis **les** Seychelles	Je vais Je téléphone	**aux**	Etats-Unis Seychelles

A VOUS! ▶

1 Devinez! Masculin ou féminin? Pour chaque pays, choisissez la préposition qui convient: **en**, **au** ou **aux**?

Népal	Corse	Guadeloupe	Sri-Lanka
Argentine	Maroc	Martinique	Canada
Pérou	Afrique du Sud	Pologne	Nouvelle-Zélande
Espagne	Nigéria	Mexique	Thibet
Pays-Bas	Iles Comores	Kenya	Norvège

2 Dans quel pays sont-ils nés? Choisissez le pays qui convient et complétez les phrases suivantes avec **en**, **au**, ou **aux**.

a Le comédien Charlie Chaplin est né. . .   Suède
b L'actrice Greta Garbo est née. . .   Arménie
c L'acteur et chanteur Yves Montand est né. . .   Angleterre

Salif Keita

Jean-Jacques Rousseau

d Le chanteur Charles Aznavour est né...	Italie
e Le chanteur Jacques Brel est né...	Espagne
f Le peintre Pablo Picasso est né...	Belgique
g Le chanteur Salif Keita est né...	Suisse
h L'actrice Marilyn Monroe est née...	Etats-Unis
i Le philosophe Jean-Jacques Rousseau est né...	Mali
j Le footballeur Pelé est né...	Japon
k Le cinéaste Kurosawa est né...	Brésil
l Le révolutionnaire Ho Chi Minh est né...	Viêt-Nam

3   De quelle nationalité sont-ils? Complétez les phrases suivantes.
a Johannes Vermeer est né aux Pays-Bas. Il est .... *b* Le roi Baudouin est né .... Belgique. Il est .... *c* Salvador Dali est né .... Espagne. Il est .... *d* Marlène Dietrich est née .... Allemagne.   Elle est .... *e* James Dean est né .... Etats-Unis. Il est .... *f* Mao Tsé Toung est né .... Chine. Il .... *g* Homère est né .... Il .... *h* Brigitte Bardot est .... *i* Sophia Loren est .... *j* La reine Elisabeth II est ....

4   Complétez la conversation. Your French contact, Mickaël Barthes, has invited you to his home for a cassoulet. Complete the conversation as suggested in the brackets.
M. Barthes   Vous avez aimé le cassoulet?
Vous   Agree. It was excellent.
M. Barthes   Vous avez déjà mangé un cassoulet de Toulouse?
Vous   No. It was the first time and it was really perfect. Has your host ever eaten roast beef with Yorkshire pudding?
M. Barthes   Ah non, jamais!
Vous   You hope he'll come and have dinner at your place in Leeds to try it.
M. Barthes   Ce sera avec grand plaisir. Tenez, regardez. Ce sont les dernières photos de nos vacances en Corse.
Vous   Show your surprise and admiration: they're beautiful, fantastic! You yourself have brought back a lot of photos from your last trip to Canada.
M. Barthes   Vous allez souvent en Amérique du Nord?
Vous   From time to time. Usually you go to Spain on holiday, or you come to France.
M. Barthes   Ah oui? Où exactement en France?
Vous   Usually in Provence. You have many friends there. Where does he usually go on holiday?
M. Barthes   D'habitude, nous allons sur la côte, à Saint-Raphaël.
Vous   Has he got a house there?
M. Barthes   Pas exactement. C'est la maison de mes parents. Nous y allons souvent.

Vous   *Is it very far from Saint-Tropez?*
M. Barthes   Ah non, pas du tout! C'est à quelques kilomètres. Pourquoi?
Vous   *You've read a lot about it.*

Le Tourisme en France

le solde   *balance*
l'Hexagone: la France

la pub: publicité
le voisin   *neighbour*
le bicentenaire de 1989:   le bicentenaire de la Révolution de 1789
la robinetterie   *taps*
la plomberie   *plumbing*
le carnet   *diary*

s'occuper de   *to look after, take care of*
être près de ses sous (*fam*)   *to be mean*

LE BOOM

Un solde touristique record est prévu pour cette année. Grâce à un excellent rapport qualité-prix et à une bonne image. Et grâce aux Français qui préfèrent partir... dans l'Hexagone.

Comment on vend la France

Depuis cinq ans, la France prend les moyens de faire sa pub. Elle dépense à l'extérieur des budgets importants, elle a choisi ses cibles prioritaires... Encore faut-il savoir parler aux étrangers leur langage.

Une certaine idée de la France, ils l'ont tous, nos chers visiteurs. Mais elle varie, et l'on ne vend pas le tourisme français à des Japonais comme à des Néerlandais. Depuis cinq ou six ans que la France a une politique touristique, des moyens de promotion (120 à 130 millions de francs de budget publicitaire annuel) et une Maison de la France pour s'en occuper, il a fallu mettre en place des stratégies adaptées pour toucher directement le grand public des différentes nationalités.

D'abord, on a défini des cibles prioritaires. Quatre pays, les plus gros émetteurs de touristes: Allemagne, Grande-Bretagne, Etats-Unis et Japon. Puis, trois cibles secondaires, qui sont des voisins à soigner particulièrement: Pays-Bas (en tourisme d'été, la France y a 25% du marché!), Italie, Espagne.

Enfin, la conception du message. Depuis le bicentenaire de 1989, on s'est aperçu que l'utilisation d'un thème annuel donnait de bons résultats: par exemple, «France des régions», ou «Art de vivre» – celui de cette année.

Ce qui n'empêche pas de décliner ce thème suivant les pays: «L'autre chez-vous» au Canada, «Nous sommes très proches de vous» aux Pays-Bas, ou «Découvrez votre propre France» aux Etats-Unis...

Les campagnes sont confiées à des agences nationales – filiales de groupes français quand même –, d'où des messages finalement très typés. Les Australiens sont un peu près de leurs sous? On leur donne le prix des choses. Les Britanniques gardent-ils une image d'hôtellerie à la robinetterie vétuste? Avec un «britiche humour», on corrige. Aux Allemands, on raconte la France en usant de la tradition très germanique du carnet de voyage...

R.A.

L'Expansion, juillet 92

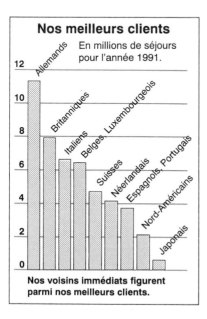

Nos meilleurs clients

En millions de séjours pour l'année 1991.

Allemands / Britanniques / Italiens / Belges, Luxembourgeois / Suisses / Néerlandais / Espagnols, Portugais / Nord-Américains / Japonais

Nos voisins immédiats figurent parmi nos meilleurs clients.

L'EFFET EURO DISNEY N'EST PAS ENCORE MAGIQUE

Pas de chiffres officiels, mais on peut déjà dire que les visiteurs du parc sont surtout des étrangers. Une affaire plutôt bonne pour le tourisme français.

1 Qu'avez-vous appris sur le tourisme en France? Répondez aux questions en complétant les phrases suivantes.

a Quelles sont les trois raisons principales du boom touristique?

1ère raison: C'est d'abord ....

2ème raison: C'est également ....

3ème raison: C'est enfin parce que ....

b Quels sont les meilleurs clients de la France?

En premier ce sont les .... avec près de onze millions de séjours.

En deuxième position on trouve les .... avec presque ....

c Qu'apprend-on sur Euro Disney? Quelle est la réponse qui convient?

i afflux des touristes étrangers et français; *ii* afflux des touristes étrangers; *iii* afflux des touristes français.

2 Comment vend-on la France? Quelle est la réponse qui convient?

a Depuis combien de temps est-ce que la France fait sa propre publicité?

i quinze ans; *ii* cinq ans.

b Quels sont les pays ciblés en priorité?

i les Pays-Bas, l'Italie, l'Espagne; *ii* l'Allemagne, la Grande-Bretagne, les Etats-Unis, le Japon.

c Quels sont les pays ciblés en second?

i les Pays-Bas, l'Italie, l'Espagne; *ii* l'Allemagne, la Grande-Bretagne, les Etats-Unis, le Japon.

d Qu'est-ce qu'on a compris depuis le bicentenaire de 1989?

i que le message en langue étrangère est très important; *ii* que l'utilisation d'un thème annuel est très importante.

e A qui confie-t-on la pub?

i à des agences étrangères; *ii* à des agences nationales.

f Sur quoi a porté la pub qui visait les Britanniques?

i les prix; *ii* les carnets de voyage; *iii* la plomberie.

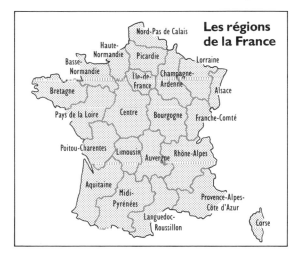

QUIZ

In which region or town might you find the following dishes served in a local restaurant?

a la quiche   *b* les crêpes   *c* la salade niçoise   *d* la ratatouille   *e* le jambon cru   *f* le foie gras   *g* les escargots   *h* la choucroute.

Révision

In this part of the unit, you'll find lots of practice exercises to help you consolidate what you've learnt so far.

QUEL NUMÉRO FAUT-IL FAIRE?
Ecoutez l'enregistrement, puis répondez à la question suivante: si vous voulez appeler à l'extérieur, quel numéro faut-il faire?

à tout à l'heure   *see you later*

RENDEZ-VOUS AU BAR DE L'HÔTEL
Ecoutez l'enregistrement. A quelle heure est-ce que Patrick va voir Victor au bar de l'hôtel de la Vieille Bourse?

L'ACCUEIL TÉLÉPHONIQUE
Before reading the article below, you might find it useful to re-read *L'Equipe Standard*, also from the Sandoz in-house magazine, on p. 24.

Image Sandoz

En effet, l'accueil téléphonique de notre Entreprise a une triple fonction. Il est :
- vecteur de l'image de SANDOZ à l'exterieur (la carte de visite de notre maison)
- garant et catalyseur de contacts externes et internes
- pôle de liaison interne.

Afin de remplir ce rôle de manière satisfaisante pour l'ensemble des interlocuteurs, une condition essentielle doit être remplie : le standard téléphonique doit être informé le mieux possible sur le fonctionnement, les structures, les fonctions, les produits et les collaborateurs de SANDOZ.

Marie-Thérèse VERET

Une enquête interne récemment menée a montré que le quotidien du standard est régi par un certain nombre de situations difficiles à gérer comme :
- Les visites de collaborateurs de l'extérieur (Clients, Terrain, Usine, Bâle) appelés par téléphone, alors que le standard ne sait pas où ils sont.
- La présence dans des services à court ou même moyen terme de stagiaires, CDD, etc... qui sont appelés par téléphone.
- Le standard est rarement informé des absences de services entiers (réunions à l'extérieur).
- Dans certains services, les lignes ne sont pas toujours renvoyées. ∎

1   Donnez votre avis. Quel est le rôle primordial de l'accueil dans une entreprise?

a C'est la première image donnée par l'entreprise.

b C'est la liaison avec l'extérieur.

c C'est le pôle de renseignements.

2 Lisez l'article page 74 et comparez votre réponse à la question 1 avec ce que dit l'article. Quel est le rôle de l'accueil chez Sandoz?

3 Qu'est-ce que les standardistes demandent de leurs collègues?

A VOUS!

1   Poser des questions. In previous units you've encountered a number of questions. How many do you remember? Comment diriez-vous en français?

a Is there a supplement for the luggage? *b* Have you got any other kind of meat dish? *c* Have you always been in this job? *d* Have you understood? *e* How does this work? *f* How are you financed? *g* How would you say in French? *h* How much do I give/owe you? *i* Why did a Belgian company director set up in Nord-Pas de Calais? *j* What's the time? *k* What's the function of l'APIM? *l* What are your professional aspirations? *m* What hotel did you go to? *n* At what time's breakfast?

2   Vous avez les réponses: posez les questions! A business contact has just arrived from Paris. Ask him/her first how the journey went.

A l'aéroport

a ....? Excellent, merci.

b ....? Le Hilton.

c ....? Non, c'est ma première visite à Londres.

d ....? Oui beaucoup, surtout la fameuse Tour de Londres.

Au restaurant

e ....? Je prends une salade mixte.

f ....? Non, pas de viande, ensuite je prendrai bien une truite au bleu.

g ....? Alors, comme légumes, des pommes vapeur et des haricots verts.

h ....? Oui. Une mousse au chocolat.

Plus tard

i ....? Je travaille depuis 15 ans chez Laclos Technologies.

j ....? Non, j'ai commencé ma carrière comme ingénieur mécanique.

k ....? J'ai très peu d'aspirations professionnelles, vous savez. J'espère continuer mon travail jusqu'à la retraite.

l ....? Je suis chargé aujourd'hui de la commercialisation de toute la gamme de produits nouveaux.

m ....? J'ai une petite équipe de quatre personnes.

Plus tard, au pub

n ....? Ah non! Je ne connais pas la Guinness!

o ....? Oui, je veux bien essayer.

p ....? C'est différent. C'est un peu amer. Mais j'aime bien, oui.

q ....? Oui, mais je préfère le vin, surtout le vin rouge.

3 Utilisez vos temps *(see pp. 152–154)*. Make sentences out of the following, using the present, past or future tense as appropriate.

a Tell your colleague his client phoned to say she'll be late because the plane's one hour late.

b Ask your client if she'd care to stay for lunch.

c Tell your friend it'll be sunny all day today, but there are going to be heavy showers tomorrow morning.

d Tell your client that his products will arrive on time tomorrow afternoon according to his technical specifications and in accordance with his wishes.

e Tell your friend you've called a taxi which will arrive in 15 minutes.

f Tell your colleague you always go to Bordeaux in August, but this year you might go to Lausanne to see some friends.

g Ask the *patron* of the brasserie du Globe what he recommends, what is specially good today.

h Advise your friend to drink a Beaujolais nouveau with his steak.

4 Et la police est arrivée! First, construct sentences using the words given below.

a Hier, je, aller, Lille.

b Je, prendre, train, dix heures quinze.

c Je, arriver, Lille, douze heures trente-huit.

d Je, trouver, place Charles de Gaulle, sans problème.

e Je, prendre, bière/café.

f Puis, je, aller, le musée d'art moderne.

g Je, rester, deux heures, le musée.

h Ensuite, je, acheter, une carte postale.

i Vingt heures, je, aller, le restaurant.

Now complete the story so that it ends: . . . **et la police est arrivée!**

Options: perdre, porte-monnaie, plus d'argent, accepter/ne pas accepter, carte de crédit, téléphoner.

5 Complétez les publicités suivantes avec les impératifs qui conviennent. Choisissez parmi ces verbes: acheter, choisir, composer, lire, profiter, recevoir.

a 3615 ASTERIX. .... le nouvel album Astérix!

b FACE offre spéciale d'abonnement. .... FACE personnellement. .... de notre offre.

c Parmi les 12.000 services TELETEL, comment trouver le service qui vous intéresse? .... le 3615 MGS.

6 A vous de trouver! Remember that adjectives agree with the noun they qualify. For example: **tout le** personnel est parti, **toute la** société bénéficie de réductions, **tous les** documents sont acceptés, **toutes les** entreprises s'installent à Lille. Can you work out the rules? Complete this table:

| le temps: | tout .... | les hommes: | .... |
| la journée: | .... | les femmes: | .... |

7 Show your disbelief by using **tout/toute**, **tous/toutes** as appropriate.

EXEMPLE Les hommes sont partis.   *Quoi, tous les hommes?*

a Les usines sont fermées.   .... ?
b Les Français aiment les escargots.   .... ?
c Les Bruxellois sont bilingues.   .... ?
d L'Ecosse est couverte de neige.   .... ?
e La ville est sans lumières.   .... ?
f Le fleuve est pollué.   .... ?
g La direction est licenciée.   .... ?
h Les femmes sont très intelligentes.   .... ?
i Il a bu le vin.   .... ?
j J'ai passé la nuit à travailler.   .... ?

Infos utiles

A la maison

If invited to someone's home for dinner, don't bring wine — it would be considered an insult! On the other hand, flowers or a plant would be very acceptable, as would something from your own country or region, for example Scotch whisky, or English teas and marmalades.

6

Crédit du Nord, Lille

| le cours | *rate of exchange* |
| la coupure | *bank note* |

LA BANQUE ET L'ENTREPRISE

A la banque

CHANGER DE L'ARGENT

Christophe Delay va à la banque pour changer des francs en livres.

M. Delay Bonjour, madame.

Employée Oui, bonjour.

M. Delay Alors, je voudrais des livres sterling. J'ai. . . 500 francs.

Employée Oui, 500 francs en livres sterling.

M. Delay Le cours est à combien, aujourd'hui?

Employée Alors, la livre sterling, on la vend 10 francs 20, et il y a une commission de 30 francs. Vous payez en espèces ou vous avez un compte au Crédit du Nord?

M. Delay Non, je vais payer en espèces.

Employée Oui.

M. Delay Voilà.

Employée Merci. Donc, ça vous fait 45 livres pour 489 francs.

M. Delay D'accord. Donc il y a onze francs de commission, c'est ça?

Employée Trente francs de commission. . . fixe. Vous préférez des petites coupures?

M. Delay Oui. . ., plutôt des petites coupures.

Employée Oui, donc je vais vous donner neuf coupures de cinq livres.

M. Delay D'accord.

Employée Voilà. *(pays him the sterling)*

M. Delay Merci, madame.

Employée Voilà, je vous en prie.

M. Delay Au revoir.

Employée Au revoir.

Avez-vous compris? Vérifiez le sens des phrases suivantes.

le cours est à combien?

une commission de. . .

vous payez en espèces?

ça vous fait. . .

vous préférez des petites coupures?

A VOUS!

1 Vrai ou faux? Quelle est la réponse qui convient?

a Monsieur Delay veut changer 500 francs en livres sterling.

b Le cours est à 12 francs 10.

c Il y a une commission de 11 francs.

d Monsieur Delay paye par chèque.
e Il préfère des petites coupures.
f Il reçoit cinq coupures de 10 livres.

2 Vous voulez changer de l'argent. Complétez la conversation.
Employée Bonjour!
Vous *Say hello, you'd like to change £100.*
Employée Oui, très bien.
Vous *What's the current rate of exchange?*
Employée Il est à 10 francs cinq, avec une commission de 30 francs.
Vous *Could she repeat that? You didn't quite hear how much the commission is.*
Employée C'est une commission fixe de 30 francs.
Vous *Fine.*
Employée Vous préférez des petites coupures?
Vous *Agree with that.*
Employée Parfait.

Ouvrir un compte en banque

If you want to open an account in a French bank, you'll be asked for the following:
- une pièce d'identité: un passeport *(passport)*, ou un permis de conduire *(driving licence)*;
- une quittance EDF *(receipted electricity bill from the* Electricité de France*)* pour justifier de votre adresse;
- un contrat de travail *(contract of employment)* pour justifier de votre emploi ou trois fiches de salaire *(salary payment slips)*.

COMMENT ÇA SE PASSE?

M. Delay Bonjour, madame. Je voudrais ouvrir un... un compte au Crédit du Nord. Comment ça se passe?
Employée Oui, bonjour, monsieur, asseyez-vous, s'il vous plaît. Alors, je vais vous demander de me présenter une pièce d'identité – passeport, permis de conduire, hein?
M. Delay Voilà.
Employée Merci. Voilà, je vais vous demander également une quittance EDF...
M. Delay Je vous donne ça.
Employée ... pour justifier donc de votre adresse.
M. Delay Voilà.
Employée Vous travaillez?
M. Delay Oui, je travaille depuis un an maintenant.
Employée Alors, je vais vous demander de justifier votre emploi par un contrat de travail, ou éventuellement, trois fiches de salaires...
M. Delay Alors, les... les voici.
Employée Merci. Donc, vous vous appelez Monsieur...?

l'emploi (*m*)   *employment*
le virement   *(credit) transfer*

s'asseoir   *to sit (oneself) down*
s'appeler   *to be called*
naître, *pp* né(e)   *to be born*
domicilier   *to bank*

néanmoins   *nevertheless*

M. Delay   Monsieur Delay.

Employée   D'accord. Vous êtes né...?

M. Delay   Le 5 juin, 67.

Employée   Et votre adresse actuelle est...?

M. Delay   1, rue Cochy à Lille.

Employée   D'accord.

M. Delay   Je vais pouvoir avoir une Carte Bleue, un... carnet de chèques rapidement?

Employée   Bien, nous allons vous demander de domicilier vos salaires chez nous, et la Carte Bleue, nous vous la remettrons dans un délai de trois mois. Le chéquier, néanmoins, vous pouvez en obtenir un tout de suite, disons, au premier virement de salaire.

Avez-vous compris? Vérifiez le sens des phrases suivantes.

je voudrais ouvrir un compte

je vais vous demander de me présenter...

je travaille depuis un an

vous êtes né...?

une Carte Bleue

un carnet de chèques, un chéquier

au premier virement de salaire

1   Répondez aux questions suivantes.

a Que faut-il comme papiers en France pour ouvrir un compte en banque: *i* pour justifier de votre adresse; *ii* pour justifier de votre emploi; *iii* pour justifier de votre identité?

b Que demande encore l'employée de banque?

Nous allons vous demander de ....

c Peut-on avoir une Carte Bleue rapidement? ....

d Et un carnet de chèques? ....

2   Soyez prêt(e)!

Si vous voulez ouvrir un compte dans une banque française, n'oubliez pas de prendre les papiers nécessaires, et soyez prêt(e) à épeler votre nom, prénom et adresse en France. Complétez la conversation:

Employée   Bonjour.

Vous   *You'd like to open an account at the* Crédit Agricole.

Employée   Oui. Alors, je vais vous demander une pièce d'identité, un passeport...

Vous   *Here it is.*

Employée   Merci. Je vais vous demander également une quittance EDF.

Vous   *Here it is.*

Employée   Parfait. Finalement, il faut des fiches de salaire pour justifier de votre emploi.

Vous   Here they are.

Employée   Vous vous appelez?

Vous   Give your name.

Employée   Vous pouvez l'épeler, s'il vous plaît?

Vous   Spell it.

Employée   Vous êtes né(e) le. . . ?

Vous   Tell her.

Employée   Votre adresse actuelle est. . . ?

Vous   Tell her that as well.

Employée   D'accord.

Vous   Can you have a cheque book and a Visa card?

Employée   Alors le chéquier, vous l'aurez dans un mois et la carte dans un délai de trois mois.

Vous   Fine, say thanks and goodbye.

3 «La Carte Bleue, **nous** vous la **remettrons** dans un délai de trois mois.» A vous de varier la phrase: remplacez **nous** par   *a* **il**;   *b* **elle**,   *c* **je**,   *d* **ils**. Change the subject of the sentence as indicated, to make four new sentences.

UN PETIT PROBLÈME

Gabriel Dumont explique à l'hôtesse du Crédit du Nord à Lille que sa carte a été avalée au distributeur du Crédit Lyonnais. Il a un compte au Crédit du Nord mais pas à Lille, à Roubaix. Que doit-il faire?

l'hôtesse (*f*) d'accueil	
receptionist	
le distributeur *cash dispenser*	
l'erreur (*f*) *mistake*	
avaler *to swallow*	
devoir *to have to*	
tenir *to keep*	
patienter *to wait*	
pouvoir *to be able to*	
être à même de *to be in a position*	
to	
récupérer *to recover, get back*	
en face de *opposite*	

M. Dumont   Bonjour, madame. J'ai un petit problème. Ma carte a été avalée par. . . dans un distributeur d'une banque, à côté. Qu'est-ce que. . . qu'est-ce que je dois faire?

Hôtesse   Premièrement, vous avez votre compte tenu chez nous, dans notre agence?

M. Dumont   Oui, j'ai un compte, enfin dans une autre agence, celle de Roubaix.

Hôtesse   Dans celle de Roubaix, d'accord. Quel est le nom de la banque où la carte a été avalée?

M. Dumont   C'est le Crédit Lyonnais.

Hôtesse   Crédit Lyonnais, d'accord. On va d'abord les appeler, d'accord, pour voir si vous pouvez être à même de récupérer la carte ce jour, d'accord? Vous avez une pièce d'identité avec vous?

M. Dumont   Oui, tenez, je vous la donne. La voilà.

Hôtesse   Merci bien. Permettez, je vais les appeler. . . *(on phone)* Allô? Oui, bonjour, le Crédit Lyonnais, ici Madame Aunerjoux, hôtesse d'accueil au Crédit du Nord, place Riaux. J'ai Monsieur Dumont en face de moi, client d'une de nos agences Crédit du Nord, qui vient de se faire avaler. . . sa Carte Bleue à l'instant même. . . Oui, merci, je patiente, hein? *(short pause)* Oui, oui, vous l'avez bien, la carte, d'accord. Elle a été avalée

6

le code   *PIN number*

envoyer   *to send*
remercier   *to thank*

bonne journée!   *have a good day!*

pour quel motif, je vous prie? ... D'accord, juste pour une erreur de code. Il n'y a pas de problème, d'accord... D'accord, bon, je vous envoie le client de suite, hein? Merci bien. Au revoir. Bonne journée. *(puts the phone down)*

M. Dumont   Alors?

Hôtesse   Voilà, Monsieur Dumont, vous allez pouvoir vous présenter à l'hôtesse du Crédit Lyonnais et vous pourrez la récupérer de suite, sans problème.

M. Dumont   Eh bien, écoutez, je vous remercie. Au revoir.

Hôtesse   De rien, monsieur. Au revoir. Bonne journée!

Note that **(il)** *vient de* **se faire avaler la Carte Bleue** means (he's) *just had* his credit card swallowed up. For further explanation on this construction, see page 153 in the Grammar Summary.

see page 153 in the Grammar Summary

A VOUS! ▶

périmé(e)   *out of date, no longer valid*

réclamer   *to claim back*

1   Quelle est la réponse qui convient?
a Par quoi est-ce que la carte a été avalée?   *i* par un distributeur de billet de métro;   *ii* par un distributeur automatique de banque.
b Où est-ce que la carte a été avalée?   *i* au Crédit Lyonnais;   *ii* au Crédit du Nord.
c Pour quel motif?   *i* carte périmée;   *ii* erreur de code.
d Que fait M. Dumont?   *i* il va à l'agence la plus proche pour réclamer;   *ii* il entre dans la banque où la carte a été avalée.
e Que fait l'hôtesse d'accueil de l'agence?   *i* elle téléphone à l'agence en question;   *ii* elle remplit une fiche de réclamation.
f Quand est-ce que Monsieur Dumont peut récupérer sa carte?   *i* tout de suite;   *ii* dans une semaine.

2   Avez-vous bonne mémoire? Complétez les phrases suivantes.

M. Dumont   Madame, j'ai .... Ma carte ....

Hôtesse   Cela s'est passé ici?
M. Dumont   Non, dans une .... , celle de Roubaix.
Hôtesse   D'accord. Je .... les appeler pour voir si vous .... de récupérer la carte .... D'accord?
M. Dumont   D'accord, merci.
Hôtesse   Vous avez une .... avec vous?
M. Dumont   Oui, tenez, je ....
Hôtesse   Merci. *(elle téléphone à la banque où la carte a été avalée)* ... Merci bien. Au revoir. Bonne journée.
M. Dumont   Alors?
Hôtesse   Voilà, vous allez pouvoir .... à l'hôtesse de l'agence, et vous pourrez .... tout de suite, sans problème.
M. Dumont   Je vous .... Au revoir.
Hôtesse   Je vous en prie. Au revoir et bonne journée.

Asking for help

First Mr Dumont says he's got a problem: **J'ai un petit problème.**
Then he states what the problem is: **Ma carte a été avalée**
and asks for help: **Qu'est-ce que je dois faire?**

Other ways of asking for help:
   Je ne sais pas quoi faire.
   Vous pouvez m'aider?
   J'ai un service à vous demander.
   Je peux vous demander un service?

Stating your problem:
   Ma voiture est en panne.
   Je suis en panne d'essence.
   Mon téléphone est en dérangement.
   J'ai perdu mon sac/mes papiers/mon portefeuille/mon argent/mon passeport.

1 Vous avez un petit problème...

a You've put money in a phone box, but you can't get the phone to work. You ask someone for help. What do you say?

b You need to phone the ferry company to change your reservation, but you can't find the number. Ask the hotel receptionist to help you.

c Your car has disappeared. Go to the nearest shop to explain the situation and ask for help.

d You've just lost all your money and papers, and you want to go back to your hotel. Ask someone for help.

2 Lisez l'extrait d'une brochure BNP (Banque Nationale de Paris) et répondez aux questions qui suivent.

le solde   *balance*
l'opération (*f*)   *transaction*

TELESERVICE BNP

C'est un service d'avenir qui s'inscrit au premier rang des moyens d'information modernes et qui permet, à tout instant, à l'aide du Minitel:

- d'obtenir le solde de vos différents comptes,
- d'obtenir le détail de toutes vos opérations enregistrées sur les 30 jours précédents,
- d'effectuer des virements de compte à compte,
- de commander vos chéquiers.

BNP

---

8 3

6

BNP

Codévi: *a tax-exempt savings
    account*
SICAV: Société d'Investissement
    à CApital Variable

le placement   *investment*
l'épargne (*f*)   *savings*
le souhait   *wish*
le court/moyen terme
    short/medium term
la capitalisation   *growth*
le revenu   *income*
l'argent (*m*)   *money*

approvisionner   *to supply*
rechercher   *to look for*
retirer   *to withdraw*
recevoir   *to receive*
rapporter   *to yield*
donner   *to give*

Téléservice BNP: Quelle est la réponse qui convient?
a Comment peut-on y accéder?   *i* par téléphone;   *ii* par Minitel.
b Que peut-on obtenir?   *i* le solde de son compte en banque;   *ii* le détail de toutes les opérations faites dans le passé.
c Que peut-on effectuer?   *i* des transferts d'argent d'un compte à un autre;   *ii* des virements de chèques.
d Que peut-on commander?   *i* des carnets de chèques;   *ii* des devises étrangères.

3   A vous de trouver! Quelle est la page dans le SOMMAIRE du guide BNP qui correspond à votre requête?
a J'aimerais devenir propriétaire dans quelques années. Comment faire?
b Je viens de terminer mes études: j'ai des projets immédiats mais je ne peux pas les financer tout seul.
c Pour moi, la banque idéale c'est une banque avec un distributeur automatique. Comme ça, je peux retirer de l'argent 24 heures sur 24.
d Je voudrais avoir un chéquier. Comment faire?
e J'aimerais continuer mes études. Mais où trouver l'argent nécessaire?
f Cette année, c'est décidé, je pars en vacances à l'étranger. Quelle précautions dois-je prendre?

QUELS TYPES DE SERVICE?
Christophe Delay demande à la conseillère financière du Crédit du Nord quels sont les investissements actuels les plus intéressants.
M. Delay   Mon compte en banque est approvisionné à peu près à 50 000 francs. Quels types de service me propose la banque?
Conseillère   Eh, bien, vous avez divers placements, divers... divers comptes épargne, hein, tout dépend de votre... souhait, de ce que vous recherchez dans votre placement. Recherchez-vous du court terme, du moyen terme? Voulez-vous de la capitalisation ou du revenu?
M. Delay   Ben, je préfère du court terme, en fait.
Conseillère   Du court terme. Donc vous avez le compte épargne Codévi, sur lequel vous pouvez mettre jusqu'à 15 000 francs, et retirer ce fonds à tout moment. Vous avez des SICAV monétaires, qui sont également accessibles au jour le jour. C'est de la capitalisation et vous ne recevez pas de dividendes.
M. Delay   C'est risqué comme placement?
Conseillère   Non, absolument pas.
M. Delay   Et ça rapporte un petit peu d'argent?
Conseillère   Oui, c'est ce qui rapporte actuellement le mieux. Ça vous donne en moyenne du huit virgule cinq à neuf.
M. Delay   Alors, donc, c'est... c'est à court terme, c'est ce qu'il y a de mieux actuellement.
Conseillère   Oui, actuellement oui.

à tout moment *at any time*
au jour le jour *from one day to the next*
en moyenne *on average*
le mieux *the best*
actuellement *at present*

A VOUS!

LE LIVRE DE L'EPARGNE

VOUS D'ABOR

Crédit du

Crédit du Nord

LA BOURSE ET VOS PLACEMENTS

SICAV ET FONDS COMMUNS DE PLACEMENT

Crédit du Nord

(5)

---

les travaux publics *public building works*
le/la salarié(e) *salaried employee*
le prêt *loan*

proposer *to suggest*
projeter *to plan*

Avez-vous compris? Vérifiez le sens des phrases suivantes.
mon compte en banque est approvisionné à. . .
vous avez divers placements
je préfère du court terme
vous pouvez. . . retirer ce fonds à tout moment
vous avez des SICAV monétaires. . . accessibles au jour le jour
c'est ce qui rapporte actuellement le mieux
ça vous donne en moyenne du huit virgule cinq à neuf (pour cent)

1 Répondez aux questions. Complétez les phrases suivantes.
a A combien est approvisionné le compte de Monsieur Delay?
Il est approvisionné à ....
b Quel genre de placement recherche Monsieur Delay?
Il recherche du ....
c Quel est le montant maximum que l'on peut mettre dans un compte épargne Codévi?
On peut mettre jusqu'à ....
d Quand peut-on retirer ce fonds?
On peut les retirer ....
e Quelle est la caractéristique des SICAV monétaires?
Ils sont accessibles ....
f C'est risqué comme placement?
....
g Combien rapporte en moyenne ce placement?
....
h Que peut-on donc conclure?
Donc, c'est ce qu'il y a ....

Les Services de la banque à l'entreprise

PROJETER UN INVESTISSEMENT
Christophe Delay parle à son directeur de banque au sujet des différents services que le Crédit du Nord peut lui offrir.

M. Delay Bonjour, monsieur.
Directeur Bonjour, monsieur.
M. Delay Voilà, je suis patron d'une petite entreprise de bâtiments, travaux publics. On a une vingtaine de salariés, et je voudrais me renseigner auprès des. . . du Crédit du Nord, pour savoir quels types de services, quels types de prêts vous me proposeriez éventuellement.
Directeur Oui, volontiers. Quels sont les investissements que vous projetez de faire?

la bétonneuse	*cement mixer*
la trésorerie	*money*
le crédit-bail	*leasing*
le taux d'intérêt	*interest rate*
la mise de fonds	*capital outlay*

mettre en place	*to set up*
prévoir	*forecast*
atteindre	*to reach*

par contre	*on the other hand*
hors taxes	*before tax*
disponible	*available*

M. Delay   Alors, on voudrait plutôt… effectivement investir dans des bétonneuses. Donc, j'aurais aimé savoir ce que le… ce que le Crédit du Nord pourrait me proposer comme… comme services.

Directeur   Bon, ça dépend de… de… de la structure de votre bilan et de votre trésorerie. Si vous ne souhaitez pas mettre de trésorerie pour l'acquisition de ces bétonneuses, nous pouvons parfaitement financer l'intégralité sous forme de crédit-bail. Si par contre, vous souhaitez mettre une partie de trésorerie, c'est à dire en général 20 ou 25 pour cent, nous pouvons mettre en place un crédit spécifique sur cinq à sept ans, et qui atteindra 75 ou 80 pour cent du montant hors taxes de l'investissement.

M. Delay   Alors là, j'imagine que dans les… les deux cas de figures, les taux d'intérêt sont… sont différents.

Directeur   Non, les taux d'intérêt sont assez voisins.

M. Delay   D'accord. Donc vous me conseillez plutôt d'apporter… de mettre une mise de… de fonds au départ, donc.

Directeur   Non, ça dépend de ce que vous souhaitez faire. Si vous prévoyez d'autres investissements ultérieurs, il est peut-être intéressant de garder de la trésorerie disponible, et de partir, pour vos bétonneuses, sur du crédit-bail, qui, euh… est une formule tout à fait adaptée à ce type d'investissement.

Avez-vous bien compris? Vérifiez le sens des phrases suivantes.

quels types de prêts me proposeriez-vous?

on voudrait investir dans …

nous pouvons parfaitement financer l'intégralité

nous pouvons mettre en place un crédit spécifique

les taux d'intérêt sont assez voisins

A VOUS! ▶

1   Répondez aux questions. Complétez les phrases suivantes.

a De quelle entreprise Monsieur Delay est-il le patron?   Il est patron d'une entreprise ....

b Combien a-t-il de salariés?   Il a ....

c Que veut-il savoir?   Il veut savoir quels ....

d Dans quoi voudrait-il investir?   Il voudrait investir dans ....

e Que fait la banque si Monsieur Delay ne veut pas mettre d'argent pour acheter ses bétonneuses?   La banque peut parfaitement ....

f Que fait la banque si par contre Monsieur Delay souhaite mettre de l'argent pour acheter ses bétonneuses?   La banque peut ....

g Comment sont les taux d'intérêt dans les deux cas de figures?   Ils sont ....

2   Projeter un investissement. You're interested in obtaining investment funds from the bank. You talk to the investment manager, a woman.

Vous   Say hello and introduce yourself. You run a small business with about 30 employees. You'd like to know what types of loans the bank offers.

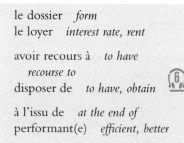

Demande de prêts au Crédit Lyonnais

le dossier *form*
le loyer *interest rate, rent*

avoir recours à *to have recourse to*
disposer de *to have, obtain*

à l'issu de *at the end of*
performant(e) *efficient, better*

A VOUS!

Directeur Oui. Très bien. Alors, ça dépend des investissements que vous projetez de faire.
Vous *You'd like to invest in computers.*
Directeur Bien. Nous avons le crédit-bail et le crédit spécifique.
Vous *What's the difference between the two?*
Directeur Alors le crédit-bail finance l'intégralité de votre investissement. Par contre avec le crédit spécifique, vous mettez 20 à 25 pour cent de l'argent nécessaire.
Vous *Is the interest rate lower if you put money into the investment?*
Directeur Non, pas vraiment. C'est très voisin.
Vous *Over how many years does the crédit-bail operate?*
Directeur Ce sera un prêt sur cinq ans.
Vous *Thank her.*

LES FORMALITÉS DES PRÊTS

Mr Delay enquires about the procedures for obtaining a loan. Listen to his conversation with the bank manager, then answer the questions.
a How does the **crédit-bail** operate? *b* What are the options available with this kind of investment? *c* How long does it take to obtain one?

Comment diriez-vous en français?

a an investment; *b* it's simply; *c* you have a choice; *d* interest rates; *e* in your place; *f* to reimburse; *g* at the end of this period; *h* either . . . or; *i* more efficient; *j* which can be set up; *k* within a fortnight.

Culture d'entreprise

MICHEL PINART, BOLLORÉ TECHNOLOGIES

Michel Pinart nous parle de la culture d'entreprise chez Bolloré Technologies.

Avez-vous compris? Vérifiez le sens des phrases et mots suivants.
«imposée» par la personnalité de notre patron
entre guillemets
c'est un mot à la fois global et imprécis
la manière dont il travaille
«vite et bien»
l'inertie

A VOUS!

1 Complétez les phrases suivantes.
a Par quoi est-ce que la culture d'entreprise est «imposée» chez Bolloré? Elle est «imposée» par ....

b Quels sont les deux adjectifs qu'utilise Monsieur Pinart pour caractériser le mot «culture»?   C'est un mot à la fois ....
c Il cite deux éléments importants de cette culture. Quels sont-ils? ....
d Quel est le mot qui n'existe pas chez Bolloré? ....
e Comment pourrait-on décrire cette culture? ....
Vérifiez vos réponses: écoutez à nouveau l'enregistrement 7.

GEORGES LANDRÉ, SOCIÉTÉ FCB

Georges Landré nous parle de la culture d'entreprise à FCB.

Reporter   Tout d'abord, est-ce qu'il y a une culture d'entreprise FCB?

M. Landré   Il y en a certainement une. C'est une culture, j'allais dire très régionale, en fait une culture du nord de la France – parce qu'une personne de la mécanique lourde, c'est du nord de la France. Bon, cette culture existe. Et c'est une culture qui remonte, j'allais dire, jusqu'à 1812. C'est à dire qu'elle a plus d'un siècle et demi d'existence. Alors, comment elle se traduit, cette culture d'entreprise? Il a été créé un poste d'archiviste. Il y a donc maintenant une préservation de... du patrimoine culturel, un classement, une mise en fiche qui va certainement permettre de développer cet héritage.

D'autre part, une nouvelle façon, j'allais dire, de mettre en avant cet héritage culturel est désormais, j'allais dire, le parrainage artistique. Exemple: nous avons passé un accord avec le musée de Villeneuve d'Ascq pour réaliser une œuvre d'art métallique, d'ailleurs de... d'artiste anglais qui met en valeur les capacités de travail du métal qui existent au sein d'une entreprise comme FCB.

Avez-vous compris? Vérifiez le sens des phrases suivantes.

il y en a certainement une
j'allais dire
une culture du nord de la France
c'est une culture qui remonte...
un siècle et demi
un poste d'archiviste
une préservation du patrimoine culturel

la mécanique lourde   *heavy engineering*
le parrainage   *sponsorship*
l'œuvre (*f*)   *work (of art)*

passer un accord   *to come to an agreement*

Société FCB

A VOUS!

1   Vrai ou faux?

a La culture FCB est une culture du nord de la France.   *b* Cette culture date du début du dix-huitième siècle.   *c* Elle a plus d'un siècle et demi d'existence.   *d* On a créé un poste d'alchimiste.   *e* Il y a aujourd'hui une préservation de l'héritage culturel.   *f* Le parrainage artistique n'est plus à la mode.   *g* FCB et le musée de Villeneuve d'Ascq ont passé un accord pour la réalisation d'une œuvre d'art métallique.   *h* C'est un artiste français qui a été chargé de cette œuvre.

PROJET RICHARD DEACON FCB

La ville, le musée d'Art Moderne de Villeneuve d'Ascq et le Ministère de la culture ont choisi l'artiste anglais Richard Deacon pour installer une œuvre d'art monumentale en acier dans le parc de sculptures du musée.

FCB, à travers ses ateliers et DMG-DMI, a été retenu pour la fabriquer et l'installer. L'œuvre de 11 m de long a été conçue de façon à s'accorder à l'échelle des bâtiments. Située à gauche de l'entrée du musée, sur la pelouse, elle constitue un signal d'entrée. Sa forme horizontale s'inscrit en parallèle avec celle du musée.

L'œuvre sera installée par DMI en avril et son inauguration est prévue en mai.

Poids: 30 tonnes, dont 10 t pour la structure porteuse interne étudiée par DMG et 20 t pour l'enveloppe extérieure réalisée en collaboration avec V.F. Acier à Dunkerque.

L'œuvre d'art métallique de Richard Deacon

De Fiv' Voix, FCB

DMG: Division Mécanique Générale *Manufacturing and Supply Division*
DMI: Division Montages Industriels *Plant Erection Division*
la structure porteuse *load-bearing structure*

s'accorder à *to correspond to*
s'inscrire avec *to fit in with*

GRAMMAIRE ▶

- **Aller + infinitif** *(The 'immediate' future)*

je	**vais**	vous	**demander**
tu	**vas**	les	**appeler**
elle	**va**		**téléphoner**
nous	**allons**	vous	**demander**
vous	**allez**		**pouvoir**
ils	**vont**		**ouvrir** un compte

- **Du, de la, de l', des** *(some, any)*

le	court terme	Vous recherchez	**du**	court terme?
la	capitalisation	Vous voulez	**de la**	capitalisation?
l'	argent	J'ai	**de l'**	argent en banque
les	SICAV	Vous avez	**des**	SICAV?

Note that **du, de la, de l', des** are always used in French, whereas in English *some* or *any* are omitted:
Voulez-vous **de la** capitalisation ou **du** revenu?
Do you want growth or income?

- **Depuis + présent**

Je **travaille depuis** un an
I've been working for a year.
Je **suis** responsable des fabrications **depuis** maintenant six mois.
I've been in charge of manufacturing for six months now.

Note that the present tense is used with **depuis** when an action is still going on. Another way of expressing the same idea is to use the following structure:

Ça **fait** vingt ans **que je suis** dans l'entreprise.
Ça **fait** une heure **que j'attends!**

● **Le conditionnel présent** *(The present conditional)*
In earlier units you've come across **je voudrais, je dirais**. In this unit we have:

Quels types de prêts vous me **proposeriez?**
. . . ce que le Crédit du Nord **pourrait. . .**

The present conditional has the same endings as the imperfect, but retains the **er** or **r** of the future tense *(see p. 153).*

● **Adjectifs démonstratifs: ce, cette, ces** *(this/that, these/those)*

the	this/that	these
le matériel	**ce** matériel	**ces** matériels
l' intérêt	**cet** intérêt	**ces** intérêts
la banque	**cette** banque	**ces** banques

A VOUS!

1 Complete the following using the immediate future with the words suggested in brackets.
a Il y a un accident dans la rue: Qu'est-ce que vous allez faire?
(Je, appeler, police)
b Deux amies discutent d'une autre amie qui n'est pas heureuse à Genève:
Alors, qu'est-ce qu'elle va faire?   *(Elle, rentrer, Londres)*
c Deux personnes discutent d'argent: Je n'ai plus de francs avec moi!
(Je, changer, argent)
d Une jeune fille discute avec son père à propos de son voyage à Lyon:
Papa, tu as pris mon billet de train?   *(Tu, prendre, TGV)*
e Des amis discutent de leurs prochaines vacances: Qu'est-ce que vous allez faire cet été?   *(Nous, visiter, châteaux de la Loire)*
f Une discussion à la banque: Alors, voilà. J'ai décidé d'avoir une carte de crédit.   *(Vous, prendre, Carte Bleue?)*
g Deux amies discutent de leur soirée: Il y a *Cyrano de Bergerac* avec Depardieu ce soir.   *(Tu, aller, cinéma?)*

2   Vos SICAV monétaires vous ont rapporté des dividendes. Vous allez au restaurant pour célébrer. Complétez la conversation avec **du, de la, de l'** or **des**.
Votre ami(e)   Pour commencer, je voudrais .... escargots de Bourgogne.
Vous   Et moi, je prendrais .... moules marinière.
Votre ami(e)   Ensuite, je prendrais .... poisson, une truite meunière.

Vous Et pour moi, ... viande, un steak au poivre.

Patron Bien. Et comme légumes?

Vous Comme légumes, ... pommes vapeur et .... carottes.

Votre ami(e) Et pour moi, une salade, s'il vous plaît.

Patron Parfait. Et comme vin, vous désirez .... vin rouge ou .... vin blanc?

Vous Un pichet de rouge et un pichet de blanc, et aussi .... eau. Qu'est-ce que vous avez comme eaux minérales?

Patron Nous avons .... Perrier, ... Badoit et .... Vittel.

Vous .... Perrier, s'il vous plaît.

3 Je pourrais. . . ?

a Ask your neighbour if you could open the window.

b Ask your friend if s/he would like to travel to the USA.

c Ask the bank manager what types of credit s/he could offer.

d Ask the waiter which wine he would recommend to go with the steak.

e Ask your German colleague how s/he would say 'quickly' in German.

f Tell your colleague you'd prefer to decide later.

g Ask your friend what s/he would do in your place.

4 Ce, cet ou cette? Complétez ces phrases avec l'adjectif démonstratif qui convient.

a .... article est très intéressant, n'est-ce pas?

b Je suis désolée, ... carte n'est plus valable.

c C'est dans .... partie des bâtiments que se trouve la division Montages Industriels.

d .... entreprise plus que centenaire est située à Lille.

e C'est exactement .... mot que je cherchais!

f Il fallait .... élément pour tout comprendre.

g .... situation semble peu probable.

Infos utiles

Les banques

La Banque de France was created in 1800 by Napoleon and nationalised in 1945. In 1981, François Mitterrand's socialist government expanded nationalization of the banks: state control now plays an important part in French economic policy, as outlined in the government's five-year plan.

Some banks have a particular role. For example, **Le Crédit Agricole** specializes in loans to farmers or farming cooperatives; **Le Crédit Foncier** lends money for buying or building homes, while **Le Crédit National** tends to favour loans for industrial equipment.

TRAVAIL

Vincent Bolloré

Quelques faits sur l'organisation du travail en France

C'est en février 1945 que naissent les **comités d'entreprise** pour les entreprises de plus de 50 salariés. C'est dans les comités d'entreprise et par l'intermédiaire de **délégués du personnel** que les employés sont représentés dans l'entreprise, notamment au **conseil d'administration**. Les délégués et membres des comités d'entreprise sont élus par l'ensemble des travailleurs.

Une ordonnance d'août 1967 institue de manière obligatoire, pour les entreprises de plus de 100 salariés, un «intéressement des salariés aux fruits de l'expansion», c'est à dire **la participation** aux bénéfices de l'entreprise.

Réunions

AU CONSEIL D'ADMINISTRATION

Vincent Bolloré préside le conseil d'administration de Bolloré Technologies qui se réunit une fois par mois. Il insiste sur un déroulement formel, mais l'ambiance est décontractée.

M. Bolloré   Bonjour madame, vous allez bien? Salut Dominique, vous allez bien? Bonjour, vous allez bien? Ça va? Si vous voulez bien vous asseoir... Alors, nous avons à l'ordre du jour... de cette séance, le procès-verbal de la précédente séance du conseil qui vous a été remis et sur lequel je vous propose de ne pas vous donner lecture ce jour, mais que vous puissiez vérifier chez vous tout à loisir que ceci est conforme à ce qui avait été dit au précédent conseil, de telle façon que si vous avez le moindre problème, vous vous adressiez à Jean-Claude Marchal qui sera en charge

le conseil d'administration
   board of directors
l'ordre (*m*) du jour   *agenda*
la séance   *meeting*
le procès-verbal   *minutes*

s'adresser à   *to talk/speak to*
être en charge de   *to be in charge of/responsible for*

tout à loisir   *in your own time*
moindre   *least, slightest*

la fusion	*merger*
le capital social	*authorized capital*
le niveau	*level*
le collège	*college, official body*
la maîtrise	*supervisory staff*
avoir lieu	*to take place, happen*
remis	*sent (pp of* remettre *to send, deliver)*
puissiez	*could (pres subj of* pouvoir *to be able to)*
dit	*said (pp of* dire *to say)*
mu(es)	*moved (pp of* mouvoir *to move)*
en tant que	*as*

de la correction de ce procès-verbal. Nous avons ensuite aux points numéros deux, trois, quatre, cinq et six de l'ordre du jour... deux, trois, quatre, cinq, oui, et six de l'ordre du jour, des mesures techniques, qui... correspondent à cette fusion qui a eu lieu entre SCAC et Delmas.

Alors, nous allons commencer par le point numéro deux, si vous voulez bien, qui est la constatation du nouveau capital social... Je vous laisse opérer...

Rep. personnel Monsieur le président, s'il vous plaît?

M. Bolloré Oui?

Rep. personnel En tant que représentant du personnel, il y a eu... de nouvelles élections, et de nouvelles personnes mues à ce conseil d'administration. Alors, pour vous dire simplement... les noms des gens qui se trouvent présents à cette réunion.

M. Bolloré Bien sûr.

Rep. personnel Au niveau... des trois collèges qui sont prévus... en comités d'entreprise et qui sont le collège des cadres, le collège des maîtrises, le collège employés. Malheureusement, vu la rapidité... de la convocation, nous n'avons pas eu... les représentants marins.

M. Bolloré Très bien. Merci de cette présentation...

Avez-vous compris? Vérifiez le sens des phrases et mots suivants.
la précédente séance du conseil
si vous avez le moindre problème
de telle façon que vous vous adressiez à...
nous avons ensuite
nous allons commencer par
en tant que représentant du personnel

Note that **vous vous adressiez** is the present subjunctive of the verb **s'adresser à**. The sentence here means *so that you might/should talk to...* For more on the subjunctive, see p. 154.

A VOUS!	▶

1 Vrai ou faux?
a Monsieur Bolloré dit qu'il y a à l'ordre du jour le procès-verbal de la réunion précédente.   *b* S'il y a un problème, il faut s'adresser à Monsieur Bolloré.   *c* C'est Jean-Claude Marchal qui est chargé de corriger le procès-verbal.   *d* Monsieur Bolloré annonce qu'ils vont commencer par le point numéro trois.   *e* Le point numéro deux traite du nouveau capital social.   *f* Le représentant du personnel interrompt Monsieur Bolloré.   *g* Il veut corriger le procès-verbal.   *h* Trois collèges sont prévus dans les comités d'entreprise.   *i* Les représentants marins ont été contactés.

2 Utilisez votre mémoire! Complétez les phrases suivantes.
a Alors, nous avons à l'................ de cette séance le .... de la pré

cédente .... du conseil qui vous a été remis de telle façon que vous vous .... à Jean-Claude Marchal qui sera .... la correction de ce procès-verbal. Alors nous allons .... par le point numéro deux, si vous le .... bien, qui est la constatation du nouveau .... social. Je vous laisse opérer.

b En tant que ...., il y a eu de nouvelles .... Alors, pour vous dire simplement les noms des gens qui se trouvent présents à cette ....

c Au niveau des trois .... qui sont prévus en comités d'entreprise et qui sont le collège des ...., le collège des .... et le collège .... Malheureusement, vu la rapidité de la ...., nous n'avons pas eu les ....

Vérifiez vos réponses: écoutez à nouveau l'enregistrement 1.

Gilles Alix

la vue *view*
l'avenir (*m*) *future*

prendre des décisions *to take decisions*

refléter *to reflect*
détendre (*pp* détendu(e)) *to relax*
approfondir (*pp* approfondi(e)) *to deepen*

à l'intérieur du service *within the department*
ça peut être *it can be*

on se connaît tous très bien *we all know one another very well*
un petit peu *a little bit*
par rapport à *compared to*

A VOUS!

OBJECTIFS ET ATMOSPHÈRE DES RÉUNIONS

Laurence Relin parle à Gilles Alix, directeur financier industriel chez Bolloré Technologies.

Mme Relin Quels sont les... les objectifs des réunions chez Bolloré Technologies?
M. Alix Alors, je crois que le premier objectif des réunions chez Bolloré Technologies, c'est de communiquer. Alors, c'est communiquer à l'intérieur du service, alors communiquer entre les services d'une... d'une entreprise du groupe, ça peut être communiquer également entre les différentes entreprises du groupe. D'abord c'est la... la première chose, communiquer. La deuxième chose, ça peut être une... je dirais une certaine vue de l'avenir chez Bolloré. Ça peut être ça, ça peut être également prendre des décisions. Alors là, en général, on a des comités internes, ou des comités une fois par mois avec Vincent Bolloré qui permettent de prendre des décisions autour d'un agenda précis.
Mme Relin Quelle est l'atmosphère générale lors de ces réunions?
M. Alix Je crois que l'atmosphère, elle reflète un petit peu l'ambiance générale chez Bolloré. C'est une atmosphère détendue, on se connaît tous en général très bien. Je dirais que c'est une ambiance un petit peu à l'anglo-saxonne, ce qui est un petit peu curieux chez... bon, chez les Français, par rapport aux grands groupes français traditionnels. Je dirais que c'est une relation personnelle très, très approfondie qui permet, je dirais, de prendre les décisions... avec un accord de tous.

1 Avez-vous compris? Répondez aux questions suivantes.
a Quels sont les deux objectifs des réunions? *i* Le premier objectif, c'est .... *ii* Le deuxième objectif, ...
b Est-ce qu'il y a une alternative au deuxième objectif?
c Relevez les cinq phrases où le verbe **communiquer** est utilisé.
d Résumez l'enregistrement 2 par un mot.

2 Complétez les phrases suivantes. L'atmosphère générale est qualifiée trois fois.

a C'est une atmosphère ....   *b* C'est une ambiance à ....
c C'est une relation .... Et le résultat est que: *d* Elle permet de ....

La Communication interne

Laboratoires BT à Odet

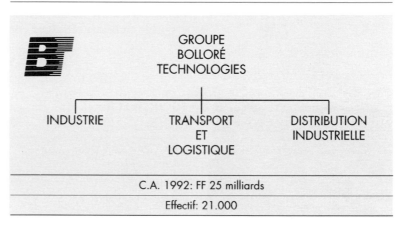

GROUPE BOLLORÉ TECHNOLOGIES		
INDUSTRIE	TRANSPORT ET LOGISTIQUE	DISTRIBUTION INDUSTRIELLE
C.A. 1992: FF 25 milliards		
Effectif: 21.000		

L'INFORMATION CIRCULE TRÈS BIEN

Gilles Alix nous parle de la communication interne chez Bolloré – un élément essentiel de la culture d'entreprise.

Mme Relin   Diriez-vous qu'il existe une culture d'entreprise chez Bolloré?
M. Alix   Je dirais qu'il en existe une..., à savoir que, chez Bolloré, l'information circule très, très bien. Je dirais que ça, c'est un élément très, très positif, aussi bien en haut qu'à la base et les gens sont tous attachés à ce que... les... les... les entreprises du groupe fonctionnent comme elles le souhaitent, et elles font tout pour, et je dirais qu'il y a une très, très grande motivation, et c'est ce qui caractérise, je crois la... la culture d'entreprise Bolloré, et puis il y a, je dirais, un rattachement commun de tous les gens au groupe, c'est Vincent Bolloré, qui, je dirais, de... par son charisme naturel, fait en sorte que... les gens... soient très, très motivés.
Mme Relin   D'accord, merci.

Avez-vous compris? Vérifiez le sens des phrases suivantes.

l'information circule très bien
aussi bien en haut qu'à la base
une très grande motivation
il y a un rattachement commun
son charisme naturel

C.A.: le chiffre d'affaires   *turnover*
le milliard   *1000 million, billion*
l'effectif (*m*)   *workforce*
la culture d'entreprise   *corporate culture*
le rattachement   *joining, bringing together*

caractériser   *to characterize*
être motivé(e)   *to be motivated*

à savoir que   *namely*

▶

Répondez aux questions. Complétez les phrases suivantes.
a Comment circule l'information chez Bolloré?
Elle ....
b Où circule l'information?
Elle circule aussi bien ....
c Qu'est-ce qui caractérise la culture d'entreprise chez Bolloré?
Une ....
d Est-ce qu'il y a autre chose?
Et puis il y a un ....
e Quelle est la caractéristique essentielle de Vincent Bolloré?
Son ....

Réunion à FCB

SOCIÉTÉ FCB

S.A. au capital de	*190 950 000 F*
CA 1992	1 771 184 000 F
dont exportations	73,6%
Commandes enregistrées 1992	1 283 000 000 F
dont exportations	80,9%
Effectif au 31.12.92	1 070

- **Division Mécanique Générale (DMG)**
- **Division Sucrerie (DSU)**
- **Division Cimenterie (DCI)**
- **Division Minéralurgie et Produits Carbonés (DMC)**
- **Division Montages Industriels (DMI)**

fcb

---

le droit (de)   *right (to)* 🎧(4)
la marche de l'entreprise
   running of the business
l'ensemble (*m*) du personnel
   entire workforce

être informé   *to be kept informed*
estimer que   *to think that*
se sentir   *to feel*

désormais   *since*

LE DROIT D'ÊTRE INFORMÉS

Georges Landré, responsable de la communication, nous parle de la communication interne de la société FCB.

M. Landré   Alors, désormais le directeur général de la société FCB estime que, il a sous ses ordres des gens qui sont responsables, adultes, qui ont le droit d'être informés de la marche de l'entreprise et... disons la façon la plus évidente de faire passer ce message, c'est de réunir une fois par an l'ensemble du personnel. Il n'y a aucune obligation bien sûr, mais on peut considérer que plus de 80 pour cent du personnel y va spontanément. Mais moi, j'estime que les gens se sentent plus impliqués maintenant dans la vie de l'entreprise.

<table>
<tr><td>

la (journée) «porte ouverte»
  open day

avoir du succès   *to be successful*

je suis persuadé(e) que   *I'm convinced that*
auprès de   *in the opinion of*
au même titre que   *in the same way as*
c'est apprécié   *it's appreciated*

</td><td>

Reporter   Est-ce que ce... ces... ce genre d'opération a du succès auprès des salariés?

M. Landré   Je crois que les gens l'attendent, je suis persuadé que, on... à l'approche de cette période qui est située au début de janvier, il y a une espèce d'effervescence qui se crée. On sait que ça va avoir lieu, c'est un événement au même titre qu'aujourd'hui une «porte ouverte». Ça se passe bien à mon avis et je crois que c'est apprécié, oui.

Avez-vous compris? Vérifiez le sens des phrases suivantes.

des gens responsables
le droit d'être informé(s)
réunir l'ensemble du personnel
les gens se sentent plus impliqués
c'est un événement

</td></tr>
</table>

A VOUS! ▶

Complétez le texte suivant.

Le directeur général estime qu'il a sous ses ordres des gens .... , qui ont le droit d'être .... de la marche de l'............... . Donc, une fois par .... on réunit le .... pour faire passer le .... Eh bien, on peut dire que plus de .... du personnel y va .... J'estime que les gens se sentent plus .... dans la .... de l'entreprise. C'est aujourd'hui un .... au même titre qu'une «............... ouverte». Je crois que c'est ....

En savoir plus sur FCB

Lisez l'article dans le magazine de FCB *De Fiv' Voix.*

<table>
<tr><td>

le décideur   *decision maker, authority*
la maquette   *(scale) model*
l'usine (*f*)   *factory, machine shop*
l'aperçu (*m*)   *picture, general idea*
l'exposition (*f*)   *exhibition*

fournir   *to supply*
témoigner   *to testify*

ainsi que   *as well as*
en cours   *in progress*
tout au long   *throughout*

</td><td>

JOURNEE "PORTE OUVERTE" chez FCB à Fives le 21 Mars

A l'occasion de la sortie du nouveau tunnelier en cours de réalisation pour la ligne 2 du métro de Lille et de l'exécution de l'œuvre d'art destinée au musée d'Art Moderne de Villeneuve d'Ascq, FCB organise une journée "porte ouverte".

Destinée au personnel, aux amis et aux familles de celui-ci ainsi qu'aux clients de FCB et aux décideurs de la région, cette journée sera honorée de la présence du maire de Lille.

Elle permettra de découvrir le tunnelier de Lille, les réalisations en cours dans les ateliers, des maquettes de locomotives et d'usines complètes fournies dans le monde entier par Fives-Lille puis par FCB. Des vidéogrammes, des diapositives et des photographies permettront tout au long de la visite des ateliers d'avoir un aperçu complet du savoir faire de FCB. Quelques photos anciennes témoigneront du passé prestigieux de FCB qui a participé à la construction de la gare d'Orsay, de la tour Eiffel, du palais des expositions à l'exposition universelle de 1900.

</td></tr>
</table>

De Fiv'Voix, FCB, mars 92

7

A VOUS! ▶

SAVIEZ-VOUS QUE. . . ?

La loi anti-tabac est entrée en vigueur le 1ᵉʳ novembre 1992. Elle n'est pas toujours facile à appliquer dans les entreprises. En règle générale, interdiction formelle de fumer dans les locaux de travail collectifs sous peine de procès-verbal. Pour contenter tout le monde, les chefs d'entreprise aménagent des lieux réservés aux fumeurs.

1   Vous avez lu l'article à la page 97.
Faites un résumé de l'article: mettez les verbes du texte au passé composé ou à l'imparfait, comme il convient.

2   Vous sortez d'une réunion de travail. Complétez la conversation.

Collègue   Comment s'est passée la réunion de travail?

Vous   *It moved fast and was good. The minutes were agreed without any corrections.*

Collègue   Et l'ordre du jour était long?

Vous   *It was not too long. There was a long discussion on the merger that took place last week.*

Collègue   Des problèmes du côté des syndicats?

Vous   *The union official pointed out that there had been new elections and gave the names of the people present at the meeting.*

Collègue   Quelle était l'atmosphère générale pendant la réunion?

Vous   *It was very relaxed, everybody knew everybody else.*

Collègue   C'est vrai ce qu'on dit sur les réunions de travail chez Bolloré?

Vous   *Ask your colleague what s/he means.*

Collègue   On dit que le premier objectif de toute réunion chez Bolloré, c'est de comuniquer.

Vous   *You agree with this, but add that in your opinion the second element would be to have a particular view of the future.*

Collègue   Ah bon, on m'a dit que ça peut être aussi prendre des décisions.

Vous   *You agree and add that taking decisions is also having a view of the future.*

COMMUNICATIONS ▶

Donner son opinion/son avis   *(Giving opinions)*
  Je crois que le premier objectif. . .
  Je dirais que l'atmosphère. . .
  J'estime que les gens. . .
  A mon avis. . .
  Je suis persuadé(e) que, il y a une espèce de. . .

On peut dire aussi:
  En ce qui me concerne. . .
  Je vous conseille de. . .
  Si vous voulez un conseil. . .
  Vous feriez mieux de. . .

Les comparatifs   *(Making comparisons)*
  moins. . . que   *(less . . . than)*
  aussi. . . que   *(as . . . as)*
  plus. . . que   *(more . . . than)*

    Les gens aujourd'hui sont **plus** informés **que** dans le passé.
    L'information circule **aussi** vite **que** dans le passé.
    La vie aujourd'hui est **moins** calme **qu'**hier.

Société FCB, Lille

1   A vous de comparer! Comparez Bolloré Technologies et FCB: utilisez les titres ci-dessous.

le PDG: ....
le personnel: ....
l'information: ....
la communication interne: ....
les relations cadres-employés: ....
la marche de l'entreprise: ....

EXEMPLE A mon avis, les employés chez Bolloré Technologies sont plus/moins informés que dans la société FCB.

Aide-mémoire: être   sembler   se sentir
informé(e)   motivé(e)   impliqué(e)   apprécié(e)   attaché(e)
charisme   rapide   fort(e)   ouvert(e)   heureux/heureuse

2   Test de vocabulaire! Remplissez la grille ci-dessous.

verbe	nom	personne qui fait l'action
organiser	une organisation	un(e) organisateur/trice
....	une réalisation	....
....	une entreprise	....
destiner	....	....
employer	....	....
livrer	....	....
	....	un décideur
fournir	....	....
....	une visite	....
....	une construction	....

3   Le bon mot à la bonne place. Choose the appropriate words from the above table to complete the following sentences.

a Chez Bolloré Technologies employés et .... se connaissent tous très bien.

b Dans l'industrie des transports la .... doit être toujours à l'heure. Avoir de bons .... est chose vitale.

c La Chambre de Commerce et d'Industrie qui comprend des .... de la région a enfin pris la .... d'établir un Centre des Formalités pour faciliter l'implantation de nouvelles entreprises dans le Nord-Pas de Calais.

d Nos .... respectent toujours les délais.

e Les .... sont priés de laisser leur appareil de photos et leur caméra à la réception du château pendant la .... Merci.

f La tour Eiffel a été .... pour l'exposition universelle de 1889. C'est l'ingénieur Eiffel qui a été chargé de sa .... et qui lui a donné son nom.

g Vincent Bolloré, jeune PDG de 40 ans, est un des symboles des nouveaux .... français.

h Il faut toujours écrire lisiblement le nom et l'adresse du .... sur l'enveloppe si vous voulez que votre lettre arrive à sa ....

Les Quatre missions de la chambre

Unit 4 described the role of a **Chambre de Commerce et d'Industrie**. In this unit we'll look at the services a local business can expect from its CCI. Our reporter talks to a representative of the CCI of Nord-Pas de Calais. Listen to the interview, then answer the questions.

1 Avez-vous trouvé? Quelles sont donc ces quatre missions principales? Complétez les phrases suivantes.

a La première est une ....
b La deuxième mission est ....
c La troisième mission de la Chambre de Commerce ....
d Et puis enfin, la quatrième mission qui ....

2 Vous voulez de l'information se rapportant aux sujets suivants. A quelle mission vous adresserez-vous?

a la formation; b l'impôt; c le financement; d les marchés;
e le port de Boulogne; f les changements politiques; g la gestion.

la mission   *service*
la représentation
   representation
le prestataire de services
   service industry
le parcours   *path, course*
l'aménageur/l'aménageuse
   developer
la formation   *training*
le/la stagiaire   *trainee*

être gestionnaire   *to be manager, administrator*

depuis sa naissance   *from its inception*
tout au long de   *along the entire*

GRAMMAIRE ▶

● **Les verbes pronominaux**   *(Reflexive verbs)*

Si **vous** voulez bien **vous asseoir**
... **vous vous adressiez** à Monsieur Marchal
On se connaît tous très bien
Les gens se sentent plus impliqués
Une espèce d'effervescence **se crée**...
Ça se passe...

Reflexive verbs are quite common in French. Many convey the idea of an action done to oneself, eg **se laver** *(to wash oneself)*.

Présent *(The present)*
je me demande
tu te trompes
il/elle se sent impliqué(e)
on se connaît déjà
nous nous excusons
vous vous asseyez
ils/elles se connaissent bien

Passé composé *(The perfect tense)*			
je me suis	levé(e)	de bonne heure
tu t' es	levé(e)	tard
il/elle s' est	levé(e)	à sept heures
on s' est	levé(e)(s)	vite
nous nous sommes	levé(e)s	avec une demi-heure de retard
vous vous êtes	levé(e)s	une heure plus tard
ils/elles se sont	levé(e)s	très tôt

Note that reflexive verbs form their perfect tense with **être** *(see p. 152)*.

1 A vous de trouver! Trouvez le verbe pronominal.

a laver une voiture   **se laver**

b habiller un enfant   ....

c dépêcher ses employés   ....

d engager une secrétaire   ....

e demander l'heure   ....

f identifier un objet   ....

g excuser un collègue   ....

Liste des verbes

se connaître
s'engager
s'habiller
s'identifier
se dépêcher
se perdre
se réveiller
se créer
s'adresser
se lever

2 Le bon verbe au bon temps. Choisissez un verbe dans la liste des verbes donnés ci-contre.

> EXEMPLE   Et votre séjour à Lille?
>
> Oh, il **s'est** bien **passé!**

a Vous êtes arrivé en retard pour le conseil d'administration?

Oui. Je .... à huit heures et pas à sept heures.

b Mais regardez ce que vous portez!

Je sais. Je .... très vite ce matin.

c Vous avez quinze minutes de retard, Monsieur Leblanc.

Je suis désolé. Pourtant, je .... pour prendre le train de 7h 45.

d Vous connaissez Vincent Bolloré?

Oui! On .... depuis toujours.

e Tu aimes lire?

J'adore la lecture! Je .... souvent aux personnages des romans que je lis.

3 Le, la ou **l'**? Choisissez le bon genre pour chaque mot dans la liste qui se trouve à la page 102.

> EXEMPLES   **le** communis**me**   **la** socié**té**
>
>   **la** voi**ture**   **la** mis**sion**
>
>   **l'**aménage**ment** (*m*)   **le** mess**age**
>
>   **le** décid**eur**   **la** **vie**

101

document	socialisme	empêchement	facture
financement	paiement	réunion	capacité
tourisme	événement	action	visiteur
récepteur	utilisateur	industrie	bagage
conducteur	décision	cyclisme	idéologie
développement	ordinateur	formation	station
déroulement	motivation	vendeur	sécurité
distributeur	technologie	verrouillage	prestation
paysage	hommage	rattachement	bâtiment
investisseur	fournisseur	charisme	liberté
tonalité	collaborateur	employeur	formalité
investissement	économie	constructeur	*(See also p. 149)*

 Lisez les passages suivants sur la Verrerie Cristallerie d'Arques.

LA VERRERIE CRISTALLERIE D'ARQUES

Créée en 1815, la VERRERIE CRISTALLERIE D'ARQUES a acquis une position de:
- leader régional: 1ère entreprise privée de la Région Nord-Pas de Calais
- leader national: 35ème exportateur français
- leader international: 1ère Verrerie de Table au Monde grâce à une stratégie dynamique basée sur le savoir-faire, l'innovation, la qualité et la diversité.

Une structure très intégrée

L'ensemble industriel VERRERIE CRISTALLERIE D'ARQUES regroupe quatre Sociétés:
- La VERRERIE CRISTALLERIE D'ARQUES proprement dite (V.C.A.), qui fabrique et commercialise tous les articles en Verre.
- La SOCIETE DES VERRES DE SECURITE (S.V.S.), qui est spécialisée dans la fabrication des articles en Cristal.
- La SOCIETE MACHINES ET MATERIEL DE VERRERIE (M.M.V.), qui produit les moules, les machines et matériels destinés à la Verrerie.
- La SOCIETE CARTONS ET PLASTIQUES (C & P), qui prend en charge le programme de fabrication des emballages.

Née de la grande tradition verrière

Plusieurs générations d'artisans créateurs ont nourri le savoir-faire de la Verrerie Cristallerie d'Arques qui, de sa fondation en 1815 et jusqu'en 1932, a connu une fabrication exclusivement manuelle.

Verrerie Cristallerie d'Arques

Produits de la Verrerie
Cristallerie d'Arques

VERRERIE CRISTALLERIE D'ARQUES - J. G. DURAND & Cie
Ambassadeur des Arts de la Table français dans le monde entier.

- CRISTAL J. G. DURAND : cristal de prestige (24% de plomb) pour les détaillants spécialisés.
- CRISTAL D'ARQUES : leader mondial du cristal de qualité avec une gamme de plus de 2 500 articles pour la table, la décoration et le flaconnage de parfum.
- LUMINARC : verrerie de table et de décoration en verre sodocalcique recuit.
- ARCOROC : verrerie et vaisselle de table en verre sodocalcique trempé.
- ARCOPAL : services de table et accessoires en verre fluosilicate uni ou décoré.
- ARCUISINE : plats en verre borosilicate trempé pour la préparation et la cuisson au four et au micro-ondes.
- ARCOFLAM : gamme culinaire "toutes cuissons" en vitrocéramique 1000°.
- ARCOTHERM : récipients isothermes ultra-résistants.
- BOCAL HIFI : bocal "haute fidélité" à ouverture instantanée pour conserves familiales et industrielles.
- VERRERIE GENERALE : nombreuses applications pour utilisateurs industriels.

Dans une région en pleine expansion, située au cœur de l'Europe du Nord, la VERRERIE CRISTALLERIE D'ARQUES est leader mondial dans son secteur d'activité. Elle emploie 13 000 personnes et réalise 75% de son chiffre d'affaires à l'exportation.
  Ses usines, dotées d'équipements de pointe, sont implantées à Arques. A ceci s'ajoutent deux filiales de production : Vicrila en Espagne et Millville aux Etats-Unis.

A VOUS! ▶ Write a brief description in English of the company, including: *a* its creation; *b* its structure; *c* its various locations; *d* its workforce; *e* its major product lines.

Le journal de FCB, *De Fiv' Voix*, présente le Musée d'Art Moderne de Villeneuve d'Ascq (voir aussi page 89).

PRESENTATION DU MUSÉE D'ART MODERNE DE VILLENEUVE D'ASCQ

Situé en bordure du parc urbain de Villeneuve d'Ascq, à quelques kilomètres de Lille, le Musée d'Art Moderne a ouvert ses portes au public en Novembre 1983.

Il a été conçu par l'architecte Rolant Simounet pour abriter la donation faite par Geneviève et Jean Masurel en 1979 à la Communauté Urbaine de Lille.

La plupart des grands artistes d'avant-garde ayant vécu en France dans la première moitié du XXe siècle sont représentés dans cette donation, qui réunit la majeure partie des œuvres collectionnées par Roger Dutilleul dès 1905, puis par son neveu Jean Masurel. Cet ensemble comporte 220 œuvres (peintures, dessins, gravures et sculptures), dont un ensemble de référence d'œuvres cubistes de G. Braque, H. Laurens, P. Picasso, le troisième ensemble d'œuvres de F. Léger conservé en France, et des œuvres de A. Derain, P. Klee, A. Masson, J. Miro, A. Modigliani et G. Rouault...

La fréquentation du musée est en progression constante (plus de 102.000 visiteurs en 1990). Il jouit aujourd'hui d'une notoriété nationale et internationale.

LEGER : LE MECANICIEN 1918

Jours fériés: 'on ferme!'

Les fêtes civiles et religieuses sont des jours fériés en France, des jours où on ne travaille pas. Si la fête tombe un mardi ou un jeudi (par exemple, l'Ascension), beaucoup de firmes et d'institutions 'font le pont', c'est-à-dire qu'elles ferment aussi le lundi ou le vendredi.

LES FETES CIVILES ET RELIGIEUSES	
25 décembre	Noël★
1er janvier	Le Jour de l'An
mars ou avril (lundi)	Pâques★
1er mai	La Fête du Travail
8 mai	La Fête de la Liberté et de la Paix (victoire du 8 mai 1945)
mai (jeudi)	L'Ascension★
mai ou juin (lundi)	La Pentecôte★
14 juillet	La Fête Nationale (la prise de la Bastille)
15 août	L'Assomption★
1er novembre	La Toussaint★
11 novembre	La Fête de la Victoire (armistice de 1918)

★ Fêtes religieuses

Les **Fêtes Légales** en France comprennent les **fêtes religieuses** (marquées d'un astérisque★) issues de la tradition catholique et les **fêtes civiles**, qui évoquent les grandes dates de l'histoire nationale, à part Le Jour de l'An et le 1ᵉʳ mai qui sont des fêtes célébrées dans la plupart des pays occidentaux.

La Fête du Travail s'appelle aussi la Fête du Muguet car il est de tradition d'offrir un bouquet de muguet le 1ᵉʳ mai.

Infos utiles

Au travail

You can often judge the pulse of a company by its meetings, and most French firms have information, dissemination and decision-making meetings on a regular basis. These meetings tend to be formal, with a prepared agenda **(l'ordre du jour).** For major meetings, such as **le conseil d'administration,** a notice **(une lettre de convocation)** is sent to all members. Apologies for absence are usually made in writing.

Over the last ten years, much importance has been given to good internal communications, so that ideas not only filter down the company ladder but also move upwards from below. At the top of a typical company structure, you'll find: **le président directeur général** assisted by his/her **directeur.** Then come **le directeur délégué, le directeur adjoint** and **le sous-directeur.**

At work, people address colleagues by their surname, preceded by **Monsieur**..., **Madame**... or **Mademoiselle**..., and always use **vous** with one another, even if they've worked together for years.

Vincent Bolloré

Bolloré auprès de l'Odet

Vincent Bolloré is one of the youngest and most successful **patrons** in France. He is described as charismatic, charming, brilliant, stubborn, and happy. He was born in Quimper in Brittany, a Catholic with a strong streak of Christian Socialism. Trained in banking, in 1981 he bought out the declining paper-manufacturing family business for a nominal four francs. Today he heads the Bolloré group with a turnover of some 25 billion francs. His success is said to be based on three principles: diversification, good balance of activities and ability to identify the right market niche. He is renowned throughout the company as a gifted communicator and his managers see in him **un modèle de patron,** an exemplary boss.

8

LA DISTRIBUTION

Les Petits commerçants

UNE BOULANGÈRE-PÂTISSIÈRE

Malgré le développement des supermarchés et hypermarchés en France, les petits commerces existent toujours. A Lille nous avons d'abord interviewé une boulangère sur son commerce.

Boulangère Alors, là, je suis boulangère-pâtissière. J'ai une boulangerie traditionnelle qui date de... dans les environs 1900, qui est restée dans son état d'origine. J'y vends actuellement de la boulangerie-pâtisserie-confiserie-glaces. Ma clientèle est une clientèle de... d'ouvriers, en général. Une bonne petite clientèle de personnes âgées, de jeunes, de moins jeunes, mais qui est une clientèle très fidèle. Plus la clientèle de passage, éventuellement.

Reporter Quelles sont vos difficultés éventuelles?

Boulangère Ah, les difficultés éventuelles, ça je pense que ce sont les difficultés de tout le monde en ce moment. Malheureusement, je crois que le budget des Français a beaucoup diminué, donc le chiffre d'affaires et de ventes a diminué également... et de la faute de ça.

Avez-vous compris? Vérifiez le sens des phrases suivantes.
une boulangerie traditionnelle qui date de 1900
boulangerie-pâtisserie-confiserie-glaces
une bonne petite clientèle de personnes âgées
une clientèle très fidèle
le budget des Français a beaucoup diminué
le chiffre d'affaires et de ventes a diminué

le petit commerçant *small business, shopkeeper*
la boulangère-pâtissière *baker and pastrycook (f)*
la boulangerie *bakery*
la clientèle de passage *passing trade*
la faute *cause, fault*

diminuer *to diminish*

âgé(e) *elderly*
également *as well, equally*
de la faute de ça (*fam*) *because of that*

Maintenant écoutez Roger Crespel, un boucher de quartier, qui nous parle de son commerce.

M. Crespel	Monsieur Crespel, boucher-charcutier et traiteur.
Reporter	Depuis combien de temps?
M. Crespel	35 ans.
Reporter	Qu'est-ce que vous vendez exactement?
M. Crespel	De la viande, de la charcuterie, des plats cuisinés et des spécialités. Les spécialités, c'est par exemple le filet américain maison, le jambon au porto, divers jambons de pays, c'est à dire la Savoie, des jambons de Savoie, des jambons d'Auvergne, des jambons de Bayonne, du jambon... des Ardennes et ainsi de suite.
Reporter	Alors, vous pouvez me dire deux mots de votre clientèle?
M. Crespel	La clientèle, c'est une clientèle moyenne qui est essentiellement composée de personnes âgées, disons le troisième âge.
Reporter	Une bonne clientèle?
M. Crespel	Une bonne clientèle, oui.
Reporter	Quelles sont vos difficultés éventuelles?
M. Crespel	Les difficultés? A l'heure actuelle depuis quelques années, c'est surtout les marges bénéficiaires.

le traiteur *delicatessen shopkeeper*
la charcuterie *cooked meats*
le plat cuisiné *cooked dish*
le troisième âge *senior citizens*
la marge bénéficiaire *profit margin*

moyenne *average*
la Savoie, l'Auvergne, les Ardennes: régions de France

Note: In spoken French it's common usage to say **c'est** followed by a plural: **c'est surtout les marges bénéficiaires.** In writing, **ce sont** is required.

A VOUS! ▶

1 Remplissez une fiche pour chaque petit commerçant.

a **commerce:** ....
   date: ....
   produits: ....
   clientèle: ....
   difficultés: ....

b **commerce:** ....
   date: ....
   produits: ....
   clientèle: ....
   difficultés: ....

2 **A vous de trouver!** Complétez la grille ci-dessous.

commerce	commerçant	commerçante
la boulang**erie**	**le** boulang**er**	**la** boulang**ère**
la pâtisserie	....	la pâtissière
....	le boucher	....
la charcuterie	....	....

les magasins du quartier *local shops*
la grande surface *hypermarket*
le complément *remainder*

faire des courses *to do some shopping*
manquer *to miss*
valoir le coup *to be worthwhile*
se dire *to tell oneself*

à proximité *nearby*

Où faites-vous vos courses?

Nous avons interrogé un bon nombre de personnes sur leurs habitudes domestiques. Nous leur avons demandé si elles préfèrent faire leurs courses chez les petits commerçants, au marché ou au supermarché. Ecoutez leurs réponses.

La Concurrence

«L'idée centrale, c'est que la concurrence ou les effets bénéfiques de la concurrence ne doivent pas être réservés à une catégorie de consommateurs mais à tous... La première des solidarités dans une société de concurrence, c'est que tout le monde soit sur le même pied d'égalité en droit et en devoir, et donc c'est un combat politique derrière notre combat commercial.» (*Michel-Edouard Leclerc, GALEC*)

COMMUNICATIONS ▶

A VOUS! ▶

Avez-vous compris?
quand même
une fois tous les 15 jours
ça vaut le coup de...

1 Complétez la grille ci-dessous.

	petits magasins	grandes surfaces	pourquoi?
Voix 1	....	....	....
Voix 2	....	....	....
Voix 3	....	....	....
Voix 4	....	....	....
Voix 5	....	....	....
Voix 6	....	....	....

2 Comment diriez-vous en français?

a a personalized welcome; *b* rather; *c* it's less expensive; *d* both; *e* when something's missing; *f* it's nearby; *g* generally; *h* it's worthwhile; *i* to encourage; *j* slightly more.

Expressing time

You've already encountered a number of ways of expressing time. This unit introduces several more:

**tous les jours
une fois tous les 15 jours
au fil des années
l'année suivante
dans les deux mois qui viennent
depuis plus de 40 ans**

Remember that in communicating with people, it's important to express time accurately.

1 Comment dit-on en français?

a every week/month/year; *b* once a week/month/year; *c* once every two months/years; *d* for weeks/months; *e* the following week/month; *f* in the next two weeks/years; *g* for more than 50/60/70 years.

2 Complétez la grille suivante:

	passé	présent	futur
a	hier	....	....
b	....	cette semaine	....
c	le mois dernier	....	....
d	....	....	l'année prochaine

Acheter le moins cher possible
pour vendre le moins cher possible,
c'est cela la distribution moderne.

EDOUARD LECLERC

le refus	*refusal*
la marque	*trade mark*
le prix imposé	*fixed price*
le décret-loi	*statutory order*
l'affilié (*m*)	*member*
l'ouverture (*f*)	*opening*
le coup de pouce	*push in the right direction*
les privilèges (*m pl*)	*goods with fixed retail prices*
le prêt-à-porter	*ready-to-wear*
la station-service	*petrol station*
exiger	*to demand*
interdire	*to forbid*
faire école	*to establish a movement*
réduit(e)	*reduced*

Le Mouvement Leclerc

1949 Edouard Leclerc ouvre son premier magasin dans une pièce de sa maison à Landerneau en Bretagne. Il pratique des prix 30 pour cent à 200 pour cent moins chers que le commerce traditionnel.

1952 Refus de vendre à Leclerc de quelques grandes marques qui exigent les prix imposés.

1953 Le décret-loi Pinay interdit les prix imposés.

1958 Leclerc fait école. Son mouvement compte des dizaines d'affiliés. Ils adoptent sa politique commerciale: investissements mineurs, marges et frais généraux réduits.

1959 Ouverture du 1er centre Leclerc à Paris.

1960 La circulaire Fontanet: «le coup de pouce» historique au discount. Elle interdit aux industriels le refus de vente.

1969–70 Naissance de l'ACDLec (Association des centres Leclerc), du GALec (Groupement d'Achat des centres Leclerc) et des centrales régionales Leclerc. C'est toute la structure du mouvement qui se met en place.

1976 Combat contre le monopole pétrolier.

1979 Leclerc crée sa propre société d'importation pétrolière, la SIPLec.

1981–4 Offensive Leclerc contre les «privilèges», par exemple le livre, la parapharmacie, le textile, le prêt-à-porter, la parfumerie.

1985 Leclerc devient le deuxième libraire de France après la FNAC.

1986 Création de DEVINLec – les bijoux en or vendus 40 à 50 pour cent moins cher.

1989 1ère station-service Leclerc sur autoroute.

Au dernier recensement (mai 1993), le mouvement Leclerc compte 16 centrales régionales qui sont les relais d'approvisionnement pour les 591 centres Leclerc: c'est-à-dire 240 supermarchés, 291 hypermarchés et 60 magasins spécialisés.

A. C. D. Lec

A VOUS! ▶

Supermarché Leclerc

1 Vrai ou faux?

a Leclerc ouvre son 1er magasin dans sa propre maison en Bretagne.

b Neuf ans plus tard la politique commerciale de Leclerc est suivie par plusieurs commerçants indépendants.

c 1953 et 1960 sont les deux dates marquantes de la libération des prix et du mouvement Leclerc.

d Leclerc s'attaque aux privilèges dès 1976.

e Leclerc devient vite le 1er libraire de France.

f Leclerc combat le monopole pétrolier: il ouvre la 1ère station-service Leclerc en 1976.

g Les bijoux en or Leclerc sont vendus 30 à 200 pour cent moins cher.

h Le mouvement Leclerc compte aujourd'hui 16 centrales régionales.

2 Les adjectifs. Lisez les articles ci-dessous et mettez les adjectifs donnés à leur place. N'oubliez pas qu'en français un adjectif est masculin ou féminin, singulier ou pluriel.

a

ancien
commun
économique
jeune
local

Hypers: La cause des indépendants

Monsieur Michel-Edouard Leclerc en est convaincu, les indépendants de la distribution ont des cartes .... à jouer. Les centres Leclerc ont donc ouvert des discussions avec leurs cousins de Système U, l'............... groupe Unico, dirigé par Monsieur Jean-Claude Jaunait. Mais aussi avec les plus .... patrons d'Intermarché. Ne pas confondre indépendance et isolement est devenu une préoccupation des trois enseignes, face aux concentrations de la distribution. A l'ordre du jour de leurs groupes de travail, non pas un rapprochement .... mais des prises de position communes sur des sujets comme les rapports avec les collectivités .... ou les relations avec les banquiers.

Le Nouvel Economiste, 1991

b

bon
correct
difficile
divers
précis
premier
satisfaisant

«Nos .... prix répondent à un cahier des charges»

«Notre gamme de produits premiers prix est classée en rayon par famille, comme les autres, avec des différences de tarif allant de 20 à 40%, selon leur degré d'élaboration. Ils répondent à un cahier des charges .... imposant des coûts réduits, mais aussi un .... niveau de qualité, et sont fabriqués par des industriels ...., pas nécessairement sous notre marque. Nous répondons ainsi pleinement aux besoins d'une clientèle au pouvoir d'achat limité et qui aspire néanmoins à des produits de qualité .... Cette gamme d'articles nous permet de fonctionner de façon .... malgré un contexte ....». – Monsieur Yvon Pirot, centre Leclerc de Narbonne.

Cash Marketing, 1991

Edouard Leclerc parle à la réunion annuelle de la SCALec (Société d'Approvisionnement des Centres Leclerc).

M. Leclerc Mesdames, mesdemoiselles, messieurs, chers amis. Nous voilà à nouveau réunis pour faire le point de nos actions communes, de nos réformes et par conséquent de notre action future. Je me réjouis des décisions qui ont été prises il y a deux ans, décisions qui ont amené le groupe à se resserrer et à secréter de nouvelles directives. . .

Je ne suis pas un politicien. Nous avons notre doctrine, la distribution, et si nous vivons à travers tous les régimes politiques, de la troisième à la cinquième, peut-être à la sixième, c'est parce que notre cap ne change pas, même si nous devons de temps en temps nous séparer de certains collaborateurs qui jouent un capitalisme absurde condamné par. . . à l'avance comme fut condamné le communisme, le capitalisme d'état.

Chers amis, comment se fait-il que ceux qui appliquent rigoureusement notre philosophie réussissent? Il vous appartient à vous d'ouvrir une autre voie et cette voie-là, je compte bien sur vous, sur mes collaborateurs, sur mon fils Michel qui a compris depuis longtemps que l'idéologie était un atout majeur en ce qui concernait la philosophie de la distribution. Distribuer, c'est gagner peu mais c'est toujours tenir l'économie en main. Chers amis, d'autres que moi vous diront autre chose, n'écoutez pas les sirènes, les vrais. . . la vraie philosophie je l'ai, depuis plus de 40 ans, appliquée, elle a fait ses preuves.

A toutes et à tous, je vous souhaite dans les deux mois qui viennent une réussite totale et aussi des structures plus solides, plus fermes.

Avez-vous compris? Vérifiez le sens des phrases suivantes.

nous voilà à nouveau réunis pour faire le point
je me réjouis des décisions prises
nous avons notre doctrine: la distribution
l'idéologie. . . un atout majeur
distribuer, c'est gagner peu
je vous souhaite une réussite totale

le cap *course*
la réussite *outcome, success*

faire le point *to take stock*
amener *to bring*
resserrer *to strengthen*
secréter *to bring forth*
réussir *to succeed*
compter sur *to rely upon*
gagner *to earn*
tenir en main *to control*
faire ses preuves *to prove oneself*

même si *even if*
à l'avance *in advance*
depuis longtemps *long ago*
il y a deux ans *two years ago*
de temps en temps *from time to time*

Note that when Edouard Leclerc says: «. . . de la 3ème à la 5ème et peut-être la 6ème», he's referring to the Third Republic, when he started his movement, to today's Fifth Republic and to an as yet non-existent Sixth Republic, thus emphasizing the durability of his movement through the various political regimes.

A VOUS! ▶

1 Répondez aux questions. Complétez les phrases suivantes.
a Pourquoi les indépendants du mouvement Leclerc sont-ils à nouveau réunis?
Ils sont à nouveau réunis pour ....
b De quoi se réjouit Leclerc?
Il se réjouit des .... qui ont été prises il y a deux ans.
c Quelle est une des conséquences?
Ces décisions ont amené le groupe à ....
d Que dit Leclerc à propos de lui-même?
Je ne suis pas ....

8 **Un parcours du combattant**
«On a simplement pris notre bâton de pèlerin et fait le parcours du combattant nécessaire... Le chiffre d'affaires aujourd'hui est de 99 millions TTC et l'étude de marché est extrêmement favorable sur l'an 2000 puisqu'elle va doubler.» (*Anny Courtade, Lecasud*)

e Quelle est la doctrine du mouvement?
C'est la _____ .
f Que conseille-t-il à ses commerçants indépendants?
Il vous appartient à vous _____ .
g Quel est, d'après Leclerc, l'atout majeur de la philosophie du mouvement?
C'est _____ .
h Quelle est la définition de «distribuer» que donne Leclerc?
Distribuer, c'est _____ .
i Depuis combien de temps est-ce que Leclerc applique la philosophie de la distribution?
Il l'applique depuis _____ .
j Que souhaite Leclerc, à toutes et à tous?
A toutes et à tous il souhaite _____ .

2 A vous de faire le point.
Reread the account of the mouvement Leclerc p. 109, listen again to recording 4, then write a summary of about 200 words in English. Use the following headings to help you: Origins of the movement.   The first centre.   The historical «coup de pouce».   The fight against privileges.   Leclerc today.   Conclusion.

L'Ecolomarketing

A VOUS! ▶

Vrai ou faux? Donnez votre avis sur les produits «verts».
a Tous les produits «verts» sont les mêmes.
b Ils sont moins efficaces (que les produits traditionnels).
c Ils sont difficiles à utiliser.
d Ils sont plus chers.
e Ils sont difficiles à trouver.
Vérifiez vos réponses: lisez la pub «Maison Verte» ci-dessous.

---

le nettoyage	*cleaning*
le rangement	*tidying up*
faire l'objet de	*to be the object of*
viser à	*to aim to*
tout en gardant	*while looking after*

MAISON VERTE

PRODUITS VERTS: LA REVOLUTION DOUCE

1. Tous les produits sont les mêmes.
Faux! Ces nouveaux produits verts ont fait l'objet d'études visant à limiter leur impact sur le milieu naturel afin de le préserver tout en gardant toute leur efficacité.

2. Ils sont moins efficaces.
Faux! Les composants sur base végétale adoptés par Maison Verte sont tout aussi efficaces. Et ils sont un plus pour l'environnement.

3. Ils sont difficiles à utiliser.
Faux! Rien à changer à vos habitudes de nettoyage, de rangement et de shopping.

4. Ils sont plus chers.
Faux! Ils sont pour la plupart vendus en grandes surfaces.

5. Ils sont difficiles à trouver.
Faux! Tous les produits Maison Verte sont déjà disponibles dans la plupart des grandes surfaces.

QUE PENSEZ–VOUS DE L'ÉCOLOMARKETING?

Nous avons fait un sondage sur les produits «verts» vendus en magasins et dans les grandes surfaces. Voici ce que pensent les personnes interrogées.

Voix 1 La Maison Verte, des trucs comme ça? Moi, je trouve ça bien. Moi, j'ai déjà acheté Maison Verte une fois, mais maintenant j'utilise Palmolive parce que ça soigne mes mains et donc j'aimerais bien que Maison Verte fasse quelque chose pour les mains.

Voix 2 Je trouve que c'est une publicité mensongère, parce que d'abord on ne connaît pas les effets ultérieurs sur l'environnement et on peut faire une publicité comme ça et découvrir plus tard que c'est aussi nocif que... qu'avec des détergents puissants.

Voix 3 Bon, je trouve ça bien, mais moi personnellement, je ne les achète pas parce que je trouve qu'ils sont vraiment trop chers par rapport aux autres, et que... protéger la nature, il faut que ce soit accessible à tout le monde et c'est pas normal que ce soit si cher. Donc, on n'a qu'à mettre des produits, les produits qui font... qui sont nocifs, plus chers et baisser les prix de ceux-là. Ce serait une bonne idée pour les grandes surfaces.

Avez-vous compris? Vérifiez le sens des phrases suivantes.

je trouve ça bien

ça soigne mes mains

j'aimerais bien que Maison Verte fasse quelque chose

une publicité mensongère

on peut (...) découvrir plus tard que...

il faut que ce soit accessible à tout le monde

Note that in the following sentences the present subjunctive is used:

J'aimerais bien que... fasse quelque chose. (verbe: **faire**)

Il faut que ce soit... (verbe: **être**)

For more about the subjunctive, see p. 154.

---

le truc (*fam*)   *thing*
l'effet (*m*)   *effect*

soigner   *to take care of*

mensonger/mensongère   *false*
ultérieur(e)   *eventual, subsequent*
nocif/nocive   *harmful*

A VOUS!

1   Vrai ou faux?

a La personne n° 1 n'a jamais acheté de produits verts.

b Elle utilise Palmolive.

c Elle aime les produits Maison Verte parce qu'ils sont bons pour les mains.

d La personne n° 2 aime la publicité écolo.

e Elle trouve que les produits écolos sont moins nocifs que les autres produits.

f La personne n° 3 n'aime pas les produits verts.

g Elle ne les achète pas.

h Elle trouve que les produits verts sont trop chers.

i Elle pense que les grandes surfaces devraient augmenter le prix des produits nocifs.

2 Utilisez votre mémoire! With the help of the words provided, reconstruct what people replied when asked about their shopping habits on page 107–8.

a c'est, parce que, moins cher, je, aller, plutôt, en grande surface

b femme, les grandes surfaces, ma, moi, et, fait quelque chose, il, quand, manque, les petits magasins, je, aller, dans

c parce que, à, ce, proximité, être, puis, ce, et, être, plus, sympathique

d je, parce que, que, valoir, le, ça, trouver, coup, le, d'encourager, commerce, petit

Vérifiez vos réponses: écoutez à nouveau l'enregistrement.

3 Répondez aux questions suivantes.

a Où faites-vous vos courses? *b* Pour quelles raisons? *c* Que pensez-vous des produits verts? *d* Que pensez-vous du rapport qualité–prix?

Aide-mémoire: les petits magasins, les magasins de quartier, c'est moins/plus/aussi/trop cher, c'est sympathique, c'est loin/à proximité, je trouve ça bien, c'est une publicité mensongère, les effets ultérieurs, c'est moins/plus/aussi nocif.

Distribution des marchandises

l'échange (*m*)   *exchange*
la messagerie   *parcel mail*
le colis   *parcel*
l'affrètement (*m*)   *freight*
l'Ariège: département dans le sud de la France
le créneau   *gap (in the market)*

s'agrandir   *to get bigger*
reposer sur   *to rely upon*
entendre par   *to understand*
passer dans   *to go into*
rattacher à   *to link to*

détenu(e)   *in the hands of*
au fil des années   *over a number of years*
porteur/porteuse   *profitable*

UNE SOCIÉTÉ À CENT POUR CENT PRIVÉE

Philippe Paillen, directeur des ventes du groupe Heppner, parle de la société à Christophe Delay.

LA MESSAGERIE

Philippe Paillen explique à notre reporter dans quel type de transports sa société se spécialise.

Note the familiar use of **emmener** for **emporter/transporter. Amener** *(to bring)* and **emmener** *(to take away)* are used with people; **apporter** *(to bring)* and **emporter/transporter** *(to take away)* are used with things.

CONCLUSION

Notre reporter pose à Philippe Paillen une question sur la concurrence entre transporteurs.

1 Remplissez la fiche du groupe Heppner.

situation géographique: ....

nationalité du groupe: ....

nature du groupe: ....

date de création du groupe: ....

lieux d'opération: ....

activités du groupe: ....

qui représentait: .... du chiffre d'affaires

2 Répondez aux questions en complétant les phrases suivantes.
a Qu'est-ce que Philippe Paillen entend par «messagerie»?
On entend par messagerie ...., au delà, on passe dans ....
b Comment caractérise-t-il la messagerie?
C'est prendre un colis .... et .... dans les meilleures ....
et le plus .... et au moindre .... aussi bien ....

3 Question: «Les transporteurs, ici, sont très nombreux, c'est la guerre un petit peu entre vous, ou chacun a sa part du gâteau?» Que répond Monsieur Paillen à la question du journaliste? Choisissez *a* ou *b*.
a Je crois qu'il n'y a pas de place pour tout le monde.
b Je crois qu'il y a de la place pour tout le monde.

L'Infrastructure

Utilisez votre savoir! Que savez-vous déjà sur la région Nord-Pas de Calais? Pour chaque phrase, répondez «vrai» ou «faux».

a C'est aujourd'hui une grande région industrielle.
b Elle était connue pour le charbon et l'acier.
c Elle est connue pour le textile.
d Elle a une infrastructure exceptionnelle.
e Elle est au cœur d'une population de 100 millions d'habitants.
f Elle a trois capitales pour banlieues.
g Elle a trois aéroports à proximité.
h Elle est potentiellement le meilleur partenaire de la Grande-Bretagne.
i Elle est en faveur du tunnel.
j Sa capitale, Lille, s'est battu pour avoir le TGV.
k Le TGV-Nord passera à dix kilomètres de Lille.
l L'Etat français a entièrement financé le TGV jusqu'à Lille.

Vérifiez vos réponses en écoutant les enregistrements 7 et en lisant l'extrait qui suit.

PIERRE MAUROY, MAIRE DE LILLE
Pierre Mauroy, maire de Lille, nous parle de l'infrastructure du Nord-Pas de Calais et de la bataille pour faire passer le TGV à Lille.

M. Mauroy Par une mobilisation générale, pour le tunnel, pour le TGV, tout le monde s'y est mis, les politiques, les économiques, les culturels. Tout le monde. Pourquoi? Parce que nous étions la grande région industrielle française. Premier pour l'acier, premier pour le coton, premier pour le charbon, premier pour le textile, en France, et puis tout s'est effondré. Alors, nous avons eu la rage de faire en sorte que notre région puisse survivre, et puisse rester, une grande région française.

Pierre Mauroy

8

l'acier (*m*)   *steel*
le charbon   *coal*
la rage   *mania, obsession*
le pré   *field*
le croisement   *junction*

s'y mettre   *to get involved, stuck in*
s'effondrer   *to collapse*
croiser   *to cross*

LA GRANDE BATAILLE

M. Mauroy   Une grande bataille. Vous ne pouvez pas imaginer la bataille pour que le TGV puisse passer à Lille, pour que le TGV puisse croiser à Lille, car le TGV devait passer à dix kilomètres à l'ouest de Lille, au milieu des prés. Lille voulait le TGV, pas le TGV à dix kilomètres à côté de Lille, mais le TGV *dans* Lille, croisement de Londres–Lille–Bruxelles, Paris... bien sûr Lille–Londres. Ça a été une très, très grande bataille, qui a mobilisé la métropole et qui a mobilisé la région. L'Etat a accepté de mettre 400 millions, la région et la métropole ont mis les 400 autres millions. C'est beaucoup, hein, pour faire passer des... un train!

Avez-vous compris? Vérifiez le sens des phrases suivantes.
tout le monde s'y est mis
tout s'est effondré
faire en sorte que notre région puisse survivre
le TGV devait passer à... (**devait:** *imperfect tense of* **devoir**)
ça a été une très grande bataille
la région et la métropole ont mis les 400 autres millions

Note the familiar use of **les politiques** for **les hommes politiques, les économiques** for **les hommes de l'économie** and **les culturels** for **les hommes dans le domaine culturel.**

Note also that **puisse** is the present subjunctive of **pouvoir.** For more about the subjunctive, see p. 154.

le chantier   *building site*
la traversée   *crossing*

réduire   *to shorten, reduce*
s'affirmer   *to assert oneself*

sans conteste   *indisputably*

Chantier Eurotunnel

Des infrastructures exceptionnelles

S'installer dans le Nord-Pas de Calais, c'est atteindre 100 millions d'habitants, de clients, de fournisseurs en moins de deux heures.

Les entreprises gagnantes sont et seront en Nord-Pas de Calais, la région qui a trois capitales pour banlieues

UN TUNNEL
Le tunnel sous la Manche représente sans conteste le plus grand chantier du vingtième siècle. Avec une traversée de la Manche réduite à 30 minutes pour 35 millions de voyageurs et 25 millions de tonnes de fret, le Nord-Pas de Calais s'affirme comme le meilleur partenaire de la Grande-Bretagne.

DEUX TGV
De Lille, deux axes ferroviaires à grande vitesse sont créés: l'un vers Londres, l'autre vers Bruxelles et les pays du Nord.

TROIS AEROPORTS
● L'aéroport international de Lille-Lesquin
● Paris–Roissy Charles de Gaulle: 1 h 45 par autoroute de Lille et bientôt 53 minutes par TGV
● Bruxelles–Zaventem: une heure par autoroute et 35 minutes par TGV de Lille

CCI Nord-Pas de Calais

l'Hôtel (m) de Ville: l'Hôtel de Ville de Lille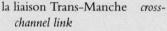
Lille town hall
la liaison Trans-Manche *cross-channel link*

conclu(e) *concluded*

Margaret Thatcher et François Mitterrand ont signé solennellement à l'Hôtel de Ville de Lille, le 20 janvier 1986, l'accord qui permet enfin d'amarrer au continent ce vaisseau de haut bord qu'est la Grande-Bretagne. Les TGV européens, comme les voitures des particuliers, disposeront d'une voie royale vers Londres, après avoir traversé la plaine des Flandres. Pour relier Paris, Londres, Bruxelles, Cologne et Amsterdam, Lille devient le carrefour stratégique.

Pierre Mauroy parle de l'accord historique sur le tunnel sous la Manche. Ecoutez-le, et puis répondez aux questions.

1 Choisissez la bonne réponse.

a Où est-ce que Monsieur Mauroy a parlé pour la première fois du Tunnel à Madame Thatcher? *i* à Fontainebleau; *ii* à Edimbourg.

b En quelle année cela s'est-il passé? *i* en 1982; *ii* en 1983.

c Qu'a répondu Madame Thatcher? *i* oui; *ii* non.

d Qu'a répondu Madame Thatcher la deuxième fois que Monsieur Mauroy lui a parlé du tunnel? *i* oui, peut-être; *ii* non.

e Où est-ce que l'accord a été conclu? *i* à Fontainebleau; *ii* à Edimbourg.

f Où est-ce que l'accord a été signé? *i* à l'Hôtel de Ville de Paris; *ii* à l'Hôtel de Ville de Lille; *iii* au château d'Edimbourg.

2 Comment diriez-vous en français?

a private financing; *b* the next year; *c* for the first time; *d* to talk again; *e* to conclude an agreement; *f* to make a decision; *g* to sign an agreement.

Maintenant, donnez le contraire de *a, b* et *c* ci-dessus.

GRAMMAIRE ▶

● Les pronoms y et en

J'**y** trouve un accueil personnalisé…
Tout le monde s'**y** est mis…

J'adore l'équitation. Ça fait dix ans que j'**en** fais.
Il y a des cinémas à Lille? Il y **en** a beaucoup.

Y and **en** refer to places or things already mentioned.
Y means literally *there* or *to it,* **en** means *of it* or *of them.*

Je vais **à Paris**.	J'**y** vais.
Elle est **à l'aéroport**.	Elle **y** est.
J'ai trouvé dix francs **dans mon sac**.	J'**y** ai trouvé dix francs.
Tout le monde s'est mis **au travail**.	Tout le monde s'**y** est mis.
J'ai trois **enfants**.	J'**en** ai trois.
Elle est propriétaire **de sa maison**.	Elle **en** est propriétaire.
Je suis très **fier de lui**.	J'**en** suis très fier!

Y occurs in set phrases such as:

on s'y fait/on s'y habitue	*one gets used to it*	ça y est!	*that's it!*
on y va?	*shall we go?*	allons-y!	*let's go!*
vous y êtes	*there you are*	je m'y connais	*I know all about it*

Les arguments de vente
«Le primordial, c'est bien sûr la situation géographique de la métropole lilloise, située dans le triangle Paris–Londres–Bruxelles. Le second argument, ce sont les moyens de communication que recherchent beaucoup les entreprises. Et puis ensuite, nous avons un certain nombre d'autres arguments liés à la qualification de la main-d'œuvre… plus à la présence d'un marché potentiel pour des tas d'activités.» (*Jean-Pierre Nacry, l'APIM*)

je n'y comprends rien *I don't understand a thing about it*
je m'y prends mal/bien *I'm getting on badly/well with it*

And also after some verbs such as:

se fier à *to rely on*   résister à *to resist*   goûter à *to taste*

En occurs in set phrases such as:

j'en ai assez/j'en ai marre (*coll*) *I've had enough*
j'en ai horreur *I hate it*   je m'en vais *I'm going away*
ne vous en faites pas! *don't worry about it!*

And also after some verbs such as:

empêcher... de *to prevent ... from*
féliciter... de *to congratulate ... on*
être content(e) de *to be pleased about*
être étonné(e) de *to be astonished about*
se souvenir de *to remember*
remercier... de *to thank ... for*

● **Le subjonctif**

Four important facts about the use of the subjunctive:
1   It's commonly used in spoken French.
2   Its prime function is to alert the listener to the feelings, wishes, doubts or uncertainties of the speaker.

> **J'aimerais** bien **que** Maison Verte **fasse** quelque chose...
> **C'est pas normal que** ce **soit** si cher.

3   It's often triggered by certain expressions and conjunctions.

> **Il faut que** ce **soit** accessible à tout le monde.
> ... faire **en sorte que** notre région **puisse** survivre.
> ... **pour que** le TGV **puisse** passer à Lille.

4   There are cases when it can be avoided ().

(*see p. 154*)

A VOUS! ▶

1   Subjonctif ou indicatif? Quel est le verbe qui convient?
a   C'est incroyable qu'il [*a/ait*] un travail!
b   C'est inadmissible qu'ils [*sont/soient*] toujours en retard!
c   J'espère que votre séjour parmi nous [*a/ait*] été fructueux.
d   Je regrette que les délais n' [*ont/aient*] pas été respectés.
e   Je suis enchantée que nous [*faisons/fassions*] enfin connaissance!
f   J'aimerais que les produits verts [*sont/soient*] moins chers.
g   Je pense qu'elle [*a/ait*] raison dans cette affaire.
h   J'ai peur qu'il [*fait/fasse*] une erreur dans les comptes.

2   Mettez le verbe au temps voulu.
a   Il veut faire en sorte que tout le monde [*avoir*] du travail.
b   Toute la métropole s'est battu pour que le TGV [*pouvoir*] passer à Lille.

c Il faut que vous [*remplir*] un dossier.

d Il se peut qu'elle [*être*] déjà là.

e Je voudrais que vous me [*réserver*] une chambre pour trois nuits.

f Je crois qu'il [*avoir*] beaucoup à faire.

g J'espère que'on [*pouvoir*] y aller demain.

h Il est temps qu'il [*comprendre*] qu'arriver à l'heure est la moindre des politesses.

3 Y ou en? Complétez les phrases suivantes.

a Vous allez souvent au cinéma?

J' .... vais très souvent.

b Il y a des théâtres à Lille?

Ah oui! Il y .... a beaucoup!

c Diriez-vous qu'il existe une culture d'entreprise chez Bolloré?

Je dirais qu'il .... existe une.

d Mon passe-temps favori est la photographie.

Vous .... passez beaucoup de temps?

e J'adore l'équitation! J'.................. fais depuis plus de dix ans!

f Cet été je vais au Népal.

Qu'est-ce que vous allez .... faire?

g Je vais en vacances dans le Midi.

Vous .... allez tous les ans?

h Et je suis donc propriétaire de mon matériel?

Ah non! C'est la société de crédit-bail qui .... est propriétaire.

Infos utiles

Un pays corporatiste
«La France est un pays très corporatiste, mais contrairement aux pays de tradition anglo-saxonne où les corporations ont souvent été les vecteurs, les fers de lance de la modernité et du combat consummeuriste, ou de l'échange des idées libérales, en France les corporatismes ont été les vecteurs du protectionnisme.» (*Michel-Edouard Leclerc, GALEC*)

Grande surface is a generic name for both a **supermarché** and a **hypermarché**. The former is a **grande surface** of between 400 and 2500 square metres, with self-service in most of its departments, providing a wide selection of food products plus a good range of general items. The latter is a **grande surface** of more than 2500 square metres, offering an even wider range of food and general products, and with a large car park.

Like Vincent Bolloré, **Edouard Leclerc** also comes from Brittany, a region with a long and deeply-rooted tradition of Christian Socialism. He was originally educated for the priesthood, but for the last 40 years his declared mission has been to defend the interests of the average consumer, first against the post-war black market and profiteering, more recently against the power and privileges of monopolies. He started his first shop from a room in his house in Landerneau, selling biscuits. Today people refer to **les Leclerc**. Edouard Leclerc's son, Michel Edouard, manages the business with him, while his wife runs a clothing establishment.

9

FORMATION ET EMBAUCHE

la formation   *training*
l'embauche (*f*)   *employment, taking on, hiring*
le lien   *link*
la dépense   *expenditure*
la masse salariale   *salaries, wage bill*
le défi   *challenge*

faire face à   *to face up to, take up*

Philippe Demeestère, président de la commission formation de la Chambre de Commerce et d'Industrie de Lille-Roubaix-Tourcoing estime qu'il y a **'un lien direct entre modernisation et formation'**. Le CNPF (Conseil National du Patronat Français) pense que la formation doit être l'investissement prioritaire des entreprises. Depuis dix ans, les dépenses de formation des entreprises augmentent. Aujourd'hui près de trois pour cent de la masse salariale sont consacrés à la formation professionnelle. Beaucoup d'entreprises se rendent compte que pour faire face au défi européen la formation aux langues est indispensable.

La Formation

COMPLÈTEMENT INDISPENSABLE
Des jeunes nous disent ce qu'ils pensent de l'apprentissage des langues étrangères.

le marché du travail   *the job market*
le boulot (*fam*)   *job*
l'apprentissage (*m*)   *learning*
le domaine   *area, field*
le manque   *lack, shortage*

se débrouiller   *to manage*
se balader (*fam*)   *to travel*

au moins   *at least*
ne serait-ce que ça   *if only for that (reason)*
forcément   *obviously*

1   Pour ou contre l'apprentissage des langues étrangères?
Remplissez le tableau ci-dessous.

	pour	contre	langue(s)	raisons
Voix 1	....	....	....	....
Voix 2	....	....	....	....
Voix 3	....	....	....	....
Voix 4	....	....	....	....

2 Avez-vous bonne mémoire? Comment diriez-vous en français:
a it's a good thing; *b* it's useful; *c* it's indispensable; *d* it's obviously useful; *e* it's absolutely indispensable.

Vérifiez vos réponses en écoutant à nouveau l'enregistrement 1.

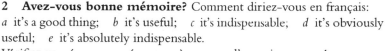

LA FORMATION À LA CCI DE LILLE

FORMER

La Chambre mobilise ses forces pour adapter la formation aux besoins des entreprises.

La Chambre forme au management, à la production, à la vente, à l'export.

La Chambre s'est donné pour mission de développer les compétences individuelles pour renforcer les performances des entreprises.

CCI, Lille

se donner pour mission *to give oneself the task*
renforcer *reinforce*

A VOUS!

Complétez les phrases suivantes pour expliquer ce qu'est la formation à la CCI.
a A la CCI la formation tient compte des .... *b* La CCI donne une formation dans plusieurs secteurs, notamment ....
c La mission principale de la CCI est de .... des individus dans le but de .... des entreprises.

UNE PANOPLIE DE SERVICES
Par l'intermédiaire de leurs nombreux centres de formation, les Chambres de Commerce et d'Industrie françaises offrent des cours nombreux et variés aussi bien aux cadres et employés d'entreprises qu'aux jeunes qui veulent entreprendre une carrière en entreprise. Gérard Tiébot, président de la Chambre de Commerce et d'Industrie de Lille-Roubaix-Tourcoing nous parle de la formation à la CCI.

Gérard Tiébot

la panoplie *range*
le centre de formation *training centre*
l'étalagiste (*m & f*) *window-dresser*
s'orienter vers *to direct oneself towards*
destiné(e) à *directed at, for*
gestionnaire *administrative, management*

M. Tiébot Alors, dans le domaine de la formation, dans le domaine de la formation, je crois que les entreprises trouvent chez nous toute la panoplie, si vous voulez, des... des différentes catégories de... de formation, la formation des cadres ou des dirigeants d'entreprise à travers un établissement, le CEPI, si vous voulez, qui est... qui est important. Nous avons aussi un établissement de formation destiné aux... disons, aux jeunes gens qui veulent s'orienter vers les carrières commerciales, représentants de commerce, mais aussi aux techniciens du commerce. Nous avons un centre de formation destiné aux commerçants en particulier, le CEPRECO, qui, lui, apporte tout ce qui est formation d'étalagiste, mais aussi gestionnaire, tout ce qui est linguistique aussi, dans certains cas, pour permettre aux commerçants d'une métropole comme la nôtre d'avoir toute la panoplie des services à apporter à leur environnement, la formation

le CEPI: Centre d'Etudes et de Perfectionnement à la direction et à la gestion

le CEPRECO: Centre de formation aux métiers du secteur tertiaire

le CPLE: Centre de Pratique aux Langues Etrangères (créé en 1966)

---

aux langues, si vous voulez, le... le... le... le centre de CPLE, si vous voulez, qui est un grand centre de formation, qui est le premier centre consulaire français de formation aux langues étrangères. Ça c'est la... tout ce qui concerne la formation.

Avez-vous compris? Vérifiez le sens des phrases suivantes.

les entreprises trouvent chez nous toute la panoplie

nous avons aussi un établissement de formation destiné aux jeunes

nous avons un centre de formation destiné aux commerçants

le centre de CPLE... qui est le premier centre consulaire français de formation aux langues étrangères

▶

1   Que fait-on à la CCI? Cochez ci-dessous les formations mentionnées par Monsieur Tiébot.

a formation des cadres;   *b* formation des techniciens supérieurs; *c* formation des dirigeants d'entreprise;   *d* formation à la production; *e* formation au commerce;   *f* formation d'étalagiste;   *g* formation linguistique;   *h* formation de gestionnaire;   *i* formation d'ingénieurs.

2   Que dit-on à propos du CPLE?

En savoir plus sur le CPLE

édito = *éditorial (m)*

l'échéance (*f*) *deadline*

la bougie *candle*

le bilan *evaluation*

le témoin *witness*

l'EAO: Enseignement Assisté par Ordinateurs

le géant *giant*

le parcours *ground, distance covered*

le stage *training course*

le/la stagiaire *trainee*

souffler *to blow out*

s'inscrire *to be written*

jalonner *to punctuate*

en cours *in progress*

Edito

A 500 jours des échéances européennes, le CPLE va souffler ses 25 bougies.

Un tel anniversaire est souvent l'occasion d'un bilan. Je ne retiendrai qu'un chiffre, 55.500 personnes formées en 10 langues depuis l'été 1966 – 55.500 témoins de notre souci de qualité et d'efficacité...

C'est aussi le moment de parler d'avenir et de projets. Pour le CPLE l'avenir s'inscrit tout d'abord dans la géographie avec trois centres opérationnels: Roubaix, Lille et Courtrai. Ceci traduit une volonté de couvrir l'ensemble de l'Euro-Région et d'attirer vers celle-ci la clientèle étrangère.

Les innovations, l'EAO, télématique, vidéo, téléphone, etc., ont jalonné notre existence. Les projets en cours portent sur les réseaux câblés de télévision.

Les atouts du CPLE

70 personnes à votre service.

6.000 stagiaires formés chaque année.

Des **techniques de pointe:** labo, vidéo, ordinateurs, valiphones, etc. Un service recherche-développement pour **s'adapter à votre entreprise**.

3.000 m^2 de locaux pour vous accueillir dans ses deux Centres de Lille et Roubaix.

10 langues enseignées.

Intervention dans l'entreprise

Cours par téléphone

Un géant de la formation continue: le CPLE

Quel parcours depuis sa création il y a près de 25 ans...
Le chiffre d'affaires est éloquent: 200.000 F. en 1966, 20 millions en 1992,
sans parler des trois salariés de l'époque contre les 70 d'aujourd'hui!

Stages individuels   **Stages intensifs**

A VOUS! ▶

1   Faites le point! In English, write a summary of the CPLE and its training programmes for your personnel director. Use the following headings: Staff.   Courses offered.   Methods used.   Languages offered. Conclusion.

🎧(3) NOS VOISINS SONT TRILINGUES
Gérard Tiébot parle de l'importance de la formation aux langues étrangères.

Mme Relin   Pourquoi est-ce que c'est important pour une Chambre de Commerce d'avoir une école de langues?
M. Tiébot   Il faut savoir que nous avons des voisins, nos amis belges ou hollandais sont... sont trilingues, quand c'est pas plus, si vous voulez. Bien. Nous avons donc, nous nous sommes aperçus que pour... commercialiser nos produits, avoir des actions prépondérantes dans divers pays du monde, nous devions mettre un accent tout particulier sur la formation aux langues étrangères.

Avez-vous compris? Vérifiez le sens des phrases suivantes.
nos amis belges ou hollandais sont trilingues
pour commercialiser nos produits
nous devions mettre un accent sur la formation aux langues étrangères

trilingue	*trilingual*
prépondérant(e)	*major*
s'apercevoir	*to realize, become aware of*
commercialiser	*to market*
mettre l'accent sur	*to emphasize*

A VOUS! ▶

1   Pourquoi une école de langues à la CCI de Lille? Cochez d'abord les raisons qui vous semblent importantes.
a Parce que les pays voisins du Nord-Pas de Calais sont bilingues.
b Parce que les langues, c'est utile pour voyager.   *c* Parce que c'est indispensable dans un marché unique.   *d* Parce qu'il faut connaître les langues étrangères pour pouvoir vendre ses produits à l'étranger.
e Parce que c'est utile sur le plan culturel.   *f* Parce que ça fait partie de son éducation.

2   Qu'en pense Monsieur Tiébot? Des six raisons données ci-dessus, quelles sont celles de Monsieur Tiébot?
Vérifiez vos réponses en écoutant à nouveau l'enregistrement 3.

9

Etienne Denis

la lacune	*deficiency, gap*
consacrer	*to devote*
constater	*to notice*
maîtriser	*to master*
délibéré(e)	*deliberate*
volontariste	*voluntary*
pour ce qui concerne...	*as far as . . . is concerned*

A VOUS! ▶

exercer son métier   *to do one's job*
s'adapter   *to adapt oneself*

requise   *required*

par là même   *through this*
en permanence   *permanently*

UN EFFORT DÉLIBÉRÉ ET VOLONTARISTE

Etienne Denis, directeur adjoint aux ressources humaines de la société FCB, parle de l'importance de la formation.

M. Denis   Pour ce qui concerne la formation, nous consacrons actuellement près de cinq pour cent de la masse salariale à la formation. C'est un effort délibéré et volontariste de notre part, parce que nous avons constaté que nous avions précisément des lacunes dans un certain nombre de domaines, notamment les langues étrangères. Il est clair qu'actuellement, comme notre chiffre d'affaires est fait à plus de 50 pour cent sur l'étranger, il est indispensable de maîtriser parfaitement l'anglais pour un grand nombre de salariés de chez nous. Mais également une deuxième langue étrangère, notamment soit l'espagnol, soit l'allemand.

Avez-vous compris? Vérifiez le sens des phrases suivantes.

nous consacrons actuellement près de cinq pour cent de la masse salariale à la formation

nous avions des lacunes

il est indispensable de maîtriser parfaitement l'anglais

Avez-vous bonne mémoire? Notez la réponse qui convient.

a Quel pourcentage de la masse salariale est-ce que FCB consacre actuellement à la formation?   *i* près de 15 pour cent;   *ii* près de cinq pour cent.

b Pourquoi ce besoin de formation?   *i* à cause des lacunes en langues étrangères;   *ii* à cause de la politique sociale.

c Quel est le pourcentage du chiffre d'affaires fait à l'étranger?   *i* plus de 15 pour cent;   *ii* plus de 50 pour cent.

d Quelle est, d'après Monsieur Tiébot, la première langue étrangère à savoir?   *i* l'anglais;   *ii* l'allemand.

e Quelle est la deuxième langue étrangère à apprendre?   *i* l'allemand;   *ii* le hollandais.

La formation chez SANDOZ

> La formation est un élément primordial de la politique de développement des ressources et par là même de la compétitivité SANDOZ.
>
> Elle contribue en permanence à ce que chacun puisse:
> – exercer son métier avec la qualification requise
> – s'adapter à l'évolution des technologies, des outils, des produits
> – se préparer à évoluer personnellement dans l'entreprise
>
> Pourcentage de la masse salariale consacré à la formation continue:
>
> 1989 5,90 pour cent   1990 8,50 pour cent   1991 8,90 pour cent

Bilan Social SANDOZ 1990–91

1 Faites la comparaison! Reread the Lille CCI brochure extract on p. 121 and compare their reasons for training with those given by SANDOZ above. In English, write a summary of your findings.

le langage véhiculaire
working language

L'AVENIR, C'EST L'EUROPE

Roland Marcoin parle de l'importance des langues étrangères pour la société FCB.

Roland Marcoin

2 Retrouvez ce que dit Monsieur Marcoin. Remettez les phrases dans le bon ordre.

a aujourd'hui, très loin, les langues étrangères, sans, aller, on ne peut pas

b l'avenir, l'Europe, il me semble, c'est, évident, que

c aujourd'hui, en contact, nous sommes, les Allemands, continuel, avec les Anglais, les Américains, les Belges, tous les autres pays, et, du monde, le langage véhiculaire, avec qui, l'anglais, est

d deux langues, une langue, donc, connaître, c'est, absolument, nécessaire, indispensable, c'est

Vérifiez vos réponses en écoutant à nouveau l'enregistrement 5.

3 Test de vocabulaire! Complétez la grille ci-dessous.

nom	verbe	nom	verbe
la formation	former	....	(s') orienter
....	maîtriser	....	savoir
l'apprentissage		....	commercialiser
....	comprendre	l'action	....
le dirigeant	....	l'accent	....
l'établissement	....	....	constater

4 Trouvez le bon mot! Complétez les phrases suivantes avec l'un des mots ci-dessus.

a Tout .... d'entreprise doit connaître une langue étrangère.

b Pour faire une bonne .... de nos produits à l'étranger, nous devons apprendre les langues étrangères.

c La .... d'au moins une langue étrangère est indispensable aujourd'hui.

d Aujourd'hui, il faut une .... adaptée aux besoins de l'entreprise.

e La bonne .... d'un texte ne signifie pas nécessairement une bonne mémorisation.

f .... sans comprendre ne sert à rien!

g La CCI a .... un centre de langues à Lille il y a près de 25 ans aujourd'hui!

h Einstein a dit «l'imagination est plus importante que le ....».

i Aujourd'hui les médias facilitent l'............... des langues étrangères.

j Il faut toujours réfléchir avant d'............... .

SAVIEZ-VOUS QUE...?
C'est la loi du 16 juillet 1971 qui a établi la **formation professionnelle continue** dans le cadre de la **formation permanente**. Elle étend le bénéfice d'un congé de formation à l'ensemble des travailleurs. Cela signifie qu'un travailleur en stage de formation professionnelle continue peut s'absenter durant les heures de travail sans que le contrat de travail soit rompu. Le financement est assuré par l'Etat et par les employeurs.

5 Relisez le texte sur la formation chez SANDOZ. Puis préparez un petit discours en français sur la formation dans votre entreprise. Parlez des choses suivantes: *a* Les objectifs de la formation dans votre entreprise. *b* Le pourcentage de la masse salariale consacré à la formation. *c* Les différentes formations offertes. *d* La moyenne annuelle de la formation pour l'ensemble du personnel. *e* Votre avis sur la question.

L'Embauche

Etienne Denis nous parle de l'embauche à la société FCB.

M. Denis Pour ce qui concerne les embauches au sein de FCB comme du groupe Fives-Lille d'ailleurs, il y a plusieurs méthodes qui sont retenues par nous. D'une part, de faire une sélection directe, notamment par annonce ou par candidature spontanée. Ou éventuellement de passer par des chasseurs de têtes pour des postes tout à fait précis... tout à fait précis et tout à fait spécialisés. Alors ce qui se passe en pratique, c'est que de toute façon il y a des entretiens d'embauche qui sont réalisés. Des entretiens au cours duquel (*sic*), sur la base d'un curriculum vitae, éventuellement d'analyses graphologiques aussi pour des postes relativement élevés, on arrive à essayer de déterminer finalement les caractéristiques du... de la personne qu'on a sous... devant soi. On embauche beaucoup de jeunes diplômés provenant notamment d'écoles d'ingénieurs de la région lilloise ou de la région parisienne. On embauche également pas mal de personnes qui ont des formations professionnelles pointues et de l'expérience en tournage, en fraisage, en montage, et c'est d'ailleurs quelque chose qui est assez difficile pour trouver de bons professionnels.

Note that **au cours duquel** is incorrect. It should be **au cours desquels**, *during which* (*pl*), as it refers to **entretiens** (*m pl*).

Avez-vous compris? Vérifiez le sens des phrases suivantes.
pour ce qui concerne les embauches au sein de FCB
faire une sélection directe
éventuellement passer par des chasseurs de têtes
il y a des entretiens d'embauche
déterminer les caractéristiques

l'annonce (*f*)   *advertisement*
le chasseur de têtes   *headhunter*
l'entretien (*m*)   *interview*
le tournage   *turning*
le fraisage   *milling*
le montage   *assembling*

embaucher   *to hire*
déterminer   *to get*
provenir   *to come from*

graphologique   *of handwriting*
diplômé(e)   *qualified*
pointu(e)   *specialized*

au sein de   *within*
devant soi   *in front of one*

A VOUS!

1 Ecoutez à nouveau l'enregistrement 6. Prenez des notes sur l'embauche à FCB, notamment sur: les méthodes d'embauche, la pratique de l'entretien d'embauche, les personnes embauchées.

2 En français, faites un rapport oral d'une ou deux minutes environ sur d'une part l'embauche à FCB et d'autre part l'embauche dans votre entreprise.

Le Savoir-faire: curriculum vitae

Lisez le CV de Philippe Pierre. Cela vous aidera à faire votre propre CV.

Philippe PIERRE
6 rue Mirabeau
75101 PARIS

Tél: 45 22 20 17 (bureau)
    45 49 11 20 (personnel)

> **7 ANS D'EXPERIENCE MARKETING ET VENTES**
> **DE PRODUITS DE LUXE**
> **DIPLOME H.E.C.**

EXPERIENCE PROFESSIONNELLE

Depuis 1985 :   CHEF DE GROUPE MARKETING A.M.E. (produits de luxe)
         C.A. géré : 800 millions de francs

         Responsable de 4 personnes
         Responsable de 150 références réparties en 3 lignes de produits

         Dans le cadre de cette mission, j'ai notamment :

         • fait évoluer la notoriété spontanée de la marque (5 points en bagages, 10 points en parfums) en adoptant la stratégie de communication aux moyens de l'entreprise et à l'environnement audiovisuel,

         • lancé une stratégie de revalorisation de la gamme bagages s'appuyant sur un repositionnement complet

LANGUES

         Anglais et espagnol : courant

FORMATION

1984 .   Diplômé H.E.C., option "distribution, commerce extérieur"
1984 :   Licence sciences économiques.
1986 :   Stages internationaux en langue anglaise

INFORMATIONS PERSONNELLES

         Né le 8 mars 1962
         Célibataire
         Loisirs : ski, tennis, cinéma

MON PROJET

Assister le dirigeant d'une P.M.E. ou le directeur d'un service, lui apporter mes qualités d'organisation et de fiabilité, mais aussi mon autonomie et ma polyvalence.

---

la licence *degree*
HEC: Hautes Etudes
    Commerciales
le repositionnement *rethink*

faire évoluer *to develop, expand*

Writing letters

Business correspondence in France is very formal. The extracts on this page give examples of how to begin and end, and the list below and on page 129 gives some useful phrases.

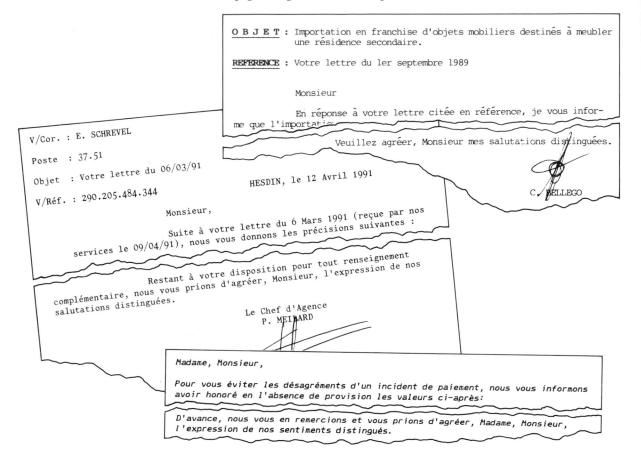

O B J E T : Importation en franchise d'objets mobiliers destinés à meubler une résidence secondaire.

RÉFÉRENCE : Votre lettre du 1er septembre 1989

Monsieur

En réponse à votre lettre citée en référence, je vous informe que l'importati...

Veuillez agréer, Monsieur mes salutations distinguées.

C. BELLEGO

V/Cor. : E. SCHREVEL

Poste : 37.51

Objet : Votre lettre du 06/03/91

V/Réf. : 290.205.484.344

HESDIN, le 12 Avril 1991

Monsieur,

Suite à votre lettre du 6 Mars 1991 (reçue par nos services le 09/04/91), nous vous donnons les précisions suivantes :

Restant à votre disposition pour tout renseignement complémentaire, nous vous prions d'agréer, Monsieur, l'expression de nos salutations distinguées.

Le Chef d'Agence
P. MEILARD

Madame, Monsieur,

Pour vous éviter les désagréments d'un incident de paiement, nous vous informons avoir honoré en l'absence de provision les valeurs ci-après:

D'avance, nous vous en remercions et vous prions d'agréer, Madame, Monsieur, l'expression de nos sentiments distingués.

To make a request:

Je vous prie de bien vouloir...
Ayez l'obligeance de...
Veuillez me donner/communiquer/faire savoir...
Je vous serais reconnaissant(e) de.../si vous pouviez...
En réponse à l'annonce pour...

To say 'thank you' in anticipation:

Je vous en remercie d'avance/par avance.
Je vous remercie d'avance de votre aide et coopération.

To say you look forward to hearing from ... :

Dans l'attente de vous lire...

To end a letter:

> Veuillez agréer, Madame/Monsieur, l'assurance de ma/notre considération distinguée.
>
> Je vous prie d'accepter, Madame/Monsieur, l'assurance de mes sentiments les meilleurs.

A VOUS!

1 Choose a suitable beginning and ending for the following letters:

a You're writing to the hôtel Albert 1er in Toulouse to book a room.

b You're answering a job advertisement in a newspaper.

c You're writing to a firm to enquire about employment opportunities.

d You're writing to the Syndicat d'Initiative (tourist office) in Lyon for information about the city.

e You're writing to the CARON Company for their price list.

2 Offres d'emploi

Lisez les annonces ci-dessous et à la page 130. Ecrivez une lettre de candidature pour l'un des postes et joignez votre CV.

l'encre (*f*) *ink*
le profil *profile*
le sens relationnel *communicative skill*
RD: Recherche et Développement
RP: Relations Publiques
le déplacement *travelling*
la lettre de motivation *covering letter*
la rémunération *salary*

impliqué(e) *involved*
motivé(e) *motivated*

à l'international *abroad*
en tandem avec *together with*

JEUNE INGÉNIEUR COMMERCIAL

BRANCHER

■ La Société BRANCHER fabrique et commercialise en France et à l'international des encres d'imprimerie. Notre notoriété et notre professionnalisme nous incitent à créer un poste **d'Ingénieur Commercial** sur un marché très technique en développement.

■ Votre profil : à 26/32 ans, **Ingénieur de formation**, une première expérience de la vente de produits industriels vous a permis d'acquérir une personnalité commerciale et un sens relationnel développé. Impliqué et motivé, vous maîtrisez une langue étrangère.

■ Votre mission : vous jouerez un rôle de vente conseil et de prospection auprès d'industries spécialisées, en tandem avec un ingénieur RD. Votre efficacité vous permettra d'évoluer rapidement en France ou à l'International.

Ce Poste basé en RP implique de fréquents déplacements.

■ Merci d'adresser une lettre de motivation, CV, photo, rémunération actuelle et souhaitée sous référence B12/LM à : SELECOM - 226, rue du Faubourg Saint-Honoré - 75008 PARIS.

CONTESSE

la conduite *running*

le niveau *level*

BAC + 5: Baccalauréat *(equivalent of A-levels) plus five years in higher education*

l'esprit (*m*) d'analyse *analytical mind*

consolidé(e) *reinforced*

localisé(e) *located*

sous huit jours *within eight days*

Direction Financière

Responsable Projet Système d'information de gestion

Sous la responsabilité directe du Directeur Projet, vous participerez au sein d'une équipe à la conduite d'études et de réalisation du système d'information de pilotage et de contrôle de gestion pour en définir le contenu et l'architecture informatique à tous les niveaux de l'organisation. De formation Bac + 5, vous aurez si possible une double compétence en contrôle de gestion et en conduite de projet consolidée par une expérience d'au moins 3 ans. Votre esprit d'analyse et de synthèse et votre sens des contacts sont indispensables.

Pour ce poste localisé à Paris, merci d'adresser sous huit jours votre dossier de candidature, sous référence 37337, à Média-System, 6 impasse des Deux Cousins, 75849 Paris Cedex 17, qui transmettra.

FRANCE TELECOM

UN AVENIR D'AVANCE

MÉDIA-SYSTEM

Supelec: Ecole Supérieure d'Electricité *one of the Grandes Ecoles*

Centrale, Mines *two more Grandes Ecoles*

le démarreur *starter (motor)*

les besoins *needs*

la mise en série *mass production*

la lettre manuscrite *handwritten letter*

être chargé(e) de *to be in charge of*

Valeo

ALTERNATEURS DÉMARREURS

Notre Division de l'**ISLE D'ABEAU** (38) spécialisée dans la fabrication des démarreurs recherche

Ingénieur Application Italie

De formation Ingénieur (Centrale, Supelec, Mines ...), vous avez développé votre compétence en Electromécanique et vous avez, si possible, une première expérience technico-commerciale automobile. Au sein de notre Direction Recherche et Développement et en collaboration avec les services commerciaux, vous serez chargé de l'analyse des besoins clients et de la définition technique. Vous serez le Chef de Projet, mobilisant nos ressources internes au service du client, responsable des programmes de développement et de mise en série. Langue impérative: italien.

Merci d'adresser lettre manuscrite et CV **à EEM VALEO** – Annette LECOCQ – BP 71 – 38291 LA VERPILLIERE.

Le Groupe Valeo, par ses réalisations, son potentiel technologique, son implantation internationale, est l'un des principaux partenaires des constructeurs automobiles et de véhicules industriels dans le monde. Valeo compte près de 27 000 personnes réparties en dix branches d'activité. Le Groupe dispose de plus de 80 usines ou centres de recherche et réalise un chiffre d'affaires de 20 milliards de francs, dont plus de la moitié hors de France.

- Sur les 100 premiers groupes industriels français, 56 sont dirigés par des polytechniciens.
- Sur les 20 premières entreprises exportatrices, 11 sont dirigées par des X.
- Sur les 10 premières banques, 3 sont dirigées par des X.

Les grandes écoles

Ce sont des établissements d'Enseignement Supérieur qui ont acquis une place privilégiée. Les Grandes Ecoles telles que **Polytechnique**, **Centrale**, **Les Mines, HEC (Hautes Etudes Commerciales)** assurent un enseignement de très haute qualité et sont destinées à fournir les cadres supérieurs de la nation. On y entre par concours après, en général, deux années de préparation. Elles dépendent toutes d'un ministère, par exemple Polytechnique (appelée aussi l'X) dépend du ministère de la Guerre, Centrale dépend du ministère de l'Education nationale, HEC dépend de la Chambre de Commerce, l'Ecole des Mines dépend du ministère de l'Industrie et du Commerce.

GRAMMAIRE ▶

- **Le participe présent**

When linking two actions, you use the preposition **en** followed by the present participle (*see p. 154*):

Vérifiez vos réponses **en lisant** l'article suivant.

How would you say:

a Check your answers by listening again to the recording.
b Check your answers by reading the following article.
c Find out what Mr Marcoin says by putting the phrases in order.

- **La construction des verbes**

In French, some verbs are followed by a preposition, usually **à** or **de**. There's no rule, so it's best to learn each verb with the preposition that goes with it.

Des jeunes nous disent ce qu'ils pensent **de** l'apprentissage. . .
Nous devions mettre l'accent **sur** les langues étrangères
On arrive à essayer **de** déterminer. . .

à + infinitive

The most frequently used verbs that are followed by **à** plus an infinitive are: apprendre à, arriver à, chercher à, commencer à, continuer à, se décider à, hésiter à, se mettre à, réussir à, songer à, tarder à.

de + infinitive

The most frequently used verbs followed by **de** plus an infinitive are: refuser de, décider de, essayer de.

No preposition

The following are some of the most common verbs that are followed by an infinitive without a preposition: aller, devoir, devenir, espérer, faire, laisser, pouvoir, préférer, savoir, vouloir.

A VOUS! ▶

1 **Trouvez** les participes présents des verbes suivants.

EXEMPLES   entr**er**   en entr**ant**   mang**er**   en mang**eant**
             di**re**   en di**sant**   pouv**oir**   en pouv**ant**

a lire;   *b* habiter;   *c* visiter;   *d* licencier *(to sack)*;   *e* chercher;
f travailler;   *g* vouloir.

2 **Liez** les phrases suivantes en utilisant **en**, suivi du participe présent.

EXEMPLE   Elle a obtenu un carnet de chèques. Elle a ouvert un
              compte bancaire.
              Elle a obtenu un carnet de chèques **en ouvrant** un compte
              bancaire.

a J'ai appris le français. J'ai habité en France.
b Il a trouvé l'annonce d'un poste d'ingénieur. Il a lu *Le Monde*.
c Il a connu Lille. Il a visité la ville.
d Ils ont fait face à la concurrence. Ils ont licencié du personnel.
e Elle a beaucoup appris sur la vie. Elle a voyagé.
f Elle a trouvé le bon mot. Elle a cherché dans le dictionnaire.
g Il a réussi à son examen. Il a travaillé de façon régulière.
h Il est arrivé en avance. Il a pris le TGV.
i Il est tombé malade. Il a voulu trop faire.
j Elle a enfin profité de la vie. Elle a pris sa retraite.

3 **Complétez** les phrases suivantes par une préposition si besoin est.
a N'hésitez pas .... me contacter si besoin est.
b Je me mets .... votre entière disposition.
c Il doit .... partir tôt demain matin.
d Elle est pour la politique du laisser .... faire.
e Je suis arrivé(e) .... prendre mon train!
f J'espère .... vous revoir très bientôt.
g Il apprend enfin .... utiliser son Minitel!!
h Je pense qu'elle continue .... bien travailler.
i J'ai décidé .... partir en Grèce cet été.
j Faites un petit effort! Essayez .... venir à la réunion.

(7)

le cursus   *degree course*
le polytechnicien   *former student
    of establishment with status of*
    Grande Ecole
l'énarque *(m)*   *former student of the
    ENA (Ecole Nationale
    d'Administration)*
le centralien   *former student of
    Centrale (Grande Ecole)*

UNE MOSAÏQUE DE GENS

Finalement, écoutez Vincent Bolloré, PDG de Bolloré Technologies, nous parler des différentes qualités qu'il recherche quand il recrute des collaborateurs pour son groupe. Le journaliste est Jean-Marc Sylvestre.

M. Sylvestre   Vincent Bolloré, lorsque vous recrutez des collaborateurs, quelles sont les qualités que vous recherchez d'abord?
M. Bolloré   Alors... sûrement le... la confiance, donc, c'est à dire une philosophie commune, une... une certaine éthique en... en commun, et puis ensuite la compétence pour le poste concerné, en sachant que pour chaque poste on a besoin de compétences différentes, donc ce groupe est

constitué d'une mosaïque de gens qui ont *a priori* les mêmes idées mais qui ont des compétences tout à fait différentes.

M. Sylvestre Est-ce que vous êtes attaché, comme beaucoup de patrons français, aux diplômes universitaires ou aux cursus?

M. Bolloré C'est sûrement un signe positif... mais ça n'est pas une obligation. Nous avons dans l'équipe dirigeante des polytechniciens, des centraliens, des HEC, mais aussi un autodidacte, donc c'est pas une obligation. C'est quand même un signe, celui qui a bien travaillé à l'école, en principe...

M. Sylvestre Il n'y a pas d'énarques?

M. Bolloré Nous n'avons... nous av... nous n'avons pas d'énarques dans le groupe, non.

M. Sylvestre C'est une spécificité extraordinaire pour une grande entreprise française que de ne pas avoir d'énarques!

M. Bolloré Oui, c'est possible. Ça prouve qu'on est vraiment très loin de la politique et qu'on n'essaie pas d'avoir des gens qui vont nous mettre en contact avec les hommes politiques de ce pays.

Aucun rapport avec la politique
«Nous n'avons aucun rapport avec la politique en ce qui concerne notre groupe, et à titre personnel je me suis toujours bien gardé de m'approcher de ce monde qui est un monde qui me paraît complètement incompatible avec le monde de l'entreprise.» (*Vincent Bolloré, Bolloré Technologies*)

Infos utiles

La presse

The major national dailies are *Le Monde, Le Figaro, Libération, France Soir, L'Humanité, La Croix, Le Matin* and *Le Quotidien de Paris*. Some regional dailies sell as many copies as the nationals, if not more. These are *La Voix du Nord, L'Est Républicain, Ouest France, Le Provençal* and *Sud Ouest*.

For solid national and international news, the French tend to read *Le Monde* (politically centre), *Le Figaro* (right wing), or *Libération* (centre left). *Le Monde* is renowned for its balanced views and its job section; *Le Figaro* is a must for economic affairs, property and for those who like reading *le carnet du jour*, announcing marriages, births, deaths, etc. *Libération* devotes several pages every day to cultural events.

There are a number of weeklies which are widely read. *Le Point, L'Express, Le Nouvel Observateur* and *L'Evénement du Jeudi* are the most popular of the "presse d'opinion". For economic and financial affairs, the major weeklies are *Le Nouvel Economiste, L'Expansion* and *Les Echos. Télérama* and *Télé 7 Jours* top the list of TV and radio magazines.

LA DECLARATION DES DROITS DE L'HOMME ET DU CITOYEN
ARTICLE UN: Tous les hommes naissent libres et égaux en droit

Le 14 juillet

Utilisez votre savoir! Avant d'écouter l'enregistrement, lisez les phrases *a–f* sur le 14 juillet et cochez les phrases qui vous semblent convenir.

la chute *downfall, collapse*
l'Ancien Régime *ruling monarchy in France before the Revolution of 1789*
les droits de l'homme *human rights*

a C'est la date de l'exécution de Louis XVI.
b C'est la chute de la royauté.
c C'est la date de la 1ère République.
d C'est la fin de l'Ancien Régime.
e C'est la date-symbole de la Révolution française.
f C'est la date de la Déclaration des droits de l'homme.

QUE REPRÉSENTE POUR VOUS LE 14 JUILLET?

Nous avons interrogé plusieurs personnes sur la signification historique du 14 juillet, en leur posant la question suivante: «Que représente pour vous historiquement le 14 juillet?»

la prise *capture, taking*
l'autorité (*f*) *authority*
la victoire *victory*
le renversement *overthrow*
l'avant-scène (*f*) *fore, forefront*
le feu d'artifice *fireworks*
la royauté *royalty*

symboliser *to symbolize*
enclencher *to set in motion*
donner lieu à *to give rise to*
entraîner *to lead to*

dans la mesure où *inasmuch as*

Le 14 juillet

Marianne, symbole de la République

LIBERTÉ, EGALITÉ, FRATERNITÉ

Chaque personne interrogée cite trois faits marquants de la Révolution. Quels sont-ils?

Les personnages de la Révolution: Les deux personnages marquants de la Révolution française sont **Danton** et **Robespierre**, tous deux avocats. **Jacques Danton**, habile orateur, organise la défense de la nation contre la menace de l'invasion prussienne en 1792 et déclare: «De l'audace, encore de l'audace, toujours de l'audace.» Il est guillotiné en 1794. **Maximilien de Robespierre**, surnommé **l'Incorruptible**, est le principal artisan de la Terreur et partisan d'une république démocratique et égalitaire. Il est guillotiné en 1794.

Les Partis politiques

LES PARTIS POLITIQUES FRANÇAIS

François Wallon, politologue, fait le tableau des partis politiques français.

M. Wallon   Les partis politiques français remontent pour les plus anciens au début du 20ème siècle. Le doyen d'entre eux est le Parti Radical, né en 1901. Un grand Parti Socialiste est apparu en 1905, d'où est né, après une scission, un Parti Communiste en 1920. Il a fallu par contre attendre 1958 pour voir apparaître un grand parti de droite très structuré, un Parti Gaulliste, qui est une originalité française. A tous ces partis qui existent encore aujourd'hui, il faut ajouter quelques mouvements beaucoup plus récents. L'Union de la Démocratie Française, apparue en 1978, qui regroupe une droite modérée et une tradition démocrate chrétienne. A la fin des années 80, à l'extrême droite, le Front National et enfin très récemment aussi dans ces années 80, un mouvement écologique sous forme de deux partis, aujourd'hui frères et rivaux: les «Verts» et «Génération Ecologie».

Avez-vous compris? Vérifiez le sens des phrases suivantes.
les partis politiques remontent au début du 20ème siècle
le doyen d'entre eux est le Parti radical
il a fallu par contre attendre 1958 pour...
à la fin des années 80, à l'extrême droite... et aussi...
   un mouvement écologique
sous forme de deux partis, frères et rivaux

Parti
Communiste
Français

Parti
Socialiste

Les Verts et
Génération
Ecologie

Union pour la
Démocratie
Française

Rassemblement
pour la
République

Front
National

SAVIEZ-VOUS QUE...?
Le Conseil des ministres se réunit tous les mercredis. Le président de la République en est le président.
L'Assemblée nationale siège au Palais-Bourbon. Les députés sont élus tous les cinq ans.
La Vème République est née en 1958. Elle donne des pouvoirs importants au président de la République qui est élu tous les sept ans au suffrage universel direct.

1 Complétez le tableau suivant.

parti politique	date de création	tendance politique
le Parti socialiste	....	....
le Parti communiste	....	....
....	1958	....
l'Union pour la démocratie française	....	
....	....	extrême droite
....	....	gauche (mouvement écologique)
....	....	

2 Utilisez votre savoir: hommes et partis. A quels partis rattachez-vous les hommes politiques ci-dessous?

Charles de Gaulle   Pierre Mauroy   François Mitterrand
Valérie Giscard D'Estaing   Jacques Chirac   Jean-Marie Le Pen

L'Europe, vous connaissez?

LES DATES CLES

● **18 avril 1951.**
Un traité instituant la CECA, la Communauté européenne du charbon et de l'acier, est signé entre la France, l'Italie, la RFA, la Belgique, le Luxembourg et les Pays-Bas. Ils décident de supprimer les droits de douane sur le charbon et l'acier produits dans leur pays et vendus aux autres membres signataires.
● **25 mars 1957.**
Les six pays ci-dessus signent le traité de Rome qui crée la Communauté économique européenne (ou Marché commun). Ils mettent en place les institutions communautaires: la Commission, le Conseil, l'Assemblée parlementaire et la Cour de justice.

● **1er janvier 1968.**
Les droits de douane aux frontières des Six disparaissent. Un tarif douanier commun vis-à-vis des pays extérieurs est mis en place.
● **1er janvier 1973.**
L'Europe passe à neuf membres avec l'entrée de la Grande-Bretagne, de l'Irlande, et du Danemark dans le Marché commun. La Norvège devait aussi y adhérer mais les Norvégiens l'ont refusé lors d'un référendum le 26 septembre 1972.
● **7-10 juin 1979.**
Première élection de l'Assemblée parlementaire européenne au suffrage universel direct.
● **1er janvier 1981.**
L'Europe passe à dix membres avec l'adhésion de la Grèce.

● **1er février 1985.**
Le Groenland (dépendance danoise) quitte la CEE après un référendum.
● **1er janvier 1986.**
L'Europe a désormais douze membres avec l'arrivée de l'Espagne et du Portugal.
● **17-28 janvier 1986.**
L'Acte unique européen est signé par les Douze. Ils décident que les frontières entre les Etats-membres n'existeront plus le 1er janvier 1993.
● **9-10 décembre 1992.**
Au Conseil européen de Maastricht aux Pays-Bas, les chefs d'Etat et de gouvernements des Douze décident d'instituer une Union politique européenne.

Phosphore, Bayard Presse, 1992

la RFA: République Fédérale
  d'Allemagne, l'ex-Allemagne
  de l'Ouest
le droit de douane   *customs
  charges*
l'élection (*f*)   *election*

supprimer   *to abolish*
mettre en place   *to set up, to put
  in place*

1 Vrai ou faux?

a Le traité de Rome date d'avril 1951.
b Un tarif douanier commun est institué le 1ᵉʳ janvier 1986 par les Six.
c La Norvège adhère à la CE en même temps que la Grande-Bretagne,
l'Irlande et le Danemark.
d L'Europe des Dix date de janvier 1973.
e Les deux derniers membres de la CE sont l'Espagne et le Portugal.
f L'Acte unique a été signé en 1986.
g Maastricht représente l'union politique des Douze.
h Les frontières entre les Douze ont disparu en 1991.

2 Travail de vocabulaire

a Trouvez dans le texte le nom qui correspond au verbe ci-dessous ou le
verbe qui correspond au nom ci-dessous.

nom	verbe	nom	verbe
suppression	....	....	unir
création	....	décision	....
....	élire	....	traiter
adhésion	....	disparition	....

b Trouvez dans le texte le synonyme des mots suivants:
également   dès lors   créer   abolir   partir
c Trouvez maintenant le nom tiré des verbes suivants: créer, abolir, partir.

l'espoir (*m*)   *hope*
l'avenir (*m*)   *future*
la patrie   *homeland*

compter   *to count, be important*
réussir à   *to succeed*
être en mesure de   *to be able to*

quand même   *all the same*
au delà de   *beyond*

UN ESPOIR SUR LE PLAN POLITIQUE

Plusieurs personnes nous donnent leurs opinions sur l'Europe, en répondant à la question: **Est-ce que vous pouvez dire ce que représente pour vous l'Europe?**

1 Que représente l'Europe pour les six personnes interrogées? Prenez des notes pour chaque personne.
2 Que représente pour vous l'Europe?

Des francs et des écus, © Monnaie de Paris

la devise   *currency*
la pièce   *coin*
le drapeau   *flag*
le côté pile   *tails*
le côté face   *heads*
le panier   *basket*

craignait (*imp of* craindre)   *was afraid of*
subsister   *to remain*
vaudra (*fut of* valoir)   *will be worth*
cesser   *to stop, cease*

vraisemblablement   *in all likelihood*
au recto   *on the front*
d'ores et déjà   *already*
sensiblement   *almost*

A quoi ressembleront les nouveaux billets?

Pour satisfaire la Grande-Bretagne, qui craignait de voir le portrait de la reine disparaître des nouveaux billets, les emblèmes nationaux subsistent, vraisemblablement au recto de la devise européenne. On peut imaginer une pièce avec le drapeau européen ou le portrait de Jean Monnet côté pile et, côté face, celui de Marianne pour la France.

L'Express, sept. 1992

Combien vaudra un écu?

Actuellement, il vaut environ 7 francs, puisque d'ores et déjà les comptes de la Commission de Bruxelles sont établis en écus. La parité définitive sera fixée à la fin du siècle, mais elle ne devrait pas être sensiblement différente d'aujourd'hui. C'est en effet le 1ᵉʳ janvier 1999 au plus tard que l'écu cessera d'être «monnaie-panier» pour devenir une monnaie autonome dont la valeur dépendra de la politique monétaire conduite par la banque centrale européenne.

L'Express, sept. 1992

A VOUS!

1   Répondez aux questions suivantes sur les nouveaux billets:
a Quel pays a-t-on voulu satisfaire dans l'élaboration de la nouvelle monnaie?   *b* Que craignait ce pays?

2   Répondez aux questions suivantes sur l'écu:
a Combien est-ce que l'écu vaut aujourd'hui en francs?   *b* Quand l'écu deviendra-t-il une monnaie autonome?   *c* De quoi dépendra la valeur de l'écu?

La Région Nord–Pas de Calais

Pierre Mauroy, ex-Premier ministre de François Mitterrand et aujourd'hui maire de Lille, la capitale des Flandres, nous parle de façon passionnée et détaillée du Nord-Pas de Calais, autrefois la première région industrielle française, qui aujourd'hui se bat pour occuper une place européenne d'importance. Pierre Mauroy est interviewé par le magazine belge *Tendances* sur le futur de Lille et la collaboration franco-belge dans le Nord-Pas de Calais.

Lille moderne

LA DIXIEME PROVINCE

Lille devient le centre d'une métropole transfrontalière de 1,7 million d'habitants, rayonnant jusqu'à Courtrai et Tournai. Son maire parle de cette collaboration qui pourrait davantage profiter aux entreprises belges.

Le Nord-Pas de Calais, dixième province de la Belgique ? Notre titre de couverture ne manque pas d'ironie. Elle n'est, en fait, la dixième province d'aucun pays. Mais plutôt l'une des premières régions d'Europe où croît une véritable économie transfrontalière belgo-française. Ou, c'est selon, franco-belge. Pierre Mauroy, président de la communauté urbaine de Lille, est l'un des artisans de cette métropole. Il lui a donné un fameux coup de pouce lorsque, Premier ministre à l'époque, il négocie avec Margaret Thatcher, en 1984, la construction du tunnel sous la Manche. Il obtient également l'arrêt, à Lille, du TGV reliant Londres aux capitales française et belge. Si bien qu'à partir de l'an prochain, lorsque le premier train transmanche entrera en gare de Lille, l'intérêt marqué à Lille et ses environs va encore s'accentuer du côté belge.

TENDANCES. *En Belgique, on parle beaucoup de la présence de plus en plus forte des Français dans l'économie du pays. A l'inverse, que représentent les entreprises belges dans votre région ?*
PIERRE MAUROY. Depuis plus d'un siècle, la mobilité de la main-d'œuvre — tout comme celle du capital — est très importante de part et d'autre de la frontière. Il n'est donc pas étonnant de constater que les entreprises belges occupent la première place parmi les sociétés étrangères installées dans notre région. Avec 115 sociétés employant quelque 10.000 personnes — et réalisant un chiffre d'affaires très important —, il semble bien que les investisseurs belges aient bénéficié d'un contexte plus favorable que celui rencontré par les Anglais, les Allemands ou encore les Néerlandais. Les contraintes douanières paraissent, en effet, plus souples en France qu'en Grande-Bretagne ou en Allemagne.

Trends-Tendances

Vocabulaire

la couverture *cover*
l'arrêt (*m*) *stop*

rayonner *to radiate*
profiter à *to be profitable to*

transfrontalier/-ière *cross border*
davantage *more*
en fait *in fact*
si bien que *so much so that*
lorsque *when*
à l'inverse *on the other hand*
de part et d'autre *on either side*
il semble bien que *it appears that*

A VOUS!

Répondez aux questions suivantes.
a Quel a été le rôle de Mauroy vis à vis de la métropole lilloise ?
b Que dit Mauroy sur la place des entreprises belges dans le Nord-Pas de Calais ?

Pierre Mauroy nous explique ses vues sur le futur de Lille.

M. Mauroy Je pense que nous réussirons à faire une métropole européenne. C'est-à-dire, une ville qui, jusque là, avait une fonction... régionale, pour avoir véritablement une fonction nationale, et être sans doute une des principales agglomérations françaises. Actuellement déjà, vous savez, à côté des un million 200 mille Lillois... de... les nordistes vous avez 500 mille Belges qui veulent vivre avec Lille, qui considèrent que c'est Lille leur métropole. Il y a à la fois les Flamands et les Wallons, c'est à dire que nous formons un ensemble de... un million 700 mille. Eh bien, un million 700 mille habitants, c'est la deuxième métropole française, après Paris. Eh bien, nous, nous pensons que ce qui est encore un mot quoi, hein, et en tout cas un espoir, sera réalité dans les dix ans. Lille, ça deviendra une ville point de passage, une ville de rencontres, alors j'espère que les Britanniques, qui recon..., voudront rencontrer des Parisiens se diront: «Ben, écoutez, amis parisiens, faites la moitié du chemin, on va se rencontrer à Lille,» quoi, de même que, la rencontre avec les Belges, ben oui, beaucoup de ces rencontres se feront à Lille.

Avez-vous compris? Vérifiez le sens des phrases suivantes.
nous réussirons à faire une métropole européenne
une des principales agglomérations françaises
un million 200 mille Lillois
500 mille Belges... qui considèrent que c'est Lille leur métropole
il y a à la fois les Flamands et les Wallons
c'est la 2ème métropole française
dans dix ans... Lille, ça deviendra une ville point de passage, une ville de rencontres

la rencontre	*meeting*
la moitié	*half*
en tout cas	*in any case*
dans les dix ans	*within the next ten years*

A VOUS!

Répondez aux questions suivantes.
a Quel est, d'après Monsieur Mauroy, le nombre d'habitants dans la métropole lilloise?
b Quelle est la première métropole française?
c Qu'est-ce qui, dans dix ans, deviendra «réalité»?

Lille

la bourse des valeurs   *stock exchange*
la restauration   *food industry*

tirer profit de   *to gain from*
engendrer   *to engender, create*
faire le poids   *to counterbalance*
faire halte   *to stop*

ferroviaire   *railway (adj)*
piétonnier/-ière   *pedestrian*
de plus de   *more than*
face à   *in the face of*

UNE METROPOLE REGIONALE ET EUROPEENNE

Région urbaine par excellence, le Nord-Pas de Calais compte 8 agglomérations de plus de 100.000 habitants: 84% des habitants vivent en ville, contre 73% dans l'ensemble français. Tous ces centres tireront profit des nouveaux flux engendrés par le tunnel et le train à grande vitesse, mais la Métropole Lille-Roubaix-Tourcoing, capitale régionale, en sera la première bénéficiaire. Non par impérialisme mais par nécessité de faire le poids face aux mégalopoles européennes environnantes.

Lille, ville-centre, a déjà une suprématie de fait. Sa gare ferroviaire, 1re de province, voit transiter 3 millions de voyageurs par an. Place financière notable, elle possède la 3e bourse française des valeurs. Et les transformations s'y multiplient: centre piétonnier très animé, nouveaux hôtels, galeries commerciales, restauration des quartiers historiques. Dernières créations en date: un Palais des Congrès et un "World Trade Center" (pour l'accueil des hommes d'affaires internationaux).

Mais la vraie chance de Lille reste à venir avec le croisement en son cœur de deux lignes européennes du train à grande vitesse. C'est un potentiel de 34 millions de voyageurs, dont une partie fera halte, ce qui justifie le programme d'accompagnement en préparation.

A VOUS!

Avez-vous bonne mémoire? Sans relire l'article, faites, en anglais, un bref résumé de cet article soulignant d'une part l'importance régionale de Lille et d'autre part son importance européenne.

LA TECHNOLOGIE MODERNE S'INSTALLE À LILLE

Pierre Mauroy nous explique le développement de Lille et ses transformations qui ont attiré bien des compagnies à s'installer dans la métropole régionale.

M. Mauroy Cette métropole est une métropole avec d'un côté encore, de puissantes industries traditionnelles: elles sont plutôt à Roubaix d'ailleurs. Roubaix est connu dans le monde pour la laine, Roubaix est connu dans le monde pour le... la vente par correspondance. Quant à Lille, les transformations se font plutôt vers la haute technologie. Lille par exemple a un CHU. Seize mille personnes fréquentent ce CHU, l'hôpital régional de Lille. C'est le ... c'est le CHU de toute la région. L'agence française du médicament va venir s'installer à Lille. Ça, c'est très important. Et nous avons aussi un Institut Pasteur. Le gouvernement a décidé, compte tenu du... du... du développement de Lille, que l'Institut de la propriété industrielle, c'est à dire là où sont entreposés, vous savez, tous les registres, tous les brevets d'un pays, eh bien, viendrait s'installer... s'installer à Lille. De plus, de nombreuses entreprises, je vais vous citer Bull pour l'informatique, mais je pourrais vous en citer bien d'autres, ont décidé d'avoir, bon, des sièges sociaux à Lille, c'est à dire que, de plus en plus, la technologie moderne et même la haute technologie s'installent à Lille.

Avez-vous compris? Vérifiez le sens des phrases suivantes.
de puissantes industries traditionnelles
Roubaix est connu dans le monde pour...
les transformations se font vers...
avoir des sièges sociaux à Lille
la technologie moderne et même la haute technologie

la laine *wool*
la vente par
    correspondance *mail order*
le registre *register*
le brevet *licence, patent*
le siège social *company
    headquarters*

se faire *to be carried out, realized*
fréquenter *to visit*
entreposer *to store*
citer *to quote*

quant à *as for*
compte tenu de *taking into
    account*
c'est à dire (que) *that is to say
    (that)*

le CHU: Centre Hospitalier
    Universitaire, hôpital de la
    métropole lilloise, appelé aussi
    CHR: Centre Hospitalier
    Régional

A VOUS! ▶

1 Deux éléments essentiels de l'économie de la métropole d'hier et d'aujourd'hui ressortent du discours de Monsieur Mauroy. Quels sont-ils?

2 **Que savez-vous sur Lille?** Ecoutez à nouveau les enregistrements 4 et 5, relisez les articles pages 139 et 141, puis remplissez la fiche ci-dessous sur Lille.

population: ....
industries: ....
services: ....
classement: ....
avenir: ....

La Vente par Correspondance

L'agglomération de Roubaix-Tourcoing est la capitale de la Vente par Correspondance (VPC). La Redoute et Les 3 Suisses, avec le défi *48 heures chrono*, sont les leaders incontestés de la VPC. Aujourd'hui ces deux compagnies offrent aussi "le télé-achat": achat par téléphone ou Minitel.

LA REDOUTE

REDOUTE CATALOGUE

Localisation: Roubaix, capitale de la VPC
Date de création VPC: 1922
Effectif 1988: 9 409 personnes
Chiffre d'affaires 1988: 8,8 milliards de francs
Chiffre d'affaires du Groupe 1988: 11,6 milliards de francs
Activités: – Vente à Distance:
- 122 Rendez-Vous-Catalogue en France
- 50 en Belgique.
– Vente en magasins:
- 23 magasins "La Redoute"
- 4 magasins "La Redoute Femme"

LES 3 SUISSES

Localisation: Croix
Date de création: 1932
Sortie du 1er catalogue textile en 1949
C.A. 3 SUISSES International 1988:
8,6 milliards de francs.
Effectif: 7 300 salariés
17 millions de colis par an.
6 millions de clientes.

Chantier Euralille

À LA LIMITE DE L'AUDACE

Pierre Mauroy nous parle d'Euralille, le centre international des affaires à Lille. Ecoutez, et puis répondez aux questions suivantes.
a Combien de voyageurs utilisent la gare de Lille actuellement?
b Quelle est la première gare ferroviaire française après les gares parisiennes? *c* Combien de voyageurs utiliseront la gare de Lille quand le TGV s'arrêtera à Lille?

143

le sol	*ground*
l'ouvrage (*m*)	*work*
le franchissement	*crossing*
la faisabilité	*feasibility*
l'enveloppe (*f*)	*exterior*
évoluer	*to evolve, change*
enterrer	*to bury*
enjamber	*to span, stretch across*
susciter	*to cause, provoke*
appartenir à	*to belong to*
créé(e) (de toutes pièces)	*made up (in its entirety)*
vitré(e)	*glazed*

EURALILLE

Pour accueillir le TGV, Lille vit à l'heure du transformisme. L'énorme chantier d'Euralille la fait évoluer chaque jour un peu plus.

LE SITE. Euralille est un centre-ville créé de toutes pièces autour de la gare d'interconnection TGV. L'investissement global représente près de 5 milliards de FF, dont 3,5 émanent du secteur privé. La gare, *Lille Europe*, principal ouvrage du site, sera enterrée sous le niveau naturel du sol pour faciliter son franchissement mais sera totalement vitrée latéralement. Trois tours enjamberont la gare. Un projet assez mégalomane qui suscite aujourd'hui quelques commentaires sur la faisabilité et le montant des investissements. Le World Trade Center offrira, en juin 1994, 14.000 m² de superficie destinés aux services internationaux et disposera d'une tour de 24.000 m² sur 25 étages à l'enveloppe extérieure totalement vitrée.

Coût : 470 millions de FF. La deuxième tour appartient au Crédit Lyonnais, qui y occupera 6.000 m² de bureaux et en louera plus de 8.000 m² après y avoir consenti 270 millions de FF. Enfin, la troisième sera réservée à un hôtel 4 étoiles, le seul de la métropole lilloise. Soit quelque 360 millions de FF pour 250 chambres et 8.000 m² de bureaux.

Nord-Pas de Calais Développement

la valeur marchande	*market value*
la valeur ajoutée	*value added*
les espaces verts (*m pl*)	*green spaces, parks*
prévisionnel(le)	*anticipated, forecast*
mobiliser	*to mobilize*
s'unir	*to get together*
urbain(e)	*urban, city (adj)*
innombrable	*countless*
urbanistique	*town planning*

LE CENTRE INTERNATIONAL DES AFFAIRES DE LILLE

Grand projet de développement de la Métropole, le Centre International des Affaires de LILLE accueillera, à partir de 1992, autour de la future gare T.G.V., sur 70 hectares, des services, des équipements orientés vers les activités à forte valeur marchande et les entreprises à forte valeur ajoutée.

Cette cité des affaires, d'une superficie prévisionnelle comprise entre 650.000 et 800.000 m², proposera :
- des services aux échanges : bureaux, services financiers, commerce extérieur, parc des expositions, séminaires....
- des services transports : T.G.V. et trains, métro, liaison aéroport,
- un pôle de services urbains : loisirs, commerces, habitat, hôtels.

Elle comprendra des établissements de formation supérieure et de recherche, et offrira un parc urbain et des espaces verts.

Ce projet suscite d'innombrables réflexions et conceptions tant architecturales qu'urbanistiques. Il mobilise les énergies créatrices de tous les acteurs de l'économie qui s'unissent au sein d'une structure de pilotage et d'animation, EURALILLE.

A VOUS! ▶

Qu'avez-vous appris sur Euralille? Ecoutez à nouveau l'enregistrement 6, relisez les deux articles ci-dessus, puis faites en anglais un résumé sur Euralille. Utilisez les titres suivants: Definition. Reasons for Euralille. Site. Surface area. Starting up. Services offered. Training and research. The three towers. Conclusions.

Témoignages de trois entreprises à Lille
Bull, Rank Xerox et Bonduelle ont choisi le Nord–Pas de Calais! Ils nous expliquent pourquoi.

Témoignage

Philippe BRACQ, Directeur de l'usine BULL de Villeneuve-d'Ascq:

" En 1984, BULL, premier constructeur français d'ordinateurs, a décidé la construction d'une nouvelle usine dans la Métropole lilloise pour faire face à l'évolution technologique et aux impératifs du marché.

Unité de prestige puisque destinée à regrouper la fabrication de nouveaux produits du groupe: micro-ordinateurs, terminaux, stations bureautiques. Nous voulions que cette usine ultramoderne, automatisée à l'extrême, soit pour le groupe une véritable ''vitrine''. D'où le soin apporté à l'architecture et à la localisation.

BULL a fait le choix de la technopole de Villeneuve-d'Ascq. Notre usine occupe 13 hectares sur la zone des Prés, au bord de l'autoroute Lille-Gand, dans un cadre de verdure. Nous nous félicitons vivement de cette implantation, où 300 personnes travaillent dans un site agréable, au cœur d'une grande métropole.''

Nord-Pas de Calais
Développement

Témoignage

Pierre VAN COPPERNOLE, Directeur Général de l'usine anglo-américaine RANK XEROX de Neuville-en-Ferrain, près de Tourcoing, qui emploie plus de 600 personnes à la fabrication de copieurs et de machines à écrire électroniques:

" Nous avons choisi le Nord en 1972, après avoir comparé 40 localisations en Europe. Pourquoi Neuville-en-Ferrain? Pour une bonne part à cause de sa situation idéale au bord de l'autoroute Paris-Anvers-Amsterdam. Cela est essentiel, tant pour les liaisons avec l'unité hollandaise du groupe que pour notre énorme trafic de pièces détachées, en provenance de 400 fournisseurs.

L'aéroport de Lille-Lesquin, avec ses deux vols quotidiens vers Londres, où siège notre quartier général européen, et la proximité des grands ports français et belge de la Mer du Nord constituent d'autres atouts pour notre usine, qui exporte les 3/4 de sa production vers plus de 80 pays. Avec le tunnel et le TGV, nous serons demain mieux placés encore au cœur de l'Europe pour exploiter notre position de leader dans les matériels de la bureautique.''

le témoignage *account, testimony*
l'ordinateur (*m*) *computer*
la station bureautique *work station*
la vitrine *shop window*
le soin *care*
le cadre *setting*

se féliciter *to congratulate oneself*

Bruno Bonduelle, qui appartient à une vieille famille du Nord, a installé le siège social de son entreprise à Villeneuve d'Ascq, la technopole de Lille, car elle offre les moyens de communication et de recherche dont il a besoin.

Renescure, près d'Hazebrouck, reste le berceau de BONDUELLE, roi du légume transformé en conserves et surgelés, mais c'est à Villeneuve-d'Ascq, près de Lille, que cette affaire familiale a installé en 1987 son nouveau siège. Car, avec 3.500 employés, 12 sites industriels et des implantations récentes en Belgique, Espagne et Italie, le groupe atteint la taille européenne. Il vend dans la CEE le produit de 40.000 hectares cultivés et regarde vers les marchés américain et japonais.

Le Tour de France en 35 questions

Que savez-vous sur la France? Testez-vous en répondant aux questions suivantes. La plupart des questions testent ce que vous avez appris dans le cours, les autres sont des questions de culture générale.

Vérifiez vos réponses, p. 171. Comptez un point par bonne réponse.

1 Quelle date symbolise la Révolution française?

2 Quels sont les deux personnages marquants de la Révolution?

3 Qui est le roi surnommé le «Roi-Soleil»?

4 Qui s'appelait «le Petit Caporal»?

5 Sous quelle République est-on aujourd'hui en France?

6 Qui a lancé de Londres l'appel à la Résistance, le 18 juin 1940?

7 Qui appelle-t-on le «père de l'Europe»?

8 Pourquoi est-ce que le 13 mai 1981 est une date historique?

9 Que représente le RPR?

10 Comment s'appellent les deux partis écologiques français?

11 Qu'y a-t-il eu en France le 20 septembre 1992?

12 Quelle est la deuxième métropole française?

13 Citez un emblème national.

14 En quelle année est née la Vème République?

15 Citez deux présidents de la Vème République.

16 Citez deux industries de pointe françaises.

17 Que signifie TGV?

18 Que fête-t-on en France le 1er mai et le 15 août?

19 Qu'est-ce qui a fêté son centenaire en 1989 à Paris?

20 Que porte le vainqueur du Tour de France?

21 Qu'est devenue la gare d'Orsay?

22 Comment s'appelle la chanteuse de «Je ne regrette rien»?

23 Citez le nom d'une grande actrice française.

24 Citez le nom d'un grand acteur français.

25 Citez le nom d'un grand couturier français.

26 Qui était Jean-Paul Sartre?

27 Combien d'habitants y a-t-il en France?

28 Quel est, aujourd'hui, le secteur économique le plus important?

29 Quel est le secteur économique qui s'est profondément transformé depuis 1950?

30 Citez deux produits agricoles français.

31 Que signifie PME?

32 Quelle est l'agglomération la plus peuplée?

33 Est-ce que le Sancerre est réputé pour son vin rouge ou son vin blanc?

34 Quelle est l'énergie la plus importante en France?

35 Quel autre nom donne-t-on à la France à cause de sa forme?

Entre 35 et 30 points: Vous êtes un(e) francophile accompli(e)!

Entre 29 et 25 points: Vous avez une connaissance solide de la France.

Entre 24 et 20 points: Vous avez une bonne connaissance de la France.

Entre 19 et 15 points: Ça peut aller. . . !

Entre 14 et 10 points: Une petite révision du cours vous ferait du bien.

Moins de 10 points: Une révision du cours et un petit voyage en France vous feraient du bien!

Infos utiles

Quelques moments de répit

Every language has its 'breathers' – ways of giving yourself time to gather your thoughts, find the right word, decide what to say next – and French is no exception. As the following examples show, these expressions have little meaning, but mastering a few could be a distinct advantage.

Unit 2 . . . c'est la choucroute, **hein,** les fruits de mer. . .

une truite à l'eau, **quoi,** une truite à la vapeur. . .

Unit 4 nous prélevons l'impôt, **si vous voulez,** mais. . .

. . . et **donc** j'ai été me promener. . .

. . . il y avait **donc** l'APIM. . .

Unit 6 . . . **alors voilà,** j'ai un petit problème.

Eh bien, écoutez, je vous remercie.

Alors là, j'imagine que dans les deux cas de figures. . .

une nouvelle façon, **j'allais dire,** de mettre. . .

Unit 7 nous allons commencer par le point numéro deux, **si vous le voulez bien. . .**

la deuxième chose, ça peut être, **je dirais,** une certaine vue de l'avenir.

Unit 8 . . . un établissement de formation destiné aux, **disons,** aux jeunes gens. . .

Bon, je trouve ça bien. . .

La messagerie, **ben,** c'est **effectivement** prendre un colis de. . .

Unit 9 l'apprentissage des langues étrangères, c'est forcément utile, **enfin** surtout l'anglais.

. . . une deuxième langue étrangère, **notamment** soit l'espagnol, soit l'allemand.

Unit 10 . . . **actuellement déjà, vous savez,** à côté des un million 200 mille Lillois. . .

ce qui est encore un mot **quoi, hein**. . .

Lille a toujours été **d'ailleurs** la première gare ferroviaire. . .

Look back through the units and see who uses which 'breather' most frequently!

La France administrative

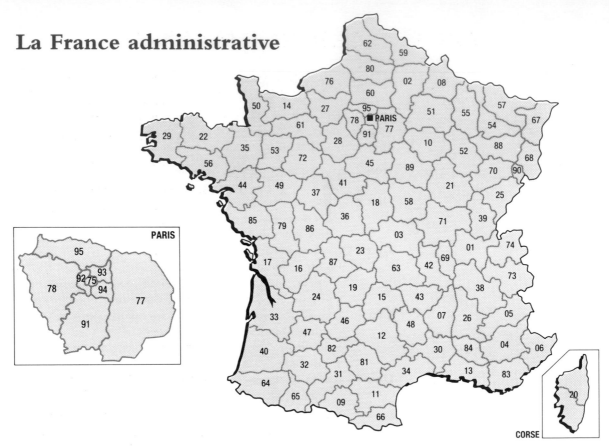

France is divided into regions known as *départements*. Each *département* has its own number, as shown on the map above. The *département* number is also the postcode: see the left–hand side of each column in the table below. The last two numbers of car registration plates also give the *département* number.

Telephone codes are shown on the right-hand side of each column in the table. Note that sometimes one *département* may have several different telephone codes.

✉ Départements ☎	✉ Départements ☎	✉ Départements ☎	✉ Départements ☎	✉ Départements ☎
01 Ain 7, 50, 74, 78, 85	20 Corse 95	39 Jura 84	58 Nièvre 86	77 Seine-et-Marne 6
02 Aisne 23	21 Côte-d'Or 80	40 Landes 58	59 Nord 20, 27, 28	78 Yvelines 3
03 Allier 70	22 Côtes d'Armor 96	41 Loir-et-Cher 54	60 Oise 4	79 Deux-Sèvres 49
04 Alpes-de-Hte-Prov 92	23 Creuse 55	42 Loire 77	61 Orne 33	80 Somme 22
05 Hautes-Alpes 92	24 Dordogne 53	43 Haute-Loire 71	62 Pas-de-Calais 21	81 Tarn 63
06 Alpes-Maritimes 93	25 Doubs 81	44 Loire-Atlantique 40	63 Puy-de-Dôme 73	82 Tarn-et-Garonne 63
07 Ardèche 75	26 Drôme 75	45 Loiret 38	64 Pyrénées-Atlantiques 59	83 Var 94
08 Ardennes 24	27 Eure 32	46 Lot 65	65 Hautes-Pyrénées 62	84 Vaucluse 90
09 Ariège 61	28 Eure-et-Loir 37	47 Lot-et-Garonne 53	66 Pyrénées-Orientales 68	85 Vendée 51
10 Aube 25	29 Finistère 98	48 Lozère 66	67 Bas-Rhin 88	86 Vienne 49
11 Aude 68	30 Gard 66	49 Maine-et-Loire 41	68 Haut-Rhin 89	87 Haute-Vienne 55
12 Aveyron 65	31 Haute-Garonne 61	50 Manche 33	69 Rhône 7, 74	88 Vosges 29
13 Bouches-du-Rhône ..42, 90, 91	32 Gers 62	51 Marne 26	70 Haute-Saône 84	89 Yonne 86
14 Calvados 31	33 Gironde 56	52 Haute-Marne 25	71 Saône-et-Loire 85	90 Territoire de Belfort 84
15 Cantal 71	34 Hérault 67	53 Mayenne 43	72 Sarthe 43	91 Essonne 6
16 Charente 45	35 Ille-et-Vilaine 99	54 Meurthe-et-Moselle 8	73 Savoie 79	92 Hauts-de-Seine 4
17 Charente-Maritime 46	36 Indre 54	55 Meuse 29	74 Haute-Savoie 50	93 Seine-Saint-Denis 4
18 Cher 48	37 Indre-et-Loire 47	56 Morbihan 97	75 Paris 4	94 Val-de-Marne 4
19 Corrèze 55	38 Isère 74, 76	57 Moselle 8	76 Seine-Maritime 35	95 Val-d'Oise 3

GRAMMAR SUMMARY

ARTICLES

There are three kinds of article in French:

		singular	*plural*
indefinite article (a, an)	*masculine* *feminine*	**un** travail **une** glace	**des** {travaux glaces}
definite article (the)	*masculine* *feminine*	**le** travail **la** glace	**les** {travaux glaces}
partitive article (some, any)	*masculine* *feminine*	**du** travail **de la** glace	**des** {travaux glaces}

Before a word beginning with a vowel or with a mute **h**, **le** and **la** become **l'**, **du** becomes **de l'**: **l'aéroport** (*m*), **l'industrie** (*f*), **l'hôtel** (*m*), **de l'argent** (*m*).

Note the forms of the preposition **à** (*at/to/the*) when used with the definite article:

	singular		*plural*
masculine	**le** bureau **l'hôtel**	**au** bureau **à l'hôtel**	**aux** {bureaux
feminine	**la** question **l'avenue**	**à la** question **à l'avenue**	questions}

NOUNS

Gender

French nouns are either masculine or feminine. In general, nouns denoting males are masculine, nouns denoting females are feminine: **un/l'homme**, **une/la femme**, **un/le charcutier**, **une/la boulangère**.

Many feminine nouns can be formed by adding **-e** to the masculine form: **un client**, **une cliente**. Masculine nouns ending in **-e** don't change: **un/le réceptionniste**, **une/la réceptionniste**.

Other noun endings change in different ways:

masculine *feminine*	**-er** **-ère**	**le** boulang**er** **la** boulang**ère**	**le** charcuti**er** **la** charcuti**ère**
masculine *feminine*	**-eur** **-rice**	**le** consommat**eur** **la** consommat**rice**	**le** direct**eur** **la** direct**rice** (d'école)
masculine *feminine*	**-eur** **-euse**	**le** vend**eur** **la** vend**euse**	**l'**achet**eur** **l'**achet**euse**

However, many nouns denoting professions remain masculine, whether they refer to men or women: **le président**, **le professeur**, **le docteur**, **le médecin**, **l'ingénieur**, **l'auteur**, **l'écrivain**, and also **le directeur** unless it refers to a school head.

When referring to a particular person, the article is not used:
Je suis directeur financier industriel.
Elle est directeur des ressources humaines.
Henri Blot est chef d'atelier.
Mesdames Beauchamp et Veret sont standardistes.

A few nouns may refer to men but are feminine, others may refer to women but are masculine: **la recrue** (*recruit*), **le mannequin** (*fashion model*).

The gender of nouns for inanimate objects and ideas can't be predicted, so when learning a new noun, always learn its article as well: **une/l'entreprise**, **une/la société**, **un/le produit**, **un/le prix**, **une/la ville**, **un/l'hôtel**.

Number

In the plural, most nouns add **-s**:

singular	*plural*
une/la standardiste	**des/les** standardistes
un/le commerçant	**des/les** commerçants
une/la boulangère	**des/les** boulangères

In spoken French the **-s** is not pronounced; the plural form is indicated by the article **des** or **les**.

Some nouns form their plural in other ways:

singular **-al**, *plural* **-aux**:
le capit**al** ⟶ les capit**aux**
le journ**al** ⟶ les journ**aux**

EXCEPTIONS **bal, carnaval, étal, festival, récital,** which add **-s**.

singular **-ail**, *plural* **-ails**:
l'évent**ail** ⟶ les évent**ails**

EXCEPTIONS **bail, émail, travail, vitrail,** which form the plural with **-aux**: le trav**ail**, les trav**aux**; le vitr**ail**, les vitr**aux**.

singular **-eau**, *plural* **-eaux**:
l'**eau** ⟶ les **eaux**
le bur**eau** ⟶ les bur**eaux**

Nouns ending in **-s**, **-x** or **-z** stay unchanged in the plural:
le fils ⟶ les fils
le prix ⟶ les prix
le nez ⟶ les nez

ADJECTIVES

Adjectives agree in gender and number with the noun they describe:

Branchez la prise de courant et la prise **téléphonique** et effectuez les vérifications **correspondantes**.

Vous souhaitez consulter l'un des services **sélectionnés**?

They come after the noun, with the exception of the following short, frequently used adjectives which come before it:

autre	gros/grosse	tel/telle
beau/belle	haut/haute	tout/toute
bon/bonne	jeune	vaste
petit/petite	joli/jolie	vieux/vieille
gentil/gentille	long/longue	vilain/vilaine
grand/grande	mauvais/mauvaise	vrai/vraie

Before a masculine noun beginning with a vowel, **bel** and **vieil** are used instead of **beau** and **vieux**.

Possessive adjectives (*see right hand column, p. 151*)

Possessives refer to the thing possessed and agree with it in gender and number:

Mon rendez-vous est à dix heures quinze.

Où est-ce que je pourrais garer **ma** voiture?

Je vais vous demander de justifier **votre** emploi... et de domicilier **vos** salaires chez nous.

Before feminine nouns beginning with a vowel or a mute **h**, **mon**, **ton**, **son** are used instead of **ma**, **ta**, **sa**:

une école → **mon** école; une agence → **ton** agence;
une image → **son** image.

Demonstrative adjectives

• **Ce/cet/cette** and **ces** come before the noun:

	singular		plural
masculine	**le** prix **l'**hôtel	**ce** prix **cet** hôtel	**ces** { prix hôtels sociétés
feminine	**la** société	**cette** société	

• **Ce...-ci/cet...-ci/cette...-ci** and **ces...-ci** refer to what is near, or present:

Ce mois-**ci** les affaires marchent bien.

Cette voiture-**ci** est une Citroën.

• **Ce...-là/cet...-là/cette...-là** and **ces...-là** refer to what is far, or distant, or in the past:

Cet hôtel-**là** est le plus cher de la ville.

Cette année-**là** les prix augmentaient sans cesse.

Interrogative adjectives

Quel(s)/Quelle(s)? are used to ask *what?* and *which?* questions:

Quel critère mettez-vous en avant pour vendre la métropole?

Quelles sont les choses les plus importantes pour les investisseurs étrangers?

ADVERBS

Adverbs don't change with gender or number. They complete or modify the meaning of the word they accompany, *ie* an adjective, a verb or another adverb. Many adverbs are formed by adding **–ment** to a feminine adjective (*see p. 50*):

Les financements sont **indiscutablement** la facturation d'un certain nombre de prestations.

Il fallait attendre **relativement** longtemps pour ouvrir un commerce.

Some adverbs express quantity: **beaucoup de, trop de, peu de, assez de,** and can be followed by either a singular or a plural noun:

J'ai **trop de** travail aujourd'hui.

Il y avait **beaucoup de** problèmes avec ses partenaires.

Comparatives

• **Plus... que** (*more... than*), **aussi... que** (*as... as*), **moins... que** (*fewer/less... than*):

Les gens aujourd'hui sont **plus** informés **que** dans le passé.

C'est un élément très positif, **aussi** bien en haut **qu'**à la base.

• **Plus de, moins de, autant de** are used to say *more, fewer/less, as many*:

Je voudrais **plus d'**explications à ce sujet.

Il y a **moins de** circulation aujourd'hui.

Grâce à l'APIM, il n'y a pas **autant de** problèmes.

You can say **de plus en plus** (*more and more*), **de moins en moins** (*fewer and fewer/less and less*), **de mieux en mieux** (*better and better*):

Ils sont **de plus en plus** sensibles à la notion d'Eurométropole.

Mes affaires marchent **de mieux en mieux**.

Superlatives

Le/la/les plus... (*most*), **le/la/les moins...** (*least*):

C'est la firme **la plus** rentable.

L'entreprise a les employés **les plus** motivés.

Nous pratiquons les prix **les moins** chers.

But note the following commonly used irregular comparisons:

		comparative	superlative
adjectives	bon mauvais	**meilleur** **plus mauvais/** **pire**	**le meilleur** **le plus mauvais/** **le pire**
adverbs	bien mal	**mieux** **plus mal/pis**	**le mieux** **le plus mal/** **le pis**

PRONOUNS

Pronouns agree in gender and number with the noun they stand for.

Personal pronouns

subject (I, you, etc)	direct object (me, you, etc)	indirect object (to me, to you, etc)	reflexive (myself, yourself, etc)
je tu	me te	me te	me te
elle il on	la le le	lui lui lui	se se se
nous vous	nous vous	nous vous	nous vous
elles ils	les les	leur leur	se se

Adverbial pronouns

- **Y** is often equivalent to *there*, and also to *in/on/about it*. It can stand for an idea or refer to a place:
  Vous connaissez le Midi? J'**y** vais tous les étés.
  Il vient ce soir au cinéma avec nous? Il **y** pense.
- **En** is equivalent to *some/any (of it/them)*. It stands for a phrase beginning with **de, du/de l'/de la** or **des**:
  Vous avez des enveloppes? Désolée, je n'**en** ai plus.
  Elle a des enfants? Oui. Elle **en** a deux.

Position of pronouns

Subject pronouns usually go before the verb; direct object, indirect object and reflexive pronouns also go in front of the verb, as do **y** and **en**. When two or more pronouns are used together, they appear in the following order:

1	2	3	4	5
me te se nous vous	le la les	lui leur	y	en

Pronouns in group 1 come before those in group 2, those in group 3 before group 4, and so on.

Les produits? Je **vous les** livre demain.
La facture? Ils vont **nous l'**envoyer tout de suite.
Le Minitel? Nous **le leur** donnons gratuitement.
Des brochures? Je **vous en** envoie immédiatement.

Possessive pronouns

Like possessive adjectives (*my, your, etc*), possessive pronouns (*mine, yours, etc*), agree in gender and number with the noun they replace.

singular		plural	
poss adjective	poss pronoun	poss adjective	poss pronoun
mon contrat **ma** société	**le mien** **la mienne**	**mes** contrats **mes** sociétés	**les miens** **les miennes**
ton ordinateur **ta** voiture	**le tien** **la tienne**	**tes** ordinateurs **tes** voitures	**les tiens** **les tiennes**
son stylo **sa** dépense	**le sien** **la sienne**	**ses** stylos **ses** dépenses	**les siens** **les siennes**
notre bilan **notre** facture	**le nôtre** **la nôtre**	**nos** bilans **nos** factures	**les nôtres** **les nôtres**
votre produit **votre** firme	**le vôtre** **la vôtre**	**vos** produits **vos** firmes	**les vôtres** **les vôtres**
leur train **leur** ville	**le leur** **la leur**	**leurs** trains **leurs** villes	**les leurs** **les leurs**

Demonstrative pronouns

- **Celui/celle** and **ceux/celles** also agree in gender and number with the noun they replace:
  Le travail de Jean est bon, **celui** de Michèle est excellent.
  La réception à FCB est moderne, **celle** chez Sandoz est aérée.

- **Celui-ci/celle-ci** and **ceux-ci/celles-ci** refer to something nearby, or present; **celui-là/celle-là** and **ceux-là/celles-là** refer to something distant, or in the past:
  Quel dossier voulez-vous, **celui-ci** ou **celui-là**?
  Ces bureaux sont de style traditionnel, **ceux-ci** sont modernes.

Relative pronouns

- **Qui** and **que** refer back to a particular noun: **qui** (*who, which/that*) is the subject of the verb that follows; **que** (*whom, which/that*) is the object of the verb that follows.
  La société **qui** (*subject*) est à Lille appartient au groupe FCB.
  Le train **que** (*object*) vous voyez est un TGV.
- **Ce qui** and **ce que** (*what, which*) refer to a clause, phrase or idea:
  Nous apportons... tout **ce qui** touche à l'export.
  Ce que nous défendons, ce sont les intérêts des entreprises locales.
- **Dont** (*of whom, whose*) is used to refer to people or things:
  C'est le PDG **dont** je vous ai parlé.
  J'ai acheté du vin **dont** j'ai oublié le nom.
  Note how **dont** is used in the following expressions:
  Je n'aime pas la façon **dont** il parle.
  I don't like the way he talks.
  Ce **dont** je me souviens...
  What I remember ...

VERBS

Forms

There are three groups of verbs in French, identified by their infinitives which end respectively in **–er**, **–ir** and **–re**. Many verbs follow a regular pattern; those that do not are called *irregular verbs* and the most useful ones are given on pp. 155–156. For how to form the past participle (used with compound tenses), see opposite.

	present	*imperfect*	*future*	*present conditional*	*present subjunctive*
The **-er** *pattern:* parl**er** (*pp* parl**é**)					
je	parl**e**	parl**ais**	parl**erai**	parl**erais**	parl**e**
tu	parl**es**	parl**ais**	parl**eras**	parl**erais**	parl**es**
elle/il/on	parl**e**	parl**ait**	parl**era**	parl**erait**	parl**e**
nous	parl**ons**	parl**ions**	parl**erons**	parl**erions**	parl**ions**
vous	parl**ez**	parl**iez**	parl**erez**	parl**eriez**	parl**iez**
elles/ils	parl**ent**	parl**aient**	parl**eront**	parl**eraient**	parl**ent**
The **-ir** *pattern:* fin**ir** (*pp* fin**i**)					
je	fin**is**	fin**issais**	fin**irai**	fin**irais**	fin**isse**
tu	fin**is**	fin**issais**	fin**iras**	fin**irais**	fin**isses**
elle/il/on	fin**it**	fin**issait**	fin**ira**	fin**irait**	fin**isse**
nous	fin**issons**	fin**issions**	fin**irons**	fin**irions**	fin**issions**
vous	fin**issez**	fin**issiez**	fin**irez**	fin**iriez**	fin**issiez**
elles/ils	fin**issent**	fin**issaient**	fin**iront**	fin**iraient**	fin**issent**
The **-re** *pattern:* attend**re** (*pp* attend**u**)					
j'	attend**s**	attend**ais**	attend**rai**	attend**rais**	attend**e**
tu	attend**s**	attend**ais**	attend**ras**	attend**rais**	attend**es**
elle/il/on	attend	attend**ait**	attend**ra**	attend**rait**	attend**e**
nous	attend**ons**	attend**ions**	attend**rons**	attend**rions**	attend**ions**
vous	attend**ez**	attend**iez**	attend**rez**	attend**riez**	attend**iez**
elles/ils	attend**ent**	attend**aient**	attend**ront**	attend**raient**	attend**ent**

Note that the imperfect is derived from the **nous** form of the present tense; the future and the conditional are derived from the infinitive (minus the final **–e** of **–re** verbs).

Some verbs follow the regular pattern except for a change in the spelling. The change can occur in the **nous** part of the present tense:

g → ge   changer   nous chan**ge**ons
c → ç   commencer   nous commen**ç**ons

Note that this change is carried through into the imperfect tense, *eg* **je commençais**.

Or the spelling changes in all *but* the **nous** and **vous** parts:

y → i   employer   j'emplo**ie**, nous emplo**y**ons
l → ll   épeler   tu épe**ll**es, vous épe**l**ez
é → è   espérer   elle esp**è**re, nous esp**é**rons

Auxiliary verbs

The verbs **avoir** (*to have*) and **être** (*to be*) are irregular. They can be used on their own:

     Nous **avons** le procès-verbal de la précédente séance.
     Monsieur Pinart **est** le directeur général de Bolloré Technologies.

They're also used as the auxiliary to the past participle of other verbs when forming the compound tenses.

	present	*imperfect*	*future*	*present conditional*	*present subjunctive*
avoir (*pp* eu)					
j'	ai	avais	aurai	aurais	aie
tu	as	avais	auras	aurais	aies
elle/il/on	a	avait	aura	aurait	ait
nous	avons	avions	aurons	aurions	ayons
vous	avez	aviez	aurez	auriez	ayez
elles/ils	ont	avaient	auront	auraient	aient
être (*pp* été)					
je/j'	suis	étais	serai	serais	sois
tu	es	étais	seras	serais	sois
elle/il/on	est	était	sera	serait	soit
nous	sommes	étions	serons	serions	soyons
vous	êtes	étiez	serez	seriez	soyez
elles/ils	sont	étaient	seront	seraient	soient

- Most verbs form the perfect tense with **avoir**: **j'ai parlé, elle a fini, nous avons attendu**.

- A small group of verbs form the perfect tense with **être**:

aller	venir	monter	descendre
entrer	sortir	rester	tomber
arriver	partir	retourner	rentrer
naître	mourir	devenir	revenir

However, **monter, descendre, entrer** and **sortir** form the perfect with **avoir** when followed by a direct object:

     Je suis descendu(e).   *I came downstairs.*
but:
     J'ai descendu le livre.   *I took the book down.*

     Elle est sortie.   *She's gone out.*
but:
     Elle a sorti la voiture du garage.   *She's taken the car out of the garage.*

- Reflexive verbs also form the perfect with **être**:

     Je **me suis levé(e)** de bonne heure.
     Vous **vous êtes trompé(e)(s)** de numéro.

Note that in the **Glossary**, verbs that form the perfect tense with **être** are marked with an asterisk.

Agreement

- When a verb forms the perfect with **être**, the past participle agrees with the subject:

	singular	*plural*
masculine	je suis arrivé il est arrivé	nous sommes arrivé**s** ils sont arrivé**s**
feminine	je suis arrivé**e** elle est arrivé**e**	nous sommes arrivé**es** elles sont arrivé**es**

- But when the subjects are a combination of masculine and feminine, the gender is masculine, *ie* neuter:

    Jean et Michelle sont arrivés.

- With verbs that form the perfect with **avoir**, the past participle agrees with the *preceding* direct object when this is a relative (*which, that*) or direct object pronoun (*her, him, it, etc*):

    La société que nous avons visité**e** était à Lille.
    La lettre? Je l'ai mis**e** à la poste ce matin.
    Où sont **les clefs?** Jean **les** a pris**es** par erreur.

  Note the difference in pronunciation between the masculine and feminine past participles of **mettre** and **prendre**: in **mis** and **pris** the **-s** is not pronounced, while in **mise** and **prise** it is.

- The past tense of both **être** and **avoir** is formed with the auxiliary **avoir**; both past participles, **été** and **eu** respectively, don't change unless preceded by a direct object pronoun (see above).

    C'est conforme à ce qui **a été** dit au précédent conseil.
    Vu la rapidité de la convocation, nous n'**avons** pas **eu** les représentants marins.

Usage

1   The present tense (*le présent*) is used to describe:

- *what's happening now*
  Je lis un rapport.
  I'm reading a report.

- *what's usually the case*
  Tous les ans **FCB réunit** son personnel.
  Every year, FCB gathers together its staff.

- *the current state of things*
  J'ai 54 ans, **je suis** marié, deux enfants. . .
  I'm 54, married, two children . . .

- *something that began in the past and is still going on*
  Je travaille depuis un an maintenant.
  I've been working for a year now.

- *what's intended in the future*
  Cet été **je vais** dans ma ville d'origine.
  This summer I'm going back to my home town.

- *what happened in the past*
  De Gaulle fonde la Vème République en 1958.
  De Gaulle created (lit. *creates*) *the 5th Republic in 1958.*

  This last usage is the **present historic** (*le présent historique*) and is becoming more and more common in both written and spoken French.

- To express an action that has just happened, French uses the present tense of **venir de**, followed by the infinitive:
  . . . **un client qui vient de se faire avaler** sa carte bleue.
  . . . a client who has just had his credit card swallowed up.

2   The perfect tense (*le passé composé*) describes an action in the past that has been completed. It's the tense most used to refer to the past:

    J'ai réservé une chambre avec salle de bains.
    Vous avez fait bon voyage?
    Pourquoi **un chef d'entreprise belge est venu** s'installer. . .?

3   The imperfect tense (*l'imparfait*)

- This tense is used to describe people, things and places as they used to be:
    Il fallait attendre relativement longtemps.
    C'était une structure originale.
    J'étais Premier ministre, dans un château d'Edimbourg. . .

- It's used to indicate a continuing action in the past:
    Il me conduisait à la banque. . .
    He was driving me to the bank . . .

- It's also used to indicate past actions which were regular, or habitual:
    Autrefois **je faisais** de la natation tous les jours.
    I used to go swimming every day.

4   The future (*le futur*) In French, three tenses can be used to describe future events.

- The present tense:
    Cet été **je vais** dans ma ville d'origine.

- **Aller** + infinitive:
    Je vais vous demander une pièce d'identité.
    Vous allez pouvoir vous présenter. . .

- The future tense:
    J'aurai environ une demi-heure de retard.
    Le ciel restera nuageux toute la journée.
    Le soleil brillera toute la journée.

Note that when **quand** refers to the future, the future tense is required: **Quand le TGV passera à Lille. . .**

5   The conditional (*le conditionnel*) is used to express:

- *polite requests*   **Je voudrais** parler à Monsieur Durielle, s'il vous plaît.
    Je dirais que c'est une ambiance. . .

- *future possibilities*   Quels types de prêts **vous me proposeriez**? Le Crédit du Nord **pourrait…**

- *a wish or condition in **si** sentences*   Si j'avais une télécarte, je lui **téléphonerais**.
  Si j'avais de l'argent, **j'irais** en vacances en Italie.

Note that in the **si** clause, the imperfect tense is used.

6   **The subjunctive** (*le subjonctif*) is commonly used in both spoken and written French. It occurs after certain verbs, expressions and conjunctions.

- The subjunctive occurs after verbs that express:

a wish	**J'aimerais bien /Je voudrais /Je préfère que…** J'aimerais bien que Maison Verte **fasse** quelque chose.
regret	**Je regrette/Je suis désolé(e) que…** Je regrette que **ce soit** si cher.
pleasure, displeasure	**Je suis content(e)/triste/heureux (heureuse)/ravi(e)/enchanté(e) que…** Je suis heureux que le TGV **puisse** passer à Lille.
fear	**J'ai peur que…** J'ai peur que **vous arriviez** en retard à la réunion.
doubt	**Je ne crois pas/Je ne suis pas sûr(e) que…** Je ne crois pas qu'**il connaisse** notre adresse.
ordering	**Je ne veux pas/Je veux/J'ordonne que…** Je veux que **tu sois** content.

- The subjunctive occurs after expressions such as:
  Il faut/Il faudrait/Il est temps/Il se peut que…
  Il faut que **ce soit** accessible à tout le monde.

  After expressions stating an opinion:
  C'est/Il est affreux/bien/normal/inadmissible/ incroyable/satisfaisant/surprenant que…
  C'est normal que **ce soit** si cher?

- The subjunctive also occurs after conjunctions such as:
  afin que, pour que, à moins que, avant que, sans que, bien que, jusqu'à ce que, en sorte que…
  … faire en sorte que **notre région puisse** survivre.
  … pour que **le TGV puisse** passer à Lille.

  Note that you don't need to use the subjunctive when the subject of the main and subordinate clauses is the same:
  J'ai peur de prendre le métro seule le soir à Paris.
  Je suis si heureux de vous voir!

7   **The present participle** (*le participe présent*) expresses simultaneity of action or state, often introduced by **en**:

Vérifiez vos réponses **en écoutant** à nouveau l'enregistrement.
Vérifiez vos réponses **en lisant** l'article ci-dessous.

8   **Negative sentences**
In French, negative statements are in two parts:

ne… pas *not*	**ne** is always placed before the verb
ne… plus *no longer*	(or auxiliary); **pas, plus, jamais** and
ne… jamais *never*	**rien** always come after it.
ne… rien *nothing*	

Nous **n'**avons **plus** de chambres pour une personne.
Je **ne** vous entends **pas**.
Ne quittez **pas**!
Vous **n'**êtes **jamais** allé à Lille?
Elle **ne** mange **rien**.
Je **n'**ai **rien** acheté au supermarché.

Note the following expressions:
  Rien à signaler   *Nothing worth mentioning.*
  Rien ne va plus!   *Nothing's going right any more!/(in gambling context: No more bets!)*
  Personne n'est venu   *Nobody's come/Nobody came.*
  Jamais le dimanche   *Never on Sunday.*

Questions
You can ask questions in French in a number of ways. The simplest, and the most common in spoken French, is to keep to the same order of words as for a positive statement, but to put a query in your voice – that is, to raise the pitch of the voice at the end of the sentence: **Vous avez une chambre pour une personne avec douche?**

- Other ways are:
  Est-ce que vous avez une chambre pour une personne avec douche?
  Avez-vous une chambre pour une personne avec douche?

  In the last example, the pronoun comes after the verb. It's a more formal way of asking questions. Note that in writing, the verb and pronoun are hyphenated.

- Questions can also begin with a 'question' word: **que** (*what?*), **où?** (*where?*), **quand** (*when?*), **pourquoi?** (*why?*), **comment?** (*how?*). With these words, it's simplest to form your question with **est-ce que**:
  Qu'est-ce que c'est?
  Où est-ce que vous habitez?
  Quand est-ce que vous me téléphonerez?
  Comment est-ce que je peux payer?

- With the interrogative **quel?** (*which?, what?*), subject and verb are inverted:
  Quel est le prix du billet de métro?
  Quelle heure est-il?
  Quelle voiture **désirez-vous?**
  Quels sont les produits de FCB?

SOME COMMON IRREGULAR VERBS

Irregular verbs don't follow the set patterns as given on p. 152. Those in **French means Business** are marked † in the **Glossary**, but here are some of the most frequently used.

First the **modals**, the verbs needed for saying what you *should, must, can, ought,* or *want* to do.

	present	imperfect	future	present conditional	present subjunctive
devoir (*pp* **du**)					
je	dois	devais	devrai	devrais	doive
tu	dois	devais	devras	devrais	doives
elle/il/on	doit	devait	devra	devrait	doive
nous	devons	devions	devrons	devrions	devions
vous	devez	deviez	devrez	devriez	deviez
elles/ils	doivent	devaient	devront	devraient	doivent
pouvoir (*pp* **pu**)					
je	peux	pouvais	pourrai	pourrais	puisse
tu	peux	pouvais	pourras	pourrais	puisses
elle/il/on	peut	pouvait	pourra	pourrait	puisse
nous	pouvons	pouvions	pourrons	pourrions	puissions
vous	pouvez	pouviez	pourrez	pourriez	puissiez
elles/ils	peuvent	pouvaient	pourront	pourraient	puissent
vouloir (*pp* **voulu**)					
je	veux	voulais	voudrai	voudrais	veuille
tu	veux	voulais	voudras	voudrais	veuilles
elle/il/on	veut	voulait	voudra	voudrait	veuille
nous	voulons	voulions	voudrons	voudrions	voulions
vous	voulez	vouliez	voudrez	voudriez	vouliez
elles/ils	veulent	voulaient	voudront	voudraient	veuillent

The following is a selection of irregular verbs. For others you should consult a reference grammar or dictionary. Remember that verbs marked with an asterisk form the perfect tense with **être**.

	present	imperfect	future	present conditional	present subjunctive
aller★ (*pp* **allé(e)**)					
je/j'	vais	allais	irai	irais	aille
tu	vas	allais	iras	irais	ailles
elle/il/on	va	allait	ira	irait	aille
nous	allons	allions	irons	irions	allions
vous	allez	alliez	irez	iraient	alliez
elles/ils	vont	allaient	iront	iraient	aillent

	present	imperfect	future	present conditional	present subjunctive
boire (*pp* **bu**)					
je	bois	buvais	boirai	boirais	boive
tu	bois	buvais	boiras	boirais	boives
elle/il/on	boit	buvait	boira	boirait	boive
nous	buvons	buvions	boirons	boirions	buvions
vous	buvez	buviez	boirez	boiriez	buviez
elles/ils	boivent	buvaient	boiront	boiraient	boivent
conduire (*pp* **conduit**)					
je	conduis	conduisais	conduirai	conduirais	conduise
tu	conduis	conduisais	conduiras	conduirais	conduises
elle/il/on	conduit	conduisait	conduira	conduirait	conduise
nous	conduisons	conduisions	conduirons	conduirions	conduisions
vous	conduisez	conduisiez	conduirez	conduiriez	conduisiez
elles/ils	conduisent	conduisaient	conduiront	conduiraient	conduisent
connaître (*pp* **connu**)					
je	connais	connaissais	connaîtrai	connaîtrais	connaisse
tu	connais	connaissais	connaîtras	connaîtrais	connaisses
elle/il/on	connaît	connaissait	connaîtra	connaîtrait	connaisse
nous	connaissons	connaissions	connaîtrons	connaîtrions	connaissions
vous	connaissez	connaissiez	connaîtrez	connaîtriez	connaissiez
elles/ils	connaissent	connaissaient	connaîtront	connaîtraient	connaissent
croire (*pp* **cru**)					
je	crois	croyais	croirai	croirais	croie
tu	crois	croyais	croiras	croirais	croies
elle/il/on	croit	croyait	croira	croirait	croie
nous	croyons	croyions	croirons	croirions	croyions
vous	croyez	croyiez	croirez	croiriez	croyiez
elles/ils	croient	croyaient	croiront	croiraient	croient
dire (*pp* **dit**)					
je	dis	disais	dirai	dirais	dise
tu	dis	disais	diras	dirais	dises
elle/il/on	dit	disait	dira	dirait	dise
nous	disons	disions	dirons	dirions	disions
vous	dîtes	disiez	direz	diriez	disiez
elles/ils	disent	disaient	diront	diraient	disent
écrire (*pp* **écrit**)					
j'	écris	écrivais	écrirai	écrirais	écrive
tu	écris	écrivais	écriras	écrirais	écrives
elle/il/on	écrit	écrivait	écrira	écrirait	écrive
nous	écrivons	écrivions	écrirons	écririons	écrivions
vous	écrivez	écriviez	écrirez	écririez	écriviez
elles/ils	écrivent	écrivaient	écriront	écriraient	écrivent

	present	imperfect	future	present conditional	present subjunctive
envoyer (*pp* envoyé)					
j'	envoie	envoyais	enverrai	enverrais	envoie
tu	envoies	envoyais	enverras	enverrais	envoies
elle/il/on	envoie	envoyait	enverra	enverrait	envoie
nous	envoyons	envoyions	enverrons	enverrions	envoyions
vous	envoyez	envoyiez	enverrez	enverriez	envoyiez
elles/ils	envoient	envoyaient	enverront	enverraient	envoient
faire (*pp* fait)					
je	fais	faisais	ferai	ferais	fasse
tu	fais	faisais	feras	ferais	fasses
elle/il/on	fait	faisait	fera	ferait	fasse
nous	faisons	faisions	ferons	ferions	fassions
vous	faites	faisiez	ferez	feriez	fassiez
elles/ils	font	faisaient	feront	feraient	fassent
falloir (*pp* fallu)					
il	faut	fallait	faudra	faudrait	faille
lire (*pp* lu)					
je	lis	lisais	lirai	lirais	lise
tu	lis	lisais	liras	lirais	lises
elle/il/on	lit	lisait	lira	lirait	lise
nous	lisons	lisions	lirons	lirions	lisions
vous	lisez	lisiez	lirez	liriez	lisiez
elles/ils	lisent	lisaient	liront	liraient	lisent
mettre (*pp* mis)					
je	mets	mettais	mettrai	mettrais	mette
tu	mets	mettais	mettras	mettrais	mettes
elle/il/on	met	mettait	mettra	mettrait	mette
nous	mettons	mettions	mettrons	mettrions	mettions
vous	mettez	mettiez	mettrez	mettriez	mettiez
elles/ils	mettent	mettaient	mettront	mettraient	mettent
ouvrir (*pp* ouvert)					
j'	ouvre	ouvrais	ouvrirai	ouvrirais	ouvre
tu	ouvres	ouvrais	ouvriras	ouvrirais	ouvres
elle/il/on	ouvre	ouvrait	ouvrira	ouvrirait	ouvre
nous	ouvrons	ouvrions	ouvrirons	ouvririons	ouvrions
vous	ouvrez	ouvriez	ouvrirez	ouvririez	ouvriez
elles/ils	ouvrent	ouvraient	ouvriront	ouvriraient	ouvrent

	present	imperfect	future	present conditional	present subjunctive
prendre (*pp* pris)					
je	prends	prenais	prendrai	prendrais	prenne
tu	prends	prenais	prendras	prendrais	prennes
elle/il/on	prend	prenait	prendra	prendrait	prenne
nous	prenons	prenions	prendrons	prendrions	prenions
vous	prenez	preniez	prendrez	prendriez	preniez
elles/ils	prennent	prenaient	prendront	prendraient	prennent
recevoir (*pp* reçu)					
je	reçois	recevais	recevrai	recevrais	reçoive
tu	reçois	recevais	recevras	recevrais	reçoives
elle/il/on	reçoit	recevait	recevra	recevrait	reçoive
nous	recevons	recevions	recevrons	recevrions	recevions
vous	recevez	receviez	recevrez	recevriez	receviez
elles/ils	reçoivent	recevaient	recevront	recevraient	reçoivent
savoir (*pp* su)					
je	sais	savais	saurai	saurais	sache
tu	sais	savais	sauras	saurais	saches
elle/il/on	sait	savait	saura	saurait	sache
nous	savons	savions	saurons	saurions	sachions
vous	savez	saviez	saurez	sauriez	sachiez
elles/ils	savent	savaient	sauront	sauraient	sachent
sortir* (*pp* sorti(e))					
je	sors	sortais	sortirai	sortirais	sorte
tu	sors	sortais	sortiras	sortirais	sortes
elle/il/on	sort	sortait	sortira	sortirait	sorte
nous	sortons	sortions	sortirons	sortirions	sortions
vous	sortez	sortiez	sortirez	sortiriez	sortiez
elles/ils	sortent	sortaient	sortiront	sortiraient	sortent
venir* (*pp* venu(e))					
je	viens	venais	viendrai	viendrais	vienne
tu	viens	venais	viendras	viendrais	viennes
elle/il/on	vient	venait	viendra	viendrait	vienne
nous	venons	venions	viendrons	viendrions	venions
vous	venez	veniez	viendrez	viendriez	veniez
elles/ils	viennent	venaient	viendront	viendraient	viennent
voir (*pp* vu)					
je	vois	voyais	verrai	verrais	vois
tu	vois	voyais	verras	verrais	voies
elle/il/on	voit	voyait	verra	verrait	voie
nous	voyons	voyions	verrons	verrions	voyions
vous	voyez	voyiez	verrez	verriez	voyiez
elles/ils	voient	voyaient	verront	verraient	voient

PRONUNCIATION

The best way to improve your pronunciation of French is to listen to the recordings that accompany this book as often as you can and try to imitate the speakers. The following is only a reminder of some of the more particular sounds of the language.

CONSONANTS

c   followed by **e** or **i**, like the *c* in *space*: **c**e**c**i, **c**ette, séan**c**e
    followed by **a**, **o**, **u**, or at the end of a word, like the *c* in *car*: **c**apital, **c**onseil, don**c**

ç   like the *c* in *trace*: **ç**a, re**ç**u, fa**ç**on

g   followed by **e** or **i**, or at the end of a word, like the *s* in *leisure*: â**g**e, collè**g**e, **g**ibier
    followed by **a**, **o**, **u**, like the *g* in *gap*: é**g**alité, **g**igot, fi**g**urer

h   is never pronounced: **h**ôtel, **h**aut, **h**eure

j   like the French **g** in â**g**e, collè**g**e (above): **j**e, bon**j**our, **j**anvier

q   followed by **u** or at the end of a word, like the *k* in *kite*: **q**ue, **q**uelqu'un, Villeneuve d'Asc**q**

r   pronounced at the back of the throat: su**r**, **r**ue, f**r**ançais

s   on its own between two vowels, like the *z* in *razor*: entrepri**s**e, dé**s**ir, cho**s**e

t   is not pronounced at the end of a word: ver**t**, pon**t**, gen**t**imen**t**
    but is pronounced when followed by **e**: ver**t**e, fai**t**e, peti**t**e

y   is sometimes pronounced like the *y* in *yellow*: essa**y**er, **y**eux

Note that **ch** is pronounced like the *sh* in *ship*: **ch**ambre, gau**ch**e, fi**ch**e; **th** like the *t* in *tin*: **th**ème, **th**éâtre.

VOWELS

In French, no syllable is stressed particularly more than another and vowels have the same strength whatever their position in a word. There are two types:

Oral vowels – where the breath flows forward through the mouth.

a, â   like the *a* in northern English *mat*, or the *u* of southern English *but*: m**a**, m**a**g**a**sin, c**a**pital, **â**ge, b**â**timent

e   like the *i* in *sir*: l**e**, j**e**, r**e**tard, p**e**tit

é   like the *e* in *bet*: **é**t**é**, ferm**é**, soci**é**t**é**

è, ê   like the *ai* in *said*: gr**è**ve, coll**è**ge, **ê**tre, enqu**ê**te

i   like the *ee* in *fee*: pr**i**x, av**i**s, pol**i**t**i**que

o   like the *o* in *not*: s**o**ciété, p**o**rte, n**o**tre

ô   as above, but 'closed': h**ô**tel, all**ô**, r**ô**le

u   rounded, with lips pushed forward: **u**ne, s**u**r, r**u**e, dess**u**s

ou   also rounded, but more like the *oo* in *cool*: p**ou**r, l**ou**rd, dess**ou**s

Note that **y** is sometimes pronounced like **i** above: bic**y**clette, t**y**pe. (But see also CONSONANTS.)

Nasalised vowels – which you can practise by holding your nose as you pronounce them!

ain, **ein**, **im**, **in**, **ym**: p**ain**, ét**ein**dre, **im**possible, v**in**, s**ym**pathique

an, **en**: **an**, b**an**que, **an**glais, **en**, **en**chanté, ess**en**ce

on: **on**, b**on**, m**on**, d**on**c, m**on**de, enf**on**cer

un: **un**, auc**un**, comm**un**, br**un**

LANGUAGE INDEX

ANSWERS

Unit 1 Voyages

p.7 1 *a* faux *b* vrai *c* vrai *d* vrai *e* faux *f* faux
2 *a* réservé/salle de bains/nom/clef/chambre/heure/à partir de/jusqu'à/servir.

p.8 1 *a* faux *b* vrai *c* faux *d* faux *e* vrai *f* vrai *g* vrai.
2 Correct order: *i, c, d, f, h, a, j, g, b, e.*

p.9 1 *a* deux personnes *b* quatrième étage/cinquième étage/sixième étage/septième étage/huitième étage/neuvième étage/dixième étage.
2 Frédéric Legrand/une 205/demain matin/huit heures.

p.10 3 *a* Bonjour, madame. J'ai réservé une chambre pour deux personnes pour une nuit./J'ai réservé une chambre avec douche./Mais pourtant, j'ai fait une réservation ferme!/Je suis désolé(e), mais mon avion a eu du retard./D'accord! Je la prends./A quelle heure est le petit déjeuner?/On peut me servir dans ma chambre?
b Bonsoir, madame! Vous pouvez me louer une voiture pour demain matin, s'il vous plaît?/Une petite voiture./Oui, très bien./A partir de neuf heures trente./Merci beaucoup. Bonsoir!

p.11 1 trente et un, quarante et un, cinquante et un, soixante et un/trente-trois, trente-quatre, trente-cinq, trente-six, trente-sept, trente huit, trente-neuf/soixante-treize, soixante-quatorze, soixante-quinze, soixante-seize, soixante-dix-sept, soixante-dix-huit, soixante-dix-neuf/quatre-vingt-deux, quatre-vingt-trois, quatre-vingt-quatre, quatre-vingt-cinq, quatre-vingt-six, quatre-vingt-sept, quatre-vingt-huit, quatre-vingt-neuf/quatre-vingt-douze, quatre-vingt-treize, quatre-vingt-quatorze, quatre-vingt-quinze, quatre-vingt-seize, quatre-vingt-dix-sept, quatre-vingt-dix-huit, quatre-vingt-dix-neuf.
2 *am:* Il est deux heures et demie (deux heures trente)./Il est cinq heures dix./Il est huit heures et quart (huit heures quinze)./Il est sept heures vingt./Il est midi et quart (douze heures quinze)./Il est neuf heures moins le quart (huit heures quarante-cinq).
pm: Il est quatre heures moins vingt-cinq (quinze heures trente-cinq)./Il est quatre heures vingt-cinq (seize heures vingt-cinq)./Il est dix heures moins le quart (vingt et une heures quarante-cinq)./Il est huit heures trente-deux (vingt heures trente-deux)./Il est minuit et demi (vingt-quatre heures trente)./Il est vingt heures cinquante (neuf heures moins dix).

p.12 1 *a* Vous pouvez me louer une 205? *b* Vous pouvez m'expliquer comment aller au centre-ville? *c* Vous pouvez m'indiquer comment aller à l'Opéra? *d* Vous pouvez me dire à quelle heure est le petit déjeuner? *e* Vous pouvez m'apporter le petit déjeuner à sept heures? *f* Vous pouvez me réserver une chambre avec douche? *g* Vous pouvez me réserver une table dans le restaurant? *h* Vous pouvez me donner le menu? *i* Vous pouvez me donner l'horaire des trains? *j* Vous pouvez m'indiquer comment aller à la gare?
2 Je suis désolé(e), mais... *a* mon train a eu du retard. *b* c'est impossible/ce n'est pas possible maintenant. *c* je ne peux pas le soir. *d* l'hôtel est complet. *e* l'avion a du retard. *f* nous n'avons plus de petites voitures.

p.13 ÇA FAIT 95 FRANCS
M. Delay Bonjour, monsieur! Excusez-moi, monsieur! J'aimerais aller à l'aéroport, s'il vous plaît. C'est possible?
Chauffeur Ouais, c'est possible, ouais.
M. Delay Je peux mettre mes bagages dans le coffre?
Chauffeur Ouais, ouais, d'accord.
M. Delay Voilà. Dites-moi, y a... ...y a un supplément pour les bagages?
Chauffeur Ah, ouais... un franc trente par dix kilos de bagages.
M. Delay D'accord. Alors là, ça va me coûter à peu près cinq francs là?
Chauffeur Bagages? Ouais, cinq francs...
M. Delay Voilà. On est à..., on est à l'aéroport. Combien je vous donne, monsieur?
Chauffeur Ben, quatre-vingts francs, plus cinq francs de bagages, ça fait quatre-vingt-quinze.

1 *a* ii *b* ii *c* i
2 *a* J'aimerais aller. *b* Je peux...? *c* Combien je vous donne/dois?

1 J'aimerais/Je voudrais... *a* téléphoner à Lausanne. *b* une chambre pour une personne avec douche. *c* avoir le petit déjeuner dans ma chambre. *d* louer une Citroën BX. *e* une réservation pour le TGV Paris-Lyon.
2 Je peux... *a* ouvrir la fenêtre? *b* avoir le menu? *c* avoir la clef extérieure? *d* enregistrer mes bagages tout de suite? *e* payer par Carte Bleue?

p.14 LILLE BY NIGHT
M. Legrand Bonjour!
Réceptionniste Bonjour, monsieur!
M. Legrand Vous pouvez m'indiquer le moyen le plus simple pour aller à la Villeneuve d'Ascq, s'il vous plaît?
Réceptionniste Oui, le plus simple d'ici, c'est de prendre le métro. Vous savez qu'on a l'un des métros les plus modernes du monde, ici à Lille, sans conducteur!
M. Legrand Ah bon?
Réceptionniste Ah ouais! Pour aller à Villeneuve d'Ascq, vous avez une station à 100 mètres d'ici, juste à droite en sortant. Vous prenez la direction Quatre Cantons et vous descendez à l'Hôtel de Ville – vous êtes à Villeneuve d'Ascq.
M. Legrand Et pour les tickets, comment ça marche?
Réceptionniste C'est très simple. Soit, vous les achetez en carnet

dans n'importe quel bureau de tabac, sinon, vous avez des distributeurs automatiques dans chaque station.

M. Legrand   D'accord. Et qu'est-ce que vous me conseillez pour sortir le soir à Lille?

Réceptionniste   Ah, mais ça dépend de ce que vous voulez faire, monsieur.

M. Legrand   Eh bien, qu'est-ce qui est le plus intéressant à voir?

Réceptionniste   Le soir, vous avez le vieux Lille qui est très animé. C'est un quartier qui date du dix-septième siècle et il a été entièrement rénové récemment. Ce sont de vieilles maisons flamandes. C'est très, très beau.

M. Legrand   Très bien. Moi, je crois que je vais suivre vos conseils.

Réceptionniste   Je vous souhaite une bonne soirée.

M. Legrand   Je vous remercie. Au revoir!

Réceptionniste   Au revoir!

Answers: *a* taking the métro   *b* no   *c* in any tobacconist's, or from ticket machines in stations   *d* in the old district of Lille

p. 14   **1**   *a* prendre le métro. *b* 100 mètres (d'ici). *c* L'Hôtel de Ville. *d* n'importe quel bureau de tabac, ou dans des distributeurs automatiques. *e* dix-septième siècle. *f* entièrement rénové.

p. 15   **1**   Vous pouvez m'indiquer le moyen le plus simple pour... *a* aller à l'Opéra? *b* aller à Roubaix? *c* aller au métro? *d* aller à l'hôtel des Flandres? *e* aller à l'aéroport? *f* aller au musée d'art moderne? *g* aller aux bureaux de l'APIM? (*alternative*: Pour aller à..., quel est le chemin le plus court/la route la plus directe?)

2   *a* Tourcoing: direction Roubaix, au rondpoint/deuxième à gauche. *b* Boulevard de Mons: périphérique, direction Roubaix/rocade, direction de Dunkerque/aux feux, première à droite. *c* Aéroport: l'autoroute A1, direction de Lille, sortie Lesquin. *d* Saint-Amand des Eaux: A23 jusqu'à Valenciennes/après le rond-point, deuxième à gauche. *e* Pour le métro: tout droit, deuxième à droite/première à gauche, juste en face. *f* Place Charles de Gaulle: avenue, troisième à droite, tout droit, deuxième à gauche.

p. 17   **1**   *a* J'ai réservé une chambre par téléphone. *b* J'ai loué une voiture à l'aéroport. *c* Je suis arrivé(e) tard à l'hôtel à cause de la grève à l'aéroport – l'hôtel était complet! *d* Je suis allé(e) à un autre hôtel – même chose, hôtel complet! *e* J'ai demandé pourquoi les hôtels étaient complets. *g* Réponse: à cause de la Grande Braderie.

2   *a* la prends   *b* les aime   *c* l'apporte   *d* le fais   *e* la réserve   *f* les rapporte   *g* la loue   *h* les achète.

Que savez-vous déjà sur le TGV?   *a* i   *b* i   *c* ii   *d* iii   *e* iii   *f* ii   *g* i

p. 19   **1**   A train for everyone/A la carte menu/Constant improvements in comfort/Bringing people together/TGV which travels to south west France/Achieves results daily/Pushes back the frontiers of technology/The fastest train in the world/Travels at 300 kilometres per hour/Energy saving/Profitable/Paris Lyon in 2 hours.

Unit 2   Premiers contacts

p. 21   **1**   *a* ii   *b* i   *c* ii   *d* i   *e* i   *f* ii

p. 22   **2**   *a* rendez-vous avec/service des ventes/à quelle heure/dix heures quinze/A dix heures quinze/arrive/suis vraiment désolé/je vous en prie/vous voulez bien   *b* représente la société/rendez-vous/neuf heures et demie/pourrais garer ma voiture/derrière le bâtiment/« Visiteurs »/vous remercie.

3   Correct order: *d, c, e, h, k, g, i, b, f, j, a*

4   Allô! Je pourrais parler à Monsieur Mullon, s'il vous plaît?/Allô, (*name*) de la société (*company name*) à l'appareil. J'aurai quarante-cinq minutes de retard.

p. 23   **5**   Où est-ce que je pourrais garer ma voiture s'il vous plaît?/Je vous remercie. Je suis (*name*) de la société (*company name*) et j'ai rendez-vous avec Monsieur Mullon./Bien! Je vais garer ma voiture.

6   Bonjour, M. Mullon, je suis vraiment désolé(e) de vous avoir fait attendre./Oui, c'est à cause des travaux TGV./Je suis à l'hôtel des Flandres.

7   Je vous prie de m'excuser.

Equipe Standard Sandoz   cinq personnes/de huit heures à dix-huit heures trente/par roulement/une est plus spécialement affectée à la télécopie et au télex, une autre est bilingue/les entreprises prennent conscience de l'importance de l'accueil téléphonique.

p. 25   **1**   *a* vrai   *b* faux   *c* faux   *d* vrai   *e* vrai   *f* faux   *g* vrai   *h* vrai

p. 26   **2**   *a* Je vous présente Madame Depardieu de la société Valourec. *b* Madame Depardieu... Monsieur Leblanc, Monsieur Vatel... *c* Monsieur Vatel, mon bras droit qui m'est vraiment indispensable. *d* Ravi(e) de vous connaître/Enchanté(e). *e* A quel hôtel êtes-vous descendue? *f* Eh bien, on m'a conseillé l'hôtel des Flandres. *g* Vous resterez bien déjeuner avec nous? *h* Mais avec plaisir.

p. 27   **1**   *M. Mille:* 54 ans/ marié, deux enfants/cadre technique photo.

M. Goetgheluck: responsable groupe de produits/son nom veut dire « bonne chance » en français.

M. Sergheraert: 27 ans/de formation ingénieur arts et métiers.

M. Deleplanque: directeur produits de la branche packaging.

M. Blot: 50 ans/chef d'atelier, de mécanique.

M. Vion: responsable de gestion des services généraux/ça fait 20 ans qu'il travaille dans l'entreprise.

2 *a* directeur financier industriel/superviser la finance/sites industriels *b* directeur général de la division/gestion/quatre lignes de produits *c* l'adjoint du directeur des ressources humaines/environ 8.000 personnes/50 pour cent de son chiffre d'affaires.

p. 28 3 *a* directeur financier *b* informaticien *c* chef d'exportation *d* réceptionniste *e* directeur des ressources humaines *f* responsable de gestion.

p. 29 1 Je suis directeur des ressources humaines du groupe Renault, je suis marié(e), trois enfants, et j'ai 42 ans. Ça fait quinze ans que je suis dans l'entreprise.
2 Je m'appelle (*name*). J'ai (*age*) ans. Je suis (*job*). Je suis marié(e)/célibataire. J'ai (*number of children*) enfants. Je suis de formation (*kind of training*). Ça fait (*number of years*) ans que je suis dans l'entreprise.
3 Je vous présente Monsieur Pillon. Monsieur Pillon..., Monsieur Leblanc, mon assistant, et Mademoiselle Renard, notre directeur financier./Vous avez fait bon voyage, Monsieur Pillon?/Vous avez dû prendre un taxi pour venir jusqu'à chez nous?/Et à quel hôtel êtes-vous descendu?/C'est un bon choix. L'hôtel est tout près du centre-ville. Vous resterez bien déjeuner avec nous?

p. 30 [8] PHILIPPE DELEPLANQUE, BOLLORÉ TECH-NOLOGIES
Mme Relin Et en quoi consiste votre travail?
M. Deleplanque Mon travail consiste à assurer la... la gestion, ce qu'on appelle la gestion du portefeuille des produits. Mon rôle consiste essentiellement à proposer des axes de développement et définir le cahier des charges des produits, ensuite à contrôler le bon déroulement du programme de mise au point jusqu'au moment de la commercialisation...

1 *a* suggests product development and terms and conditions of sale. *b* up to marketing stage.
2 *a* la gestion du portefeuille des produits *b* proposer des axes de développement/le cahier des charges des produits *c* le bon déroulement du programme de mise au point/de la commercialisation.

[9] ROLAND MARCOIN, FCB
M. Marcoin Je suis donc responsable des fabrications depuis maintenant six mois. Mon travail consiste à faire en sorte que tous les produits qui sortent de nos ateliers soient réalisés en temps et en heures, conformément aux spécifications techniques, aux contrats signés avec nos clients et je m'assure qu'ils partent conformes aux prescriptions qui figurent dans les spécifications techniques, conformes à la qualité et aux désirs du client. Notre souci, c'est la satisfaction du client.
    Mon vœu secret, c'est de mettre cet atelier en surcharge continuelle, c'est à dire de faire en sorte que tout le monde ait toujours du travail et que l'on en ait tant que nous soyons obligés de faire appel à la sous-traitance et à des partenaires.

1 *a* six months *b* to ensure that products are completed on time in accordance with the technical and quality specifications of the customer *c* if they were overloaded with work.
2 *a* faux *b* faux *c* vrai *d* vrai *e* vrai
3 mettre cet atelier en surcharge continuelle.

[10] HENRI VION, FCB
Reporter Quel était votre poste, ici, au départ? Est-ce que vous avez toujours occupé ce poste?
M. Vion J'ai commencé ma carrière comme informaticien, et c'est à ce titre que je suis rentré dans l'entreprise et j'ai été informaticien jusqu'à 1989, date à laquelle il y a eu une restructuration de l'informatique. Il s'est avéré que le poste que j'occupais a été supprimé et j'ai fait une reconversion qui a consisté donc à reprendre ce contrôle de gestion au sein des services généraux.
Reporter Quelles sont vos aspirations professionnelles maintenant?
M. Vion J'ai près de 53 ans, donc je dirais que mes aspirations professionnelles sont un peu... on ne peut pas dire limitées, mais enfin je... ce que j'espère c'est de continuer à assumer ce que je fais jusque, disons... l'âge de la retraite.

1 *a* No, he started as a computer engineer. *b* He hopes to stay in his job until he retires.
2 *a* vrai *b* faux *c* vrai *d* vrai *e* vrai *f* faux

p. 31 1 Enchanté, madame/mademoiselle./Mon avion a eu du retard, alors j'ai pris un taxi jusqu'à l'hôtel, mais à cause des travaux TGV, je suis arrivé à l'hôtel avec beaucoup de retard et j'ai dû accepter une chambre avec douche./Qu'est-ce que c'est exactement, la Grande Braderie?/Avec plaisir.
2 Ça fait 15 ans. Je suis de formation ingénieur. J'ai commencé ma carrière comme informaticien./Le poste que j'occupais a été supprimé et j'ai fait une reconversion dans l'exportation./Mon vœu secret c'est d'être responsable du service export!/Je suis marié, j'ai deux enfants. Et vous?

[11] LA MÉTÉO
Une France partagée en deux pour demain. Il y aura du brouillard et des averses sur le nord, le ciel restera nuageux toute la journée. En revanche, une météo plus clémente au sud: après dissipation des brouillards matinaux, le soleil brillera toute la journée. Attention quand même aux fortes rafales de vent sur le sud-ouest. Côté températures, elles sont basses pour la saison. Prévoyez cinq degrés à Lille et Roubaix, huit à Paris, Rheims et Strasbourg, dix à Bordeaux et Biarritz. Enfin, une moyenne de 15 degrés sur le pourtour méditerranéen avec 14 à Nice et 15 degrés à Perpignan.

1 *a* des brouillards matinaux *b* le soleil brillera *c* aux fortes rafales de vent sur le sud-ouest *d* basses pour la saison.

p. 33 1 *vendredi:* du brouillard pour commencer, après la dissipation des nuages matinaux./le soleil brillera toute la journée. Il fera chaud. Temperature maximum 29°C. *samedi:* Des vents forts, temperatures plus basses, des pluies légères l'après-midi. Il fera froid le soir. *dimanche:* Le ciel restera nuageux toute la journée. Il y aura du brouillard et de fortes pluies. Il fera doux toute la journée. Temperature minimum 17°C.

2 une circulation, une spécialité, un développement, un distributeur, une qualité, un déroulement, un bâtiment, une exportation, un ingénieur, une gestion, une aspiration, une attribution.

3 *a* Ma *b* Son/ses *c* mon *d* ses

Unit 3   La Technologie

p. 34 **1** *a* Allô. C'est bien le quarante-huit, trente-six, quatre-vingt-douze, soixante et onze? *b* Je voudrais parler à Madame Laloy, s'il vous plaît. *c* Ne quittez pas, je vous la passe. *d* Madame Laloy à l'appareil.

p. 35 **1** *a ii b ii c ii*

p. 36 *a* Joseph Jiguedette *b* au sujet de notre entretien *c* rappelez-moi dès votre retour.

France Telecom *a* avant 8h ou après 19h30, du lundi au vendredi. *b* oui *c* 6,57 F par minute *d* en Amérique du Nord.

p. 37 **1** *a i b ii*
2 *a* renvoyer *b* "bip".

p. 38 **3** *a* C'est bien le quatre-vingt-trois, soixante-quinze, douze, quatre-vingt-dix-sept?/Excusez-moi. *b* C'est bien le quatre-vingt-trois, soixante-quinze, douze, quatre-vingt-dix-sept?/Excusez-moi, la ligne est mauvaise. Vous pouvez répéter, s'il vous plaît?/Je ne vous entends pas! Vous pouvez parler plus fort?/ Excusez-moi si j'ai crié, mais je ne vous entendais pas. Là je vous entends très bien maintenant. Je peux parler à Madame Lebon, s'il vous plaît? *c* C'est bien Madame Lebon? *d* Je voudrais parler à Madame Lebon, s'il vous plaît.   Madame Christine Lebon est partie?/Est-ce que vous pouvez me renvoyer au standard? *e* J'essaie de parler à Madame Lebon depuis vingt minutes. C'est urgent, très urgent!/Oui, okay. *f* Bonjour, c'est (*name*) à l'appareil. J'ai essayé de vous contacter chez vous, mais il n'y avait pas de réponse. C'est au sujet de notre réunion demain matin. C'est toujours à dix heures dans le bar de l'hôtel? Je suis à l'hôtel de Guise, téléphone quatre-vingt-trois, trente-deux, vingt-quatre, soixante-huit, chambre numéro sept. Est-ce que vous pouvez me laisser un message? Merci.

p. 39 **Que savez-vous déjà sur le Minitel?** *a i b ii c i d ii e i f i*

③ PRÉSENTATION
Le Minitel, c'est un terminal télé-informatique destiné au grand public qui permet de se connecter à un ordinateur par l'intermédiaire du réseau téléphonique. Ce service a été mis en place par France Telecom à partir de 1984 et il a été décidé d'équiper gratuitement l'ensemble des abonnés au téléphone français à la place de l'annuaire téléphonique papier.

④ SERVICES UTILISÉS
En 92 on compte six millions de foyers et d'entreprises qui sont équipés de Minitel et ce Minitel leur permet d'accéder à près de 12.000 services. Parmi les services les plus utilisés: l'annuaire électronique auquel on accède par le 11 et qui permet de trouver le numéro de téléphone de tous les abonnés de France. Vingt millions de numéros de téléphone sont répertoriés. Les services bancaires sont très utilisés, également, la presse télévisée ou presse écrite et puis les jeux.

p. 40 **1** *a* 3615 ENGREVE *b* 3615 FLORITEL *c* 3615 SEALINK *d* 3615 PARIS *e* 3614 CAPITALE *f* 3615 HORAV *g* 3615 SNCF *h* 3615 METEO *i* 3615 LE SPORT

2 *nom:* Fichot *rubrique:* docteur *localité:* Paris *département:* Ile de France *prénom:* Judith

p. 41 ⑤ EN SAVOIR PLUS SUR MINITEL
Différents Minitels ont été développés depuis la mise en place du service. Le plus commercialisé actuellement est le Minitel 2. Ce Minitel 2 dispose d'un répertoire de dix numéros qui permet d'accéder rapidement aux dix services les plus utilisés par son propriétaire. Il dispose également d'un verrouillage du clavier par mot de passe, qui donne une meilleure sécurité d'utilisation de Minitel. Il permet aussi l'utilisation en domotique. Ce Minitel est proposé à la location, uniquement la location, pour un tarif de 20 francs par mois.

1 *a* commercialisé *b* actuellement *c* les dix services les plus utilisés *d* le verrouillage du clavier *e* la location *f* un mot de passe *g* un répertoire de dix numéros *h* une meilleure sécurité *i* au tarif de *j* par mois.

p. 42 **1 La pub de Minitel 2** *Efficacité:* permet d'accéder à 12.000 services; *sécurité:* dispose d'un verrouillage de clavier par mot de passe; *simplicité d'utilisation:* dispose d'un répertoire de dix numéros qui permet d'accéder rapidement aux dix services les plus utilisés par son propriétaire.

2 *a* répondre, enregistrer, mémoriser, protéger, utiliser, employer, toucher, appeler, répertorier, informer, communiquer *b* un souhait, une consultation, un allumage, un décrochage, une composition, un pouvoir, une apparition, un appui, une interruption, une modification, une repétition.

p. 43 *a* mettez *b* décrochez *c* composez *d* appuyez *e* raccrochez *f* suivez *g* obtenir *h* mettre *i* oublier *j* composez.

p. 44 **1** *a* Il ne boit jamais avant le déjeuner. *b* Je n'utilise jamais ma voiture en ville. *c* Elle ne mange rien le matin. *d* Je ne gagne rien dans mon entreprise! *e* Je ne rêve jamais! *f* Il ne téléphone jamais à sa mère. *g* Je n'ai rien à déclarer. *h* Il n'a rien à faire.

2 astucieuse/français/simple/nombreuses/grande/automatique/impossible/parfait/portatif/disponible/supplémentaire/gratuit.

3 petit, simple, tel, bon, vrai, faux, chaque, joli, vieux, mauvais, tout, grand, autre, nombreux.

161

p. 45 **1** *a* gérer le quotidien/problèmes sociaux/relations sociales/de tous les accords *b* l'évolution des salariés **2** *a* généraux *b* originaux *c* internationales *d* internationaux *e* globales *f* globaux *g* nationales *h* régionaux.

p. 46 **1** Affirmations correctes: *a, c, d,* **2** *a* d'une part… d'autre part/et également *b* tout ce qui est *c* la négociation de tous les accords *d* assurer l'évolution des salariés *e* au sein de l'entreprise *f* entre guillemets *g* tout employé a le droit de poser une question *h* donner une réponse *i* dans les quinze jours.

DOMINIQUE ARRIGHI, SOCIÉTÉ FCB

M. Arrighi Dans notre société FCB nous étudions, nous fabriquons et nous vendons des usines clefs en main, ou des équipements pour un certain nombre d'industries. Alors le problème de l'informatique dans une société comme la nôtre, aussi bien dans le domaine de la gestion que dans le domaine scientifique ou technique, est de répondre très rapidement aux besoins de nos utilisateurs comme dans toute entreprise, mais également de nous adapter très rapidement aux évolutions de la technologie et de notre organisation sur nos divers marchés. Alors la politique de FCB en matière d'informatique se ramène à des choses très simples et le premier point est d'être exclusivement standard. Nous faisons de gros efforts pour n'employer que des systèmes, des machines, des logiciels de base, des applicatifs aussi standards que possible. C'est-à-dire que l'on rencontre très communément sur le marché.

Name of company: FCB. *Type of business:* manufacture and sale of turnkey plant. *Head of computing:* Dominique Arrighi. *Computer requirements:* *a* to be able to adapt to users' needs; *b* to be able to adapt to changes in technology as well as changes within the company. *Company policy on computers:* to use only standard equipment, systems, hardware and software.

Unit 4   Chambre de Commerce

p. 49 **1** *a* faux *b* vrai *c* faux *d* vrai *e* faux *f* faux *g* vrai *h* vrai.
2 dirigée/l'entreprise/conseil/gestion/hommes/marchés financements/ordres/prélevons/impôt/métropole de/à/ financements/disposons/facturation/prestations/conseil/ formation/facturons/prix/mandants.
3 heureusement, malheureusement, relativement, éventuellement, correctement, habituellement.

p. 51 **1** *a* ii *b* ii *c* i *d* ii *e* ii
2 *a* en dehors de *b* nous apportons un certain nombre de services *c* en particulier *d* tout ce qui touche l'export *e* c'est-à-dire *f* gagner du temps *g* il fallait attendre plusieurs semaines *h* mettre en place un centre *i* ouvrir une entreprise.

p. 52 **1** *a* contribuer à l'implantation sur la métropole de tout investissement *b* tous les moyens de promotion et de marketing à (leur) disposition *c* son positionnement géographique

et ses moyens de transport *d* son marché, sa main-d'œuvre, les grands projets d'infrastructures économiques et de services aux entreprises *e* la notion d'Eurométropole.
2 The APIM aims to attract potential investors, from France and abroad, to the area, to provide more employment and generally to boost the local economy. Gérard Thiriez sees the main advantages of the area as follows: geographic situation, workforce and several major projects, already in place, designed to improve the economic infrastructure and quality of service offered to businesses.

p. 53 **1** *Fonction:* faire connaître la métropole lilloise auprès des investisseurs français et étrangers, détecter des projets d'investissements, accueillir les investisseurs qui souhaitent s'implanter dans la région. *Financement:* par la Chambre de Commerce et d'Industrie de Lille, la Communauté Urbaine de Lille et la Chambre de Commerce d'Armentières. *Création:* 1985, structure originale à la métropole.

p. 54 **2** Ils ont toujours besoin d'avoir confiance en quelqu'un et d'avoir un interlocuteur.
3 *a* en particulier *b* un impôt *c* un investisseur *d* détecter *e* la création *f* plusieurs *g* la facturation *h* en dehors de *i* s'implanter *j* mettre en rapport avec.
4 *a* investir *b* entreprendre *c* implanter *d* employer *e* économiser *f* disposer *g* consommer *h* rayonner *i* argumenter.
5 *a* usine, salaire, mandant, services… *b* joueur, jouer, jeu, l'avantage, sport… *c* financements, économie, Eurotunnel, position géographique, Métropole…

p. 55 **1** **Lille aujourd'hui:** population, industrie textile, importance régionale, ville universitaire, art et architecture, sport **Lille demain:** les services tertiaires, transport, Métropole, Euralille, modernisation, économie, centre de communications, importance commerciale.

p. 56 **2** *a* une ville jeune et dynamique/capitale régionale/ premier pôle d'emplois/grande ville universitaire/s'est intégrée dans une communauté urbaine/développement des fonctions bancaires, administratives et commerciales/sa vocation de Ville de Congrès/Ville d'Art et d'Histoire/au contact de deux cultures française et flamande/deux axes nouveaux de transport/va apporter à Lille des flux importants/une dimension réellement européenne/point de jonction des différentes liaisons ferroviaires/création d'un important Centre International d'Affaires *b* cité puissante/tertiarisation accentuée/de nombreuses manifestations commerciales/salons spécialisés de renommée internationale/patrimoine architectural et artistique/la mise en place de…/point de transit du futur lien fixe transmanche/une étape décisive/prête à aborder le XIXe siècle
3 Ville jeune et dynamique/Communauté urbaine/ Tertiarisation accentuée/Manifestations commerciales/Ville de Congrès/Ville d'Art et d'Histoire/Deux axes nouveaux de transport/Point de transit/Centre International d'Affaires.
4 Lille est une ville jeune et dynamique, avec plus d'un million

d'habitants. Elle a connu une tertiarisation accentuée, avec le développement des fonctions bancaires, administratives et commerciales. C'est aussi une ville d'art et d'histoire. Point de transit, pour demain, il y a le tunnel sous la Manche et le TGV-Nord. Il a été décidé aussi la création d'un important Centre International d'Affaires.

Que savez-vous sur la Belgique?
Correct: *a, b, c, e, f, i, j, k, n, o*

p. 58 🔊 UN CHEF D'ENTREPRISE BELGE S'INSTALLE DANS LE NORD-PAS DE CALAIS
Mme Relin Alors, Monsieur Druard, pourquoi est-ce qu'un chef d'entreprise belge est venu s'installer dans le Nord-Pas de Calais?
M. Druard Je crois qu'il y a un problème belge et un problème européen. Je crois que le problème... le problème belge c'est le fait que dans le nord, la langue est différente et donc ça devient très difficile, quand il y a des cahiers de charge en néerlandais, de les traduire correctement et de bien comprendre donc le sens... et c'est un problème européen, parce que comme la frontière en dix-neuf-cent-nonante-trois (1993), comme on dit en Belgique, va être supprimée, nous avons là un marché dans le sud qui est un très grand marché, et qui est en même temps un marché en langue française. Donc pour nous, c'est fort facile.

🔊 « L'APIM M'A OUVERT TOUTES LES PORTES »
Mme Relin Racontez-moi un peu les premières étapes, lorsque vous avez décidé de vous implanter en France.
M. Druard Oui... On avait décidé, donc, en fonction de deux critères que je vous disais, on avait décidé de s'installer en France, et donc j'ai été me promener à la Chambre de Commerce et d'Industrie ici à Lille. J'ai assisté à une conférence qui était d'ailleurs sans intérêt pour moi, mais j'ai donc pris des prospectus en sortant, où je... j'ai remarqué qu'il y avait donc l'Association pour la Promotion Industrielle de la Métropole, l'APIM. Et j'ai pris le téléphone, j'ai rencontré Monsieur Lalin et qui a vraiment été... il m'a vraiment pris par la main, il m'a vraiment été très utile, en ce sens qu'on prenait rendez-vous dans un parking au centre de Lille, et de là il me conduisait, ou soit au conseil juridique, soit à la banque, soit à la Chambre de Commerce et d'Industrie. Enfin, il m'a ouvert toutes les portes. Le SIAR également pour l'achat des terrains. Il m'a montré les possibilités d'achats de terrains, etc. Et donc, je crois qu'il a été d'une très grande utilité. Il m'a fait gagner des mois et des mois, parce que c'est pas si simple quand vous rentrez dans une ville et vous vous dites: « Bon, je veux installer une filiale, mais où? Dans quel bâtiment? Avec quoi? » Et je crois que là je dois lui rendre hommage.
1 ... dans le nord, la langue est différente et donc ça devient très difficile, quand il y a des cahiers de charge en néerlandais, de les traduire correctement et de bien comprendre le sens. La frontière belge va être supprimée en 1993: ils ont un très grand marché dans le sud qui est en même temps un marché en langue française.
2 *c, g, b, e, a, f, d*

3 *a* belge *b* belge *c* belge *d* belge *e* française *f* belge *g* belge *h* français *i* belge *j* belge *k* français *l* belges.

p. 59 **1** *a* J'ai lu que Lille est une ville jeune et dynamique. *b* On m'a dit que Lille sera bientôt une grande ville européenne. *c* On m'a expliqué que Lille a été conquise par les Hollandais. *d* Vous avez dit que Bruxelles est bilingue.
2 *a* Je voudrais plus d'explications/de précisions à ce sujet. *b* C'est vrai que Lille sera bientôt une grande ville européenne? *c* Quand est-ce qu'elle est devenue définitivement française? *d* Qu'est-ce que cela veut dire exactement?

p. 60 **3** *a, d*

p. 61 **1** dépensait/consacrions/lisait/mangeait/ nourrissaient/avait/vivaient/était/coûtait/il y avait/étaient/ avaient/résistaient/réchappaient/était/étaient.
2 *a* qui *b* qui *c* qui *d* ce qui *e* que (qu'ils...) *f* qui *g* qui *h* ce que *i* que *j* Ce que

Unit 5   Loisirs

p. 63 **1** *a ii b i*

p. 64 **1** *a* Qu'est-ce que tu prends, toi? *b* Tu peux me recommander quelque chose? *c* Est-ce qu'il y a quelque chose que tu as déjà pris, qui est bon? *d* Le plus simple c'est la truite (au bleu).
2 *a* deux personnes *b* dans un restaurant *c* une salade de chèvre chaud *d* la truite (au bleu) *e* une truite à l'eau/à la vapeur.

p. 65 **1** Bonjour, madame. Vous pouvez me donner le menu, s'il vous plaît?/Vous pouvez me recommander quelque chose?/Qu'est-ce que c'est?/Vous avez autre chose?/Je vais prendre ça. Qu'est-ce que vous avez comme viandes?/Que recommandez-vous? Qu'est-ce qu'il y a de particulièrement bon aujourd'hui?/Okay, je vais prendre l'entrecôte grillée avec des frites et des haricots verts./Je vais prendre le vin de maison./Une demie./Merci.
2 *a* x *b* √ *c* x *d* √ *e* x *f* √ *g* √ *h* √

p. 67 **1** *a* Monsieur Guichard *b* Monsieur Guichard *c* Monsieur Guichard *d* Monsieur et Madame Fontaine *e* Madame Guichard *f* Madame Fontaine *g* Monsieur et Madame Guichard *h* Monsieur et Madame Fontaine *i* Monsieur et Madame Guichard *j* Monsieur et Madame Guichard.
2 *a* un steak au poivre *b* absolument pas *c* en entrée *d* c'était parfait *e* ça me rappelle *f* l'été dernier *g* en vacances *h* tu te souviens? *i* vue sur la mer *j* n'hésitez pas *k* si vous avez l'occasion *l* en Amérique Centrale *m* ça doit être passionnant *n* les gens sont très accueillants
3 *a* un melon au porto *b* certainement pas *c* en dessert *d* c'était excellent *e* elle me rappelle *f* l'hiver dernier

g des vacances à l'étranger   *h* vous vous souvenez?/tu te souviens?   *i* en plat du jour   *j* n'appelez pas/n'appelle pas   *k* si vous avez le temps/si tu as le temps   *l* en Amérique Latine/Afrique Centrale   *m* ça doit être parfait   *n* les gens sont vraiment très intéressants.

p.68   1 *b* la piscine/ça lui fait oublier un petit peu son travail, beaucoup de choses, ça l'exerce   *c* la lecture et la marche   *d* ne rien faire   *e* la lecture et la musique/s'identifie aux divers personnages et peut vivre à travers eux différentes expériences, un moyen d'évasion   *f* l'équitation/dix ans/ça lui procure beaucoup d'évasion, il retrouve un contact avec la nature et l'animal   *g* le vélo/tous les dimanches matins/s'en aller en dehors de la ville, seul, solitaire.
2 *a* photographe   *b* nager, nageur/-euse   *c* lire, lecteur/-trice   *d* marcher, marcheur/-euse   *e* jouer de la musique, musicien/-ienne   *f* faire de l'équitation, cavalier/-ière   *g* faire du cyclisme, cycliste.

p.70 *a* à Lyon/voir les amis et la famille   *b* en Espagne/15 jours/prendre du bon temps   *c* travaille/tout le temps   *d* en vacances, puis travailler chez un opticien/le mois d'août/pour financer ses études   *e* travailler/deux mois/pour un départ au Népal pour étudier les plantes hallucinogènes   *f* travailler (faire une colonie)/en Vendée/pour gagner du fric.
1 au Népal, en Argentine, au Pérou, en Espagne, aux Pays-Bas, en Corse, au Maroc, en Afrique du Sud, au Nigéria, aux Iles Comores, en Guadeloupe, en Martinique, en Pologne, au Mexique, au Kenya, au Sri-Lanka, au Canada, en Nouvelle-Zélande, au Thibet, en Norvège.
2 *a* en Angleterre   *b* en Suède   *c* en Italie   *d* en Arménie   *e* en Belgique   *f* en Espagne   *g* au Mali   *h* aux Etats-Unis   *i* en Suisse   *j* au Brésil   *k* au Japon   *l* au Viêt-Nam.

p.71   3 *a* hollandais   *b* en/belge   *c* en/espagnol   *d* en/allemande   *e* aux/américain   *f* en/est chinois   *g* en Grèce/est grec   *h* née en France. Elle est française   *i* née en Italie. Elle est italienne   *j* née en Angleterre. Elle est anglaise.
4 Ah oui, c'était excellent!/Non. C'était la première fois, et c'était vraiment parfait. Vous avez déjà mangé du rosbif avec du Yorkshire pudding?/J'espère bien que vous viendrez manger chez nous à Leeds pour un goûter./Superbe... fantastique! Moi-même, j'ai ramené beaucoup de photos de mon dernier voyage au Canada./De temps en temps. D'habitude nous partons en vacances en Espagne, ou nous venons en France./D'habitude en Provence. Nous avons beaucoup d'amis là-bas. Où est-ce que vous partez d'habitude en vacances?/Vous avez une maison là-bas?/C'est loin de Saint-Tropez?/J'ai lu beaucoup à ce sujet.

p.73   1   Le Boom *a* un excellent rapport qualité-prix/une bonne image/les Français préfèrent partir dans l'Hexagone.
b Allemands/Britanniques/8 mille séjours   *c* ii
2 *a* ii   *b* ii   *c* i   *d* ii   *e* ii   *f* iii

Quiz *a* la Lorraine   *b* la Bretagne   *c* la Côte d'Azur   *d* la Provence   *e* le Pays basque   *f* la Dordogne   *g* la Bourgogne   *h* L'Alsace.

p.74 QUEL NUMÉRO FAUT-IL FAIRE?
Mme Leclerc   Allô! Est-ce que vous pouvez m'expliquer comment on fait pour appeler à l'extérieur, s'il vous plaît?
Réceptionniste   Oui, madame, c'est très simple. Vous faites simplement le zéro pour sortir et puis vous composez votre numéro.
Mme Leclerc   Ah bon! Donc, simplement le zéro.
Réceptionniste   Oui, c'est ça.
Mme Leclerc   Très bien, je vous remercie.
Réceptionniste   Je vous en prie.

Quel numéro faut-il faire? Le zéro.

RENDEZ-VOUS AU BAR DE L'HÔTEL
Patrick   Allô Victor, c'est Patrick. ... Ah oui, je vais bien, merci. Dis, je te téléphone pour savoir si on peut se voir au bar de l'hôtel de la Vieille Bourse, à 21 heures disons, ça te va? ... Bon. Eh bien, d'accord. ... A tout à l'heure.

A quelle heure? A 21 heures.

p.75   Image Sandoz   1   Quel est votre avis?
2 Il a une triple fonction: vecteur de l'image de Sandoz à l'extérieur, catalyseur de contacts internes et externes, pôle de liaison interne.
3 D'être informé le mieux possible sur le fonctionnement, les structures, les fonctions, les produits et les collaborateurs de Sandoz.

1 *a* Est-ce qu'il y a un supplément pour les bagages?   *b* Vous avez autre chose en viandes?   *c* Vous avez toujours occupé ce poste?   *d* Avez-vous compris?   *e* Comment ça marche?   *f* Comment êtes-vous financés?   *g* Comment diriez-vous en français?   *h* Combien je vous donne/dois?   *i* Pourquoi est-ce qu'un chef d'entreprise belge est venu s'installer dans le Nord-Pas de Calais?   *j* Quelle heure est-il?   *k* Quelle est la fonction de l'APIM?   *l* Quelles sont vos aspirations professionnelles?   *m* A quel hôtel êtes-vous descendu(e)?   *n* A quelle heure est le petit déjeuner?
2 *a* Vous avez/Avez-vous fait bon voyage?   *b* A quel hôtel êtes-vous descendu(e)?   *c* Vous avez/Avez-vous déjà visité Londres?   *d* Vous aimez/Aimez-vous Londres?   *e* Qu'est-ce que vous prenez pour commencer?   *f* Vous prenez une viande?   *g* Qu'est-ce que vous prenez comme légumes?   *h* Vous prenez/Prenez-vous un dessert?   *i* Depuis combien de temps travaillez-vous chez Laclos Technologies?   *j* Vous avez/Avez-vous toujours occupé ce poste?   *k* Quelles sont vos aspirations professionnelles?   *l* En quoi consiste votre travail aujourd'hui?   *m* Vous êtes responsable d'une équipe?   *n* Vous connaissez/Connaissez-vous la Guinness?   *o* Vous voulez/Voulez-vous l'essayer?   *p* Vous aimez?   *q* Vous aimez/Aimez-vous la bière (brune)?

p. 76 **3** *a* Votre cliente a téléphoné pour dire qu'elle aura du retard parce que l'avion a une heure de retard. *b* Vous resterez bien déjeuner avec nous? *c* Il fera du soleil toute la journée aujourd'hui, mais il y a aura de fortes averses demain matin. *d* Vos produits arriveront à temps demain dans l'après-midi conformément aux spécification techniques et conformes à vos désirs. *e* J'ai appelé un taxi qui arrivera dans quinze minutes. *f* D'habitude je vais à Bordeaux en août, mais cette année j'irai peut-être à Lausanne pour voir des amis. *g* Qu'est-ce que vous me recommandez, qu'est-ce que vous avez de particulièrement bon? *h* Je te conseille un Beaujolais Nouveau avec ton steak.

4 *a* Hier, je suis allé(e) à Lille. *b* J'ai pris le train à dix heures quinze. *c* Je suis arrivé(e) à Lille à douze heures trente-huit. *d* J'ai trouvé la place Charles de Gaulle, sans problème. *e* J'ai pris une bière/un café. *f* Puis, je suis allé(e) au musée d'art moderne. *g* Je suis resté(e) deux heures dans le musée. *h* Ensuite, j'ai acheté une carte postale *i* A vingt heures, je suis allé(e) au restaurant. J'ai perdu mon porte-monnaie, donc je n'avais plus d'argent. Le restaurant n'acceptait pas les cartes de crédit: ils ont téléphoné ... et la police est arrivée!

p. 77 **5** *a* Achetez *b* Recevez/Profitez *c* Composez
6 le temps, toute la journée; tous les hommes, toutes les femmes
7 *a* Quoi, toutes les usines? *b* Quoi, tous les Français? *c* Quoi, tous les Bruxellois? *d* Quoi, toute l'Ecosse? *e* Quoi, toute la ville? *f* Quoi, tout le fleuve? *g* Quoi, toute la direction? *h* Quoi, toutes les femmes? *i* Quoi, tout le vin? *j* Quoi, toute la nuit?

Unit 6   La Banque et l'entreprise

p. 78 **1** *a* vrai *b* faux *c* faux *d* faux *e* vrai *f* faux

p. 79 **2** Bonjour, madame. Je voudrais changer 100 livres sterling./Le cours est à combien aujourd'hui?/Vous voulez/pouvez répéter, s'il vous plaît? Je n'ai pas bien entendu la commission./D'accord./Oui, plutôt des petites coupures.

p. 80 **1** *a i* une quittance EDF *ii* un contrat de travail ou trois fiches de salaire *iii* un passeport ou un permis de conduire *b* domicilier vos salaires chez nous *c* dans un délai de trois mois *d* tout de suite – au premier virement de salaire.
2 Je voudrais ouvrir un compte au Crédit Agricole./Le voilà./La voilà./Les voilà./(*name/date of birth/address*)/Je vais pouvoir avoir un chéquier et une Carte Bleue?/Bien, merci. Au revoir!

p. 81 **3** *a* il vous la remettra *b* elle vous la remettra *c* je vous la remettrai *d* ils vous la remettront.

p. 82 **1** *a ii* *b i* *c ii* *d ii* *e i* *f i*
2 un petit problème/a été avalée/autre agence/vais/pouvez être à même/ce jour/pièce d'identité/vous la donne/vous présenter/la récupérer/remercie.

p. 83 **1** *a* J'ai un petit problème: mon argent a été avalé, mais le téléphone ne marche pas. Vous pouvez m'aider? *b* J'ai un petit problème: je voudrais téléphoner à la compagnie de ferry, mais je ne trouve pas le numéro. Pouvez-vous m'aider? *c* J'ai un petit problème: je ne trouve plus ma voiture. Qu'est-ce que je dois faire? *d* J'ai un petit problème: j'ai perdu mon argent et tous mes papiers. Je voudrais rentrer à mon hôtel. Je ne sais pas quoi faire.

Téléservice BNP **2** *a ii* *b i* *c ii* *d i*

p. 84 **3** *a* p.17 *b* p.13 *c* p.9 *d* p.7 *e* p.11 *f* p.21

p. 85 *a* peu près à 50 000 francs *b* court terme *c* 15 000 francs *d* à tout moment *e* au jour le jour *f* absolument pas *g* 8,5 à 9 (pour cent) *h* de mieux actuellement.

p. 86 **1** *a* de bâtiments *b* une vingtaine de salariés *c* types de services, types de prêts offre la banque *d* des bétonneuses *e* financer l'intégralité sous forme de crédit-bail *f* mettre en place un crédit spécifique sur cinq à sept ans *g* assez voisins.
2 Bonjour, (*name*). Je suis patron(ne) d'une petite entreprise. On a une trentaine de salariés. Je voudrais savoir quels types de prêts vous me proposeriez éventuellement./Je voudrais investir dans les ordinateurs./Quelle est la différence entre les deux? /Le taux d'intérêt est moins élevé si je mets une partie de trésorerie?/Le crédit-bail est sur combien d'années? /Merci beaucoup.

p. 87   LES FORMALITÉS DE PRÊTS
M. Delay Alors, si je décide de l'option crédit-bail, comment ça va se passer? Il va falloir que je remplisse un dossier?
Directeur Les dossiers sont très simples. A partir du moment où vous avez choisi votre matériel, c'est tout simplement la société de crédit-bail qui achète ce matériel à votre place et qui en est, donc, propriétaire. Vous remboursez des loyers pendant une durée que nous déterminerons ensemble, qui pourra aller jusqu'à quatre où cinq ans, et à l'issu de cette période de remboursement, vous avez une option: soit vous achetez le matériel à sa valeur résiduelle, soit vous laissez ce matériel à la société de crédit-bail et vous refaites un nouvel investissement, par exemple, pour du matériel plus performant, plus récent.
M. Delay D'accord. Donc si je décide, par exemple, dès demain d'avoir recours à la formule crédit-bail, je... vous pensez que je vais disposer de mon matériel dans combien de temps?
Directeur Le crédit-bail est un dossier qui se met en place, disons, sous une quinzaine de jours.

a The leasing company buys the equipment and retains ownership until reimbursed over an agreed period of time (up to four or five years) *b* At the end of that repayment period, you can either buy the material at its residual value, or leave it with the leasing company and re-invest, upgrading to higher performance, or more up-to-date material *c* Two weeks.

a un investissement   *b* c'est tout simplement   *c* vous avez une option   *d* les taux d'intérêt   *e* à votre place   *f* rembourser   *g* à l'issu de cette période   *h* soit... soit   *i* plus performant   *j* qui se met en place   *k* sous une quinzaine de jours.

CULTURE D'ENTREPRISE

Mme Relin   Est-ce que vous avez l'impression que chez Bolloré il y a une culture d'entreprise propre du groupe Bolloré?

M. Pinart   La culture d'entreprise du groupe est, je dirais, «imposée» entre guillemets, par la personnalité de notre patron. Je crois que la culture d'entreprise, c'est... c'est... c'est un mot à... à... à la fois global et imprécis, je dirais que de voir Vincent, la manière dont il travaille, les collaborateurs qu'il se prend autour de lui, sont la culture de entreprise. Okay?

Mme Relin   Comment est-ce que vous le... le décririez?

M. Pinart   «Vite et bien.»

Mme Relin   C'est à dire?

M. Pinart   Ben, c'est à dire que je crois que chez Bolloré l'inertie n'est pas un mot qui existe. On décide vite, ou plutôt on prépare bien, et quand le dossier est bien préparé, on décide très vite.

a la personnalité du patron   *b* global et imprécis   *c* la manière dont le patron travaille et les collaborateurs qu'il se prend autour de lui   *d* l'inertie   *e* «vite et bien».

a vrai   *b* faux   *c* vrai   *d* faux   *e* vrai   *f* faux   *g* vrai   *h* faux

p. 90   **1**   *a* Je vais appeler la police.   *b* Elle va rentrer à Londres.   *c* Je vais changer de l'argent.   *d* Tu vas prendre le TGV.   *e* Nous allons visiter les châteaux de la Loire.   *f* Vous allez prendre la Carte Bleue?   *g* Tu vas aller au cinéma ce soir?

2   des/des/du/de la/des/des/du/du/de l'/du/de la/du/du

p. 91   **3**   *a* Je pourrais ouvrir la fenêtre, s'il vous plaît?   *b* Tu aimerais voyager aux Etats-Unis?   *c* Quels types de prêts me proposeriez-vous?   *d* Quel vin me recommanderiez-vous pour accompagner le steak?   *e* Comment diriez-vous «vite» en allemand?   *f* Je préférerais décider plus tard.   *g* Que ferais-tu à ma place?

4   *a* cet   *b* cette   *c* cette   *d* cette   *e* ce   *f* cet   *g* cette

Unit 7   Travail

p. 93   **1**   *a* vrai   *b* faux   *c* vrai   *d* faux   *e* vrai   *f* vrai   *g* faux   *h* vrai   *i* faux

2   *a* ordre du jour/procès-verbal/séance/addressiez/en charge de/commencer/voulez/capital   *b* représentant du personnel/élections/réunion   *c* collègues/cadres/maîtrises/employés/convocation/représentants marins

p. 94   **1**   *a* *i* de communiquer   *ii* c'est une certaine vue de l'avenir chez Bolloré   *b* prendre des décisions   *c* le premier objectif... c'est de communiquer, communiquer à l'intérieur du service, communiquer entre les services d'une entreprise du groupe, communiquer entre les différentes entreprises du groupe, c'est la première chose, communiquer   *d* la communication/communiquer.

p. 95   **2**   *a* détendue   *b* l'anglo-saxonne   *c* personnelle   *d* prendre des décisions avec un accord de tous.

p. 96   *a* circule très, très bien   *b* en haut qu'à la base   *c* très, très grande motivation   *d* rattachement commun de tous les gens du groupe; (c'est) Vincent Bolloré   *e* charisme naturel.

p. 97   responsables/informés/entreprise/an/personnel/message/80 pour cent/spontanément/impliqués/vie/événement/porte/apprécié.

p. 98   **En savoir plus sur FCB**   **1**   FCB a organisé/cette journée était honorée/elle a permis de découvrir/des photographies ont permis/quelques photos anciennes ont témoigné du passé.

2   Cela a progressé vite et bien. Le procès-verbal a été accepté sans correction./Ce n'était pas trop long. Il y avait une longue discussion sur la fusion qui a eu lieu la semaine dernière./Le représentant des syndicats a signalé les nouvelles élections et a donné les noms des gens qui se trouvaient présents à la réunion./Elle était très détendue, tout le monde se connaissait./Qu'est-ce que vous voulez dire? (Que voulez-vous dire?)/Je suis d'accord mais à mon avis, c'est aussi avoir une certaine vue de l'avenir./Je dirais aussi que prendre des décisions c'est également avoir une certaine vue de l'avenir.

p. 99   **1**   Le PDG de Bolloré Technologies a plus/moins de charisme que le PDG de FCB.   Le personnel de Bolloré Technologies se sent plus/aussi/moins motivé/informé/impliqué que le personnel de FCB.   L'information chez Bolloré Technologies circule aussi/plus/moins vite qu'à FCB.   La communication interne à FCB est aussi/moins/plus ouverte/importante que chez Bolloré Technologies.   Les relations cadres-employés sont plus/aussi/moins bonnes/heureuses chez Bolloré qu'à FCB.   La marche de l'entreprise est aussi bonne/performante à FCB que chez Bolloré Technologies.

2   réaliser, un(e) réalisateur(-trice)/entreprendre, un entrepreneur/une destination, un(e) destinataire/un emploi, un(e) employeur/(-euse)/une livraison, un livreur/décider, une décision/la fourniture, le fournisseur/visiter, un(e) visiteur(-euse)/construire, un constructeur, une constructrice.

3   *a* employeurs   *b* livraison/livreurs   *c* décideurs/décision   *d* fournisseurs   *e* visiteurs/visite   *f* construite/construction   *g* entrepreneurs   *h* destinataire/destination.

p. 100   LES QUATRE MISSIONS DE LA CHAMBRE

Reporter   Vous pouvez nous expliquer quels sont le rôle et les services d'une chambre de commerce et plus particulièrement la Chambre de Commerce du Nord-Pas de Calais?

Porteparole   Bon, alors il faut savoir qu'une chambre de commerce et d'industrie est constituée par un certain nombre d'élus qu'on appelle les élus consulaires. Elus donc du commerce, de l'industrie et des services et leur mission est de valoriser le territoire local pour lequel ils sont... ils sont élus.

Je dirais que, il y a quatre missions principales. La première est une mission de représentation, donc des... des forces économiques locales, auprès des pouvoirs politiques et administratifs. La seconde mission est une mission de... de service aux entreprises. C'est d'accompagner l'entreprise, qu'elle soit commerce, industrie ou prestateur de services, depuis sa naissance et tout au long de... du parcours, de son parcours, et tout au long de son développement.

Une autre mission de la Chambre de Commerce est d'am... est une mission d'aménageurs. Ce qui explique à titre d'exemple que la Chambre de Lille-Roubaix-Tourcoing soit gestionnaire de l'aéroport de Lille-Roubaix-Tourcoing, de Lille-Lesquin, donc, des magasins généraux. Le port de Calais, par exemple, est géré par la Chambre de Commerce, ainsi que celui de Boulogne.

Et puis enfin, une quatrième mission qui est une mission de formation. Il faut savoir que dans la région du Nord-Pas de Calais, cinquante mille stagiaires, cinquante mille personnes sont formées dans les centres de formation, donc des Chambres de Commerce et d'Industrie. Il y a dans le Nord-Pas de Calais 13 Chambres de Commerce et d'Industrie: sept dans le Nord, six dans le Pas de Calais et ces 13 Chambres sont fédérées par une Chambre dite régionale - la Chambre régionale de Commerce et d'Industrie.

1 *a* mission de représentation *b* mission de service aux entreprises *c* est une mission d'aménageurs *d* est une mission de formation.

2 *a* la mission de formation *b* la mission de service aux entreprises *c* la mission de représentation *d* la mission de service aux entreprises *e* la mission d'aménageurs *f* la mission de représentation *g* la mission de service aux entreprises.

p. 101 **1** *b* s'habiller *c* se dépêcher *d* s'engager *e* se demander *f* s'identifier *g* s'excuser.

2 *a* me suis réveillé(e) *b* me suis habillé(e) *c* me suis dépêché *d* se connaît *e* m'identifie.

3 le document, le financement, le tourisme, le récepteur, le conducteur, le développement, le déroulement, le distributeur, le paysage, l'investisseur (*m*), la tonalité, l'investissement (*m*), le socialisme, le paiement, l'événement (*m*), l'utilisateur (*m*) la décision, l'ordinateur (*m*), la motivation, la technologie, l'hommage (*m*), le fournisseur, le collaborateur, l'économie (*f*), l'empêchement (*m*), la réunion, l'action (*f*), l'industrie (*f*), le cyclisme, la formation, le vendeur, le verrouillage, le rattachement, le charisme, l'employeur (*m*), le constructeur, la facture, la capacité, le visiteur, le bagage, l'idéologie (*f*) la station, la sécurité, la prestation, le bâtiment, la liberté, la formalité.

p. 103 Established in 1815, the company is the region's leading privately-owned business, France's 35th exporter, and world leader in its sector. Its factories are based at Arques, with two outlets in Spain and the USA. Hand-made up until 1932, ten different ranges of glassware are now available.

Unit 8 La Distribution

p. 107 **1** *a* boulangerie traditionnelle/dans les environs 1900/boulangerie-pâtisserie-confiserie-glaces/personnes âgées, jeunes, moins jeunes/le chiffre d'affaires et de ventes diminués *b* boucher-charcutier-traiteur/35 ans/le filet américain maison, le jambon au porto, divers jambons de pays/personnes âgées/les marges bénéficiaires.

2 le pâtissier, la boucherie, la bouchère, le charcutier, la charcutière.

3 OÙ FAITES-VOUS VOS COURSES?

Reporter Je voudrais savoir si vous faites plutôt vos courses dans les petits magasins du quartier ou plutôt dans les grandes surfaces ou au marché.

Voix 1 Plutôt dans les grandes surfaces mais quand même pour le complément dans les magasins du quartier.

Voix 2 Je vais plutôt en grande surface parce que c'est moins cher...

Voix 3 Dans les petits magasins du quartier tous les jours et une fois tous les quinze jours dans les grandes surfaces.

Voix 4 Les tout petits magasins... parce que j'y trouve un accueil personnalisé.

Voix 5 Les deux, les deux, les deux, les deux, les deux. Ma femme fait les grandes surfaces et moi, quand il manque quelque chose, je vais dans les petits magasins.

Reporter Et pour quelle raison vous allez plutôt dans les petits magasins, alors?

Voix 5 Parce que c'est à proximité. Et puis, c'est plus sympathique.

Voix 6 Généralement plutôt ici, dans le quartier.

Reporter Pour quelle raison?

Voix 6 Parce que j'aime...je trouve que ça vaut le coup d'encourager le petit commerce...

Reporter Est-ce qu'il n'y a pas une différence de prix?

Voix 6 Si, c'est légèrement plus cher, mais maintenant que je travaille, je me dis que ça vaut le coup...de de payer un petit peu plus pour maintenir ça.

p. 108 **1** *Voix 1:* grandes surfaces et magasins du quartier. *Voix 2:* grandes surfaces/c'est moins cher. *Voix 3:* magasins du quartier et grandes surfaces. *Voix 4:* petits magasins/il y trouve un accueil personnalisé. *Voix 5:* grandes surfaces et petits magasins/c'est à proximité, plus sympathique. *Voix 6:* dans le quartier/pour encourager le petit commerce.

2 *a* un accueil personnalisé *b* plutôt *c* c'est moins cher *d* les deux *e* quand il manque quelque chose *f* c'est à proximité *g* généralement *h* ça vaut le coup *i* encourager *j* un petit peu plus.

1 *a* toutes les semaines/tous les mois/tous les ans *b* une fois par semaine/par mois/par an *c* une fois tous les deux mois/ans *d* pendant des semaines/mois *e* la semaine prochaine/le mois prochain *f* dans les deux semaines suivantes/les deux années suivantes *or:* dans les deux semaines qui

viennent/les deux années qui viennent, **g** depuis plus de 50/60/70 ans.
2 *a* aujourd'hui/demain *b* la semaine dernière/la semaine prochaine *c* ce mois (-ci)/le mois prochain *d* l'année dernière/cette année.

p.110 **1** *a* vrai *b* vrai *c* vrai *d* vrai *e* faux *f* faux *g* faux *h* vrai.
2 *a* communes, ancien, jeunes, économique, locales. *b* premiers, précis, bon, divers, correcte, satisfaisante, difficile.

p.111 **1** *a* faire le point de leurs actions communes *b* décisions *c* se reserrer et à secréter de nouvelles directives *d* un politicien *e* distribution *f* d'ouvrir une autre voie *g* l'idéologie *h* gagner peu (mais c'est toujours tenir l'économie en main) *i* plus de 40 ans *j* dans les deux mois qui viennent une réussite totale et aussi des structures plus solides, plus fermes.

p.112 **2** *Origins of the movement:* first shop opened in one of the rooms in his house in Brittany. *The first centre:* opened in Paris in 1959. *The historical «coup de pouce»:* the Fontanet circular of 1960. *The fight against privileges:* books, textiles, off-the-peg clothes, perfumes, drugstores. *Leclerc today:* 591 centres Leclerc, made up of 240 supermarkets, 291 hypermarkets and 60 specialist shops. *Conclusion:* single-minded commitment to a specific business strategy that has proved successful.
a faux *b* faux *c* faux *d* faux *e* faux

p.113 **1** *a* faux *b* vrai *c* faux *d* faux *e* faux *f* faux *g* vrai *h* vrai *i* vrai

p.114 **2** *a* Je vais plutôt en grande surface parce que c'est moins cher. *b* Ma femme fait les grandes surfaces et moi, quand il manque quelque chose, je vais dans les petits magasins. *c* Parce que c'est à proximité et puis, c'est plus sympathique. *d* Parce que je trouve que ça vaut le coup d'encourager le petit commerce.

3 Quelles sont vos réponses?

UNE SOCIÉTÉ À CENT POUR CENT PRIVÉ
M. Paillen Philippe Paillen, directeur des ventes d'Heppner dans le nord de la France, dans la filiale TRN à Lille.
Reporter Alors, est-ce que vous pouvez, tout d'abord, nous... nous présenter un petit peu le groupe Heppner?
M. Payen Alors, le groupe Heppner est un groupe français, à cent pour cent privé puisque le capital est détenu par la seule famille Schmidt. L'origine de la société remonte aux années 1920 avec une création d'une agence à Strasbourg et une agence à Kehl où on fait des échanges entre la France et l'Allemagne, et au fil des années, la société s'est aggrandie des deux côtés de la frontière. L'activité du groupe repose sur trois activités essentielles, la messagerie internationale, qui représente à peu près 35 pour cent du chiffre d'affaires, et la messagerie nationale qui, elle, représente 50 pour cent du chiffre d'affaires, et l'activité logistique qui est

la petite dernière qui, elle, représente 15 pour cent du chiffre d'affaires.

LA MESSAGERIE
Reporter Alors, vous êtes spécialisés dans un certain type de transports, ou..?
M. Paillen Alors, notre vocation est avant tout la messagerie, on entend par messagerie le petit colis, jusque 500 kilos, une tonne; au-delà on passe dans une spécialité d'affrètement, que nous... nous rattachons à l'activité logistique. La messagerie, ben c'est, effectivement, prendre un colis de.. de 12 kilos à Lille et de l'emmener, dans les meilleures conditions et le plus rapidement possible, et au moindre coût, j'oserais dire, aussi bien en Ariège qu'en Allemagne ou en Suisse ou en Angleterre.

CONCLUSION
Reporter Les transporteurs, ici, sont...sont très nombreux. C'est... c'est la guerre un petit peu entre vous, ou chacun a sa part du gâteau?
M. Paillen Je crois que chacun essaie de trouver le créneau qui est le plus porteur pour développer des produits spécialisés. Je crois que la guerre est un terme un petit peu trop exagéré, je crois qu'il y a de la place pour tout le monde. Il faut savoir travailler en intelligence.

1 le nord de la France/français/cent pour cent privé/1920/Strasbourg, Kehl/la messagerie internationale, la messagerie nationale, l'activité logistique/la messagerie internationale 35 pour cent, la messagerie nationale 50 pour cent, l'activité logistique 15 pour cent.

p.115 **2** *a* le petit colis/une spécialité d'affrètement *b* de 12 kilos à Lille/de l'emmener/conditions/rapidement possible/coût/en Ariège qu'en Allemagne ou en Suisse ou en Angleterre.
3 *b*

Que savez-vous déjà sur la région Nord-Pas de Calais?
a faux *b* vrai *c* vrai *d* vrai *e* vrai *f* vrai *g* vrai *h* vrai *i* vrai *j* vrai *k* faux *l* faux.

p.117 UN ACCORD A ÉTÉ CONCLU
M. Mauroy J'étais Premier ministre, dans un château d'Edimbourg, pour la première fois: Madame Thatcher, je lui ai parlé du tunnel. Difficile, elle m'a dit «non» la première fois. L'année suivante, 83, je lui ai reparlé du tunnel. Elle m'a dit «Oui, peut-être, mais... avec un financement privé». Et en 84, à Fontainebleau, l'accord a été conclu, pour un tunnel, et c'est ainsi qu'en 85, la décision d'établir une liaison Trans-Manche a été signée par François Mitterrand et Madame Thatcher, ici dans cet Hôtel de Ville magnifique, plein de monde avec tous les oriflammes de... la Grande-Bretagne et de la France.

1 *a* ii *b* i *c* ii *d* i *e* i *f* ii
2 *a* un financement privé *b* l'année suivante *c* pour la première fois *d* reparler *e* conclure un accord *f* faire/prendre une décision *g* signer un accord *Le contraire:* *a* un financement public *b* l'année précédente *c* pour la dernière fois

1 *a* ait *b* soient *c* a *d* aient *e* fassions *f* soient *g* a *h* fasse.

2 *a* ait *b* puisse *c* remplissiez *d* soit *e* réserviez *f* ait *g* pourra *h* comprenne.

p.119 **3** *a* y *b* en *c* en *d* y *e* en *f* y *g* y *h* en

Unit 9   Formation et embauche

p.120   🎧   COMPLÈTEMENT INDISPENSABLE

Voix 1   Ben, je pense que, apprendre les langues, c'est très bien, parce que ça va bientôt être l'Europe et que sans au moins l'anglais, on sera pas grand'chose sur le marché du travail. Une langue étrangère, c'est utile, par exemple pour aller dans un autre pays, ne serait-ce que ça, savoir se débrouiller, trouver à manger, trouver où loger.

Voix 2   Mais je crois que c'est un bien, il faut apprendre les langues étrangères parce que maintenant on ne peut plus avoir un boulot sans devoir parler l'anglais, mais... Oui, je crois que l'anglais, certainement, est indispensable et puis peut-être une autre, ou l'allemand, ou l'espagnol, oui, je crois que c'est un bien.

Voix 3   En fait, l'apprentissage des langues étrangères, c'est forcément utile. Enfin, surtout l'anglais parce que c'est la langue, bon, qui peut...qui peut servir dans tous les domaines, dans le commerce ou... n'importe quoi.

Voix 4   Ben, je pense que c'est complètement indispensable, que de nos jours se balader à l'étranger sans comprendre la langue du pays, c'est... c'est... c'est... une grande manque. Je pense que... on perd beaucoup de la culture d'un pays si on ne parle pas sa langue et on perd beaucoup de la personnalité de la population aussi.

1 *Voix 1* pour/au moins l'anglais/utile pour aller dans un autre pays. *Voix 2* pour/anglais et une autre langue/on ne peut plus avoir un boulot sans savoir parler l'anglais. *Voix 3* pour/surtout l'anglais/c'est la langue qui peut servir dans tous les domaines *Voix 4* pour/on perd beaucoup de la personnalité de la population à l'étranger si on ne parle pas la langue.

p.121   **2** *a* c'est un bien *b* c'est utile *c* c'est indispensable *d* c'est forcément utile *e* c'est complètement indispensable.

a besoins des entreprises *b* le management, la production, la vente, l'export *c* développer les compétences/renforcer les performances.

p.122   **1** *a, c, e, f, g, h*
2 C'est un grand centre de formation, le premier centre consulaire français de formation aux langues étrangères

p.123   **1** The CPLE is a language-training centre with a staff of 70, offering individual sessions, intensive courses and lessons by telephone as required. Facilities include the language laboratory, videos, computers and valiphones. Ten languages are taught at the centre. Its development has been a great success in the area,

with turnover increasing from 200,000 francs in 1966 to 20 million francs in 1992.
1 Donnez votre avis!
2 *a, d*

p.124   *a ii b i c ii d i e i*

p.125   🎧⑤   L'AVENIR, C'EST L'EUROPE

M. Marcoin   Sans les langues, je pense qu'aujourd'hui on ne peut pas aller très loin. Et il me semble évident que l'avenir, c'est l'Europe, que... nous sommes aujourd'hui en contact continuel avec les Allemands, les Belges, les Anglais, les Américains et tous les autres pays du monde avec qui le langage véhiculaire est l'anglais. Donc, connaître une langue, deux langues, c'est indispensable, c'est absolument nécessaire.

1 *CCI:* Wants to adapt training methods to business needs, to develop individual talents in order to improve performance within companies in general. *Sandoz:* Wants all its employees to have the required qualification for their profession, to be able to adapt to new technology, tools and products, and to evolve on a personal level within the company itself.

2 For correct order see above transcript.

3 l'enseignement, apprendre, la compréhension, diriger, établir, l'orientation, le savoir, la commercialisation, agir, accentuer, la constatation.

4 *a* dirigeant *b* commercialisation *c* maîtrise *d* formation *e* compréhension *f* apprendre *g* établi *h* savoir *i* apprentissage *j* agir.

p.126   **5** C'est à vous!

1 *Méthodes d'embauche:* sélection directe, ou par chasseurs de tête. *La pratique de l'entretien d'embauche:* sur la base d'un curriculum vitae, éventuellement d'analyses graphologiques. *Les personnes embauchées:* beaucoup de jeunes diplômés, notamment d'écoles d'ingénieurs, et des personnes qui ont des formations professionnelles pointues.

p.127   **2** C'est à vous!

p.129   *a* Je vous prie de bien vouloir.../Je vous en remercie d'avance... *b* En réponse à l'annonce.../Dans l'attente de vous lire, veuillez agréer, madame/monsieur... *c* Veuillez me communiquer.../Je vous prie d'accepter, madame/monsieur, l'assurance de mes sentiments les meilleurs. *d* Veuillez me communiquer.../Je vous remercie d'avance de votre aide et coopération... *e* Ayez l'obligeance de.../Je vous en remercie d'avance.

Offres d'emploi: *Your letter could include the following:* Madame, Monsieur/En réponse à l'annonce pour *(job name)*, veuillez trouver ci-joint mon curriculum vitae. J'ai *(number of years' experience)* ans d'expérience dans *(employment sector)*. (...) Dans l'attente de vous lire, je vous prie d'accepter, monsieur, madame, l'assurance de mes sentiments les meilleurs.

p. 132 **1** *a* en lisant *b* en habitant *c* en visitant *d* en licenciant *e* en cherchant *f* en travaillant *g* en voulant.
2 *a* J'ai appris le français en habitant en France. *b* Il a trouvé l'annonce d'un poste d'ingénieur en lisant Le Monde. *c* Il a connu Lille en visitant la ville. *d* Ils ont fait face à la concurrence en licenciant du personnel. *e* Elle a beaucoup appris sur la vie en voyageant. *f* Elle a trouvé le bon mot en cherchant dans le dictionnaire. *g* Il a réussi à son examen en travaillant de façon régulière. *h* Il est arrivé en avance en prenant le TGV. *i* Il est tombé malade en voulant trop faire. *j* Elle a enfin profité de la vie en prenant sa retraite.
3 *a* à *b* à *e* à *g* à *h* à *i* de *j* de

Unit 10   La France et l'Europe

p. 134   Le 14 juillet: *a, b, d.*

QUE REPRÉSENTE POUR VOUS LE 14 JUILLET?

Reporter   Qu'est-ce que ça représente pour vous historiquement le 14 juillet?
Femme   Liberté, fraternité, égalité. Ben, le 14 juillet, c'est la prise de la Bastille, c'est… c'est un grand symbole en fait… parce que c'est la chute de… enfin pour moi ça symbolise la chute de… de l'autorité royale et la victoire du peuple, quoi. C'est… c'est le début de la démocratie, quoi.
Homme   Le 14 juillet! Le 14 juillet, ben disons que ça représente avant tout la… la date de la Révolution française, c'est à dire le renversement de l'Ancien Régime, la prise de la Bastille.
Reporter   C'est une date importante pour vous?
Homme   Ben, je pense que ça a changé beaucoup de choses, en France et particulièrement aussi en Europe.
Reporter   Par exemple?
Homme   Ben, dans la mesure où ça a permis, si on peut dire, un peu au peuple de venir un peu plus sur l'avant-scène sur le plan politique et que ça a inspiré d'autres pays.
Homme   Pas grand'chose… Souvent le 14 juillet c'est… c'est les vacances, donc, le feu d'artifice, quoi.
Reporter   Ça vous rappelle rien, historiquement?
Homme   Historiquement? 14 juillet… 14 juillet c'est la prise de la Bastille. Donc la Révolution, etc…, quoi. Donc, bon, 'y a eu le bicentenaire en 89, là.
Homme   Avant tout la prise de la Bastille à Paris. Je crois que c'était le grand mouvement qui a été enclenché, en 1789, et qui a donné lieu à… à la Révolution et puis avec tout ce que ça a entraîné ensuite, la République. C'était, je pense, pour… pour le 14 juillet 1789 et pour les gens qui ont pris la Bastille, c'était le symbole réel de l'arrivée de la liberté, la fin de la royauté, et puis, aussi, je crois, le début des droits de l'homme, puisque quelques années plus tard, était… était… était votée la Convention des droits de l'homme.

Femme la prise de la Bastille/la chute de l'autorité royale/le début de la démocratie *Homme* la date de la Révolution française/le renversement de l'Ancien Régime/ça a changé beaucoup de choses en France et particulièrement en Europe/ça a permis au peuple de venir un peu plus sur l'avant-scène sur le plan politique et a inspiré d'autres pays/la prise de la Bastille *Homme* le feu d'artifice/la prise de la Bastillle/la Révolution *Homme* la prise de la Bastille/le symbole réel de l'arrivée de la liberté et la fin de la royauté/le début des droits de l'homme.

p. 136   **1**   1905, gauche/1920, gauche/Parti gaulliste, droite/1978, droite modérée/Front national: fin années 80/les Verts, fin années 80/Génération Ecologie, fin années 80, gauche (mouvement écologique).
2   *Charles de Gaulle:* Parti gaulliste   *Valéry Giscard d'Estaing:* Union pour la démocratie française   *Pierre Mauroy:* Parti socialiste   *Jacques Chirac:* Rassemblement pour la République   *François Mitterrand:* Parti socialiste   *Jean-Marie Le Pen:* Front national.

p. 137   **1** *a* faux *b* faux *c* faux *d* faux *e* vrai *f* vrai *g* vrai *h* faux.
2 *a* supprimer, créer, élection, adhérer, unification/union, décider, traitement, disparaître *b* aussi, désormais, instituer, ne plus exister, quitter *c* création, abolition, départ.

UN ESPOIR SUR LE PLAN POLITIQUE

Reporter   Est-ce que vous pouvez me dire ce que représente pour vous l'Europe?
Femme   Ben! Pour moi, l'Europe ça représente l'avenir, ça représente un espoir sur le plan politique, sur le plan économique, c'est l'espoir de vivre, de compter quand même un peu dans le monde sur le plan économique et politique.
Femme   L'Europe, c'est la choucroute, la paëlla, les spaghettis, tout ça, quoi!
Homme   L'Europe, c'est ma patrie.
Femme   L'Europe pour moi, c'est essentiellement l'abolition de… des contrôles aux frontières. C'est aussi l'harmonisation des législations.
Homme   L'Europe, je pense… je pense à la Communauté européenne, je pense à Maastricht, enfin c'est l'avenir, quoi!
Femme   Pour moi, l'Europe c'est le grand marché uni, c'est une union qui est à la fois monétaire, mais au delà de tout ça, c'est plusieurs personnes qui réussissent à communiquer dans différentes langues et je pense que dans quelques années tout le monde devrait être en mesure de parler au moins trois ou quatre langues différentes.

p. 138   **Les Nouveaux billets**   **1** *a* la Grande-Bretagne *b* de voir le portrait de le reine disparaître des nouveaux billets.
2 *a* environ sept francs *b* le 1er janvier 1999 *c* de la politique monétaire conduite par la banque centrale européenne.

p. 139   **La Dixième province**   *a* L'un des artisans (de la métropole) *b* La mobilité de la main d'œuvre est très importante de part et d'autre de la frontière; il n'est pas étonnant qu'ils occupent la première place parmi les sociétés étrangères installées dans la région.

p. 140   *a* 1 200 000   *b* Paris   *c* Lille deviendra une ville point de passage, une ville de rencontres.

p. 141   **Une métropole régionale et européenne**   The Nord-Pas de Calais region is made up of eight urban areas of over 100,000 inhabitants, 84% of whom live in town, which compares with a national figure of 73%. The Lille-Roubaix-Tourcoing metropolis will be the major beneficiary of the tunnel and the TGV: a necessity in the face of the surrounding European mega cities. Lille itself is the most important town of the area: its railway station is the biggest in the region, with three million people using it every year. France's third Stock Market is also based there; recent developments in the town centre include a pedestrian precinct, new hotels, shopping arcades, and the restoration of areas of historic interest. Future projects include a Palais des Congrès and a World Trade Centre. Two TGV trains will pass through Lille, underlining its importance in a European context also.

p. 142   **1**   L'industrie traditionnelle et la technologie.
2   1 200 000/la laine, la vente par correspondence, l'informatique/hôpital régional, agence du médicament, Institut Pasteur, Institut de la proprété industrielle/deuxième métropole française/une ville point de passage, de rencontres.

p. 143   🎧   À LA LIMITE DE L'AUDACE
M. Mauroy   Je dois dire que le grand signal a été mon projet de centre international, Euralille, c'est à dire le centre international tertiaire, le centre international des affaires. Pourquoi? Ben, tout simplement parce que dans Lille, par an, c'est neuf millions de voyageurs qui montent et qui descendent, dans le train, en gare centrale de Lille. Lille est, a toujours été d'ailleurs, la première gare française ferroviaire, après les gares parisiennes. Mais en France, il faut toujours considérer qu'en province on est après Paris. Lorsque le TGV sera là, eh bien, on passera de neuf millions de voyageurs par an à 30 millions de voyageurs par an. Alors j'ai pensé que dès lors que nous envisagions, que nous allons voir passer 30 millions de voyageurs qui vont monter ou descendre en gare de Lille, il était essentiel de lancer un très grand centre international, avec trois belles tours qui ont été, qui seront faites par trois grands architectes sur le plan international. Alors ça, ça

a été le révélateur: «Comment, ils vont avoir le TGV, ils vont avoir le tunnel, ils... ils osent comme ça, lancer trois tours à Lille, ils osent lancer un centre international!» Eh bien oui, ce pari était à la limite de l'audace et de la témérité, mais nous allons le gagner, ce pari.

Answers: *a* neuf millions   *b* Lille   *c* 30 millions.

p. 144   **Euralille**   *Definition:* major international centre. *Reasons for Euralille:* With the arrival of the TGV, the number of people passing through the centre of Lille will increase from nine millions to 30 millions, so a much bigger central area will be needed to cope. *Surface area:* Between 65 and 80 hectares. *Starting up:* 470 million francs. *Services offered:* World Trade Centre, offices, banking facilities, 4-star hotel. *Training and research:* The centre will have training and research establishments. *The three towers:* One will be The World Trade Centre, the second will belong to the Crédit Lyonnais, and the third will be the only 4-star hotel of the area. *Conclusions:* Lille aims to become an important national and international centre and is prepared to invest large sums of money to achieve those ends.

p. 146   **1** Le 14 juillet. **2** Danton et Robespierre. **3** Louis XIV. **4** Napoléon Bonaparte. **5** Vème. **6** Charles de Gaulle. **7** Jean Monnet. **8** François Mitterrand, socialiste, devient Président de la République. **9** Rassemblement pour la République. **10** Les Verts, Génération Ecologie. **11** Le référendum sur Maastricht. **12** Lille. **13** Le coq gaulois. **14** 1958. **15** Charles de Gaulle/Georges Pompidou/Valéry Giscard d'Estaing/François Mitterrand. **16** L'industrie nucléaire et l'industrie aéronautique/aérospatiale. **17** Train à grande vitesse. **18** La fête du travail, l'Assomption. **19** La tour Eiffel. **20** Le maillot jaune. **21** Un musée. **22** Edith Piaf. **23** Simone Signoret/Jeanne Moreau/Catherine Deneuve/Emmanuelle Béart. **24** Yves Montand/Jean Gabin/Alain Delon/ Gérard Depardieu. **25** Yves Saint-Laurent/Christian Lacroix/ Christian Dior. **26** Un écrivain. **27** 56 millions. **28** Le secteur tertiaire. **29** Le secteur agricole/l'agriculture. **30** Le fromage, le vin. **31** Petite et Moyenne Entreprise. **32** La région parisienne. **33** Son vin blanc. **34** Le nucléaire. **35** l'Hexagone.

GLOSSARY

Notes

In this glossary words are given meanings that fit their use in this book. In some cases the root or common meaning is also given. In most cases words will have other meanings that are not listed here.

Adjectives are listed in their masculine singular form. If the feminine form is different the additional or different ending is shown as follows: **vert(e)**; **fameux/euse**. Nouns and adjectives ending with **-s, -x** or **-z** do not have a separate masculine plural (*m pl*) form. If the plural is formed other than by adding an **-s** this is also indicated: **mondial(e)** (*m pl* **mondiaux**).

The gender of nouns starting with a vowel is indicated by (*m*) or (*f*) or, for nouns which have both masculine and feminine forms or are used in both genders, by (*m/f*). Nouns given in plural only are followed by (*m pl*) or (*f pl*).

Verbs with an asterisk form their perfect tense with **être**. Irregular verbs are preceded by †, and the principal irregular parts are listed (usually 1st or 3rd person present, or past participle (*pp*)), or reference is made to the list of irregular verbs in the grammar section. Reflexive verbs are preceded by **se** or **s'**.

Other abbreviations are: *adj* (adjective), *cond* (conditional), *fam* (familiar or colloquial), *fut* (future), *inf* (infinitive), *pres p* (present participle), *sing* (singular), *subj* (subjunctive).

A

à *at, to, in*
abolir *to abolish*
l'abolition (*f*) *abolition*
l'abonné(e) (*m/f*) *subscriber*
l'abonnement (*m*) *subscription fee, season ticket*
s'abonner *to subscribe*
d'abord *first*; tout d'abord *first of all*
aborder *to reach*
abriter *to shelter*
s'absenter★ *to take leave*
absolument *absolutely*
absurde *absurd*
†accéder (j'accède) *to reach*
†accélérer (j'accélère) *to accelerate*
l'accent (*m*) *accent*; mettre l'accent sur *to emphasise*
accentuer *to stress, accent*
accepter *to accept*
l'accès (*m*) *access*; accès automatique *direct dialling*
accessible *approachable, attainable*
l'accessoire (*m*) *accessory*
l'accident (*m*) *accident*
l'accompagnement (*m*) *accompaniment*
accompagner *to accompany, to go with*
accompli(e) *accomplished*
l'accord (*m*) *agreement*; accord de tous *general agreement*; d'accord! *fine!*
accorder *to grant*; s'accorder★ à *to correspond to*
†accroître (j'accrois, pp accru) *to increase*
l'accueil (*m*) *reception; welcome*
†accueillir (j'accueille) *to welcome*; accueillant(e) *welcoming*
l'achat (*m*) *purchase, acquisition*
†acheter (j'achète) *to buy*
l'acier (*m*) *steel*
†acquérir (j'acquiers) *to acquire* acquis/e *acquired*
l'acteur/trice (*m/f*) *actor, actress*
l'action (*m*) *action*
l'activité (*f*) *activity*; activité logistique *logistic operation*
l'actualité (*f*) *current state of affairs*
actuel(le) *present*
actuellement *at present*
s'adapter★ *to adapt oneself*
l'addition (*f*) *bill*
†adhérer (j'adhère) *to support*
l'adhésion (*f*) *support*
l'adjectif (*m*) *adjective*
l'adjoint(e) (*m/f*) *assistant*
administratif/ve *administrative*

l'administration (*f*) *administration*
adopter *to adopt, to take up*
adorer *to adore, to love*
l'adresse (*f*) *address*
s'adresser★ à *to speak, talk to; to direct a request to*
l'adulte (*m/f*) *adult*
l'aéroport (*m*) *airport*
aéroportuaire *airport (adj)*
l'affaiblissement (*m*) *weakening*
l'affaire (*f*) *business*; le chiffre d'affaires *turnover*
affecté(e) à *assigned to*
affichable *on screen*
l'affichage (*m*) *display*
s'afficher★ *to be displayed*
l'affilié(e) (*m/f*) *member*
l'affirmation (*f*) *assertion*
s'affirmer★ *to assert oneself*
l'affluent (*m*) *tributary*
l'afflux (*m*) *influx*
l'affrètement (*m*) *freight*
afin de *in order to*; afin que (+ *subj*) *in order that*
l'Afrique (*f*) du Sud *South Africa*
l'agape (*f*) *meal*
l'âge (*m*) *age*
âgé(e) *elderly*
l'agence (*f*) *branch (office), agency*
l'agglomération (*f*) *built up area*
agir *to act*
s'agir★ de *to be a question of*; il s'agit de *it's a question of*
agrandir *to enlarge*; s'agrandir★ *to get bigger*
l'agrandissement (*m*) *expansion*
agréer *to accept*
agricole *agricultural*
l'agriculteur/trice (*m/f*) *farmer*
l'agriculture (*f*) *agriculture*
l'aide (*f*) *help*; à l'aide de *with the help of*
aider *to help*
l'ail (*m*) *garlic*
ailleurs *elsewhere*; d'ailleurs *incidentally, by the way*; par ailleurs *besides*
aimer *to like, to love*; aimer (+ *inf*) *to like doing something, eg* aimer nager *to like swimming*
ainsi *in this way*; ainsi que *as well as*; et ainsi de suite *and so forth*
aisément *easily*
ajouter *to add*
l'album (*m*) *cartoon story book*
l'alchimiste (*m*) *alchemist*
l'Allemagne (*f*) *Germany*
l'Allemand(e) *German person*

allemand(e) *German (adj)*

† aller★ *(see p. 155) to go; to be OK;* allons-y! *let's go!;* ça ira? *will that be OK?* j'allais dire *I was going to say;* je m'en vais *I'm going away;* on y va? *shall we go?*

allumer *to switch on*

alors *then*

l'amande (f) *almond*

amarrer *to moor, to dock*

l'ambiance (f) *atmosphere*

l'amélioration (f) *improvement*

s'améliorer★ *to improve*

l'aménagement (m) *arrangement; development*

aménager *to develop, to fit out*

l'aménageur (m) *developer*

l'amende (f) *fine*

† amener (j'amène) *to bring (people)*

amer/amère *bitter*

américain(e) *American*

l'Amérique (f) du Nord *North America*

l'Amérique (f) Centrale *Central America*

l'ami(e) (m/f) *friend*

l'an (m) *year;* par an *per year;* le jour de l'An *New Year's day*

l'analyse (f) *analysis*

l'ancêtre (m/f) *ancestor*

ancien(ne) *former;* Ancien Régime *ruling monarchy in France before the Revolution of 1789*

l'andouillette (f) *tripe sausage*

anglais(e) *English (adj)*

l'Angleterre (f) *England*

l'anglicisme (m) *anglicism*

anglo-saxon(ne) *Anglo-Saxon (adj)*

l'animal (m) (pl animaux) *animal*

animé(e) *busy*

l'année (f) *year*

annexe *subsidiary (adj)*

l'anniversaire (m) *anniversary, birthday*

l'annonce (f) *advertisement*

annoncer *to announce*

l'annuaire (m) *directory, annual;* annuaire téléphonique *telephone directory*

annuel(le) *annual (adj)*

anti-tabac *anti-smoking*

août *August*

† s'apercevoir★ *(see recevoir, p. 156) to realise, to become aware of*

l'aperçu (m) *picture, general idea*

APIM: l'agence (f) pour la promotion industrielle de la métropole lilloise *Lille development agency*

l'apogée (m) *peak*

† apparaître *(see connaître, p. 155) to appear*

l'appareil (m) *piece of apparatus, device;* à l'appareil *on the telephone;* appareil de photo *camera*

l'apparence (f) *appearance*

† appartenir (à) *(see venir, p. 156) to belong (to)*

l'appel (m) *(telephone) call;* faire appel à *to call upon*

† appeler (j'appelle) *to call;* s'appeler★ *to be called*

l'appellation (f) *designation*

appliquer *to apply*

apporter *to bring (things)*

apprécier *to appreciate;* c'est apprécié *it is appreciated*

† apprendre *(see prendre, p. 156) to learn*

l'apprentissage (m) *learning*

l'approche (f) *approach*

s'approcher★ *to approach*

approfondir *to deepen*

approvisionner *to supply*

l'appui (m) *support*

appuyer (j'appuie) *to press, to push;* s'appuyer★ *to lean on*

après *after*

l'après-midi (m) *afternoon, in the afternoon*

apte à *suitable for*

l'arbitraire (m) *arbitrary nature*

l'arbre (m) *tree*

l'architecte (m/f) *architect*

architectural(e) (m pl -aux) *architectural*

l'argent (m) *money*

l'Argentine (f) *Argentina*

l'argument (m) *argument, excuse*

l'armement (m) *arms*

l'Arménie (f) *Armenia*

l'arrêt (m) *stop*

l'arrière (m) *back;* en arrière *behind*

l'arrivage (m) *delivery*

l'arrivée (f) *arrival*

arriver★ *to arrive*

l'article (m) *article*

l'artisan(e) (m/f) *craftsman/woman, (fig) architect*

l'artiste (m/f) *artist*

les arts et métiers (m pl) *arts and crafts*

l'ascenseur (m) *lift*

l'Ascension *Ascension*

l'aspect (m) *component, aspect*

l'aspiration (f) *aspiration*

l'assemblée (f) *gathering, meeting;* l'Assemblée Nationale *National Assembly (French Parliament)*

† s'asseoir★ *(je m'assois, pp assis(e)) to sit down*

assez *enough;* j'en ai assez *I've had enough*

l'assiette (f) *plate, platter*

l'assistant(e) (m/f) *assistant*

assister *to assist;* assister à *to be present at*

l'Assomption (f) *Assumption*

assumer *to keep on doing; to hold*

l'assurance (f) *self-confidence; insurance*

assurer *to ensure*

l'astronaute (m/f) *astronaut*

astucieux/ieuse *clever*

l'atelier (m) *workshop*

l'atout (m) *trump card, advantage*

s'attacher★ *to do up*

s'attaquer★ à *to attack*

† atteindre (j'atteins, pp atteint) *to reach;* atteignant *reaching*

attendre *to wait;* faire attendre *to keep waiting*

l'attente (f) *wait, waiting*

l'attention (f) *attention*

attentivement *carefully*

attirer *to attract*

attribuer *to grant, to accord*

l'attribution (f) *attribution*

l'aube (f) *dawn;* à l'aube de *on the eve of*

aucun(e) *not any, no (+ preceding ne);* je n'ai aucun... *I haven't any...*

l'audace (f) *boldness*

l'audition (f) *hearing, audition*

augmenter *to increase*

aujourd'hui *today*

auprès de *for, here; in the opinion of*

auquel/à laquelle/auxquels/ auxquelles *to whom, to which*

aussi *also;* aussi bien...que... *just as much as...*

l'Australie (f) *Australia*

autant de... *as much as...*

l'autoportrait (m) *self-portrait*

l'autodidacte (m/f) *autodidact*

automatique *automatic*

autonome *independent*

l'autonomie (f) *autonomy*

autoriser *to authorise*

l'autorité (f) *authority*

l'autoroute (f) *motorway*

autoroutier/ière (m/f) *motorway (adj)*

autour de *around*

autre *other;* autrefois *previously, in other times*

avaler *to swallow (up)*

l'avance (f) advance; à l'avance in
  advance; en avance early
avant before; avant de (+ inf) before;
  avant que (+ subj) before; avant
  tout above all
l'avant-scène (f) fore, forefront
avec with
l'avenir (m) future
l'avenue (f) avenue
†s'avérer* (je m'avère) to come about,
  to turn out
l'averse (f) shower (of rain)
l'avion (m) plane, aircraft
l'avis (m) opinion
l'avocat (m) avocado pear
l'avocat(e) (m/f) lawyer
†avoir (see p. 152) to have; avoir
  besoin de to need; avoir
  confiance en to trust; avoir lieu
  to take place, happen; avoir un
  empêchement to be held up; avoir
  recours à to have recourse to
avouer to confess, to admit
avril April
l'axe (m) line, axis

B

BAC + 5: Baccalauréat (equivalent of
  A-levels) plus five years in higher
  education
les bagages (m pl) luggage
la baguette stick of French bread
la baie bay
baigner to bathe, to wash something;
  se baigner* to wash oneself
la baisse drop, fall
baisser to lower
se balader* (fam) to travel
bancaire banking (adj)
la bande dessinée cartoon
la banlieue suburbs
la banque bank
le banquier banker
bas/basse low
le bas bottom; en bas at the bottom
la base base
la bataille battle
le bâtiment building
†battre (je bats) to beat
beau (bel before vowel)/belle/
  beaux/belles fine, beautiful
beaucoup much, many
belge Belgian (adj)
le/la Belge Belgian
le bénéfice profit
bénéficiaire beneficiary
bénéficier to enjoy, to obtain
le berceau cradle

le besoin need; avoir besoin de to need
la bétonneuse cement mixer
le beurre butter
la bibliothèque library
le bicentenaire bicentenary
la bicyclette bicycle
bien good; bien que although; bien
  sûr certainly; c'est bien... it's
  really ...; si bien que so much so
  that; très bien very good, very well
bientôt soon
la bienvenue welcome
la bière beer
le bigorneau periwinkle
le bijou (pl bijoux) jewel
le bilan evaluation
bilingue bilingual
le billet ticket
la biologie biology
le bip sonore tone (on answering machine
  and Minitel)
la bipolarisation bipolarisation
le bistro bistro
blanc(he) white
le bocal jar
†boire (see p. 155) to drink
la boisson drink
bon(ne) good, fine
le bonbon sweet
bonjour hello
bonsoir good evening
le/la boucher/ère butcher
la boucherie butcher's shop
boucler to buckle, to fasten
bouger to move
la bougie candle
le/la boulanger-pâtissier/boulangère-
  pâtissière baker and pastrycook
la boulangerie bakery, bread shop
le boulot (fam) job
le bouquet prawn
la bourse des valeurs stock exchange
la bouteille bottle
brancher to plug in
le bras arm
le Brésil Brazil
la Bretagne Brittany
le/la Breton/ne inhabitant of Brittany
le brevet licence; brevet d'invention
  patent
briller to shine
le briquet cigarette lighter
britannique British
la brochette skewer; kebab
la brochure brochure, pamphlet
le brouillard fog
le/la Bruxellois/e inhabitant of Brussels
le budget budget

le bureau office; bureau de tabac
  tobacconist's
le but goal

C

le cadre setting, scope, context; manager,
  executive; cadre technique
  technical manager
le café coffee; café
le cahier notebook; cahier des charges
  terms and conditions of sale
calculer to calculate, to work out
la caméra camera
la campagne (publicitaire) (publicity)
  campaign
le Canada Canada
le canard duck; magret de canard duck
  breast, fillet
le cancer cancer
la candidature candidacy, application
le cap course
capable de capable of
la capacité capacity; avoir la capacité
  de to have the capacity to
le capital social authorized capital
la capitale capital (city)
la capitalisation (capital) growth
le capitalisme capitalism; capitalisme
  d'état state capitalism
car for, because
caractériser to characterise
caractéristique characteristic (adj)
carminé(e) carmine, crimson
le carnet diary; booklet of tickets; carnet
  de voyage journey diary; carnet
  de chèques chequebook
la carotte carrot
le carré square
carré(e) square (adj)
carrément bluntly, frankly
le carrefour crossroads
la carrière career
la carte card; carte postale postcard;
  carte de crédit credit card; Carte
  Bleue Visa Card
le carton (m) cardboard
le cas case; en tout cas in any case
le cassoulet cassoulet
le catalyseur catalyst
la catégorie category
la cause cause; à cause de because of
la CE/CEE (Communauté (f)
  (économique) européenne
  EC/EEC
la ceinture belt; seatbelt
cela it, that; cela va de soi it goes
  without saying
célèbre famous

† célébrer (je célèbre) to celebrate
célibataire single
celui/celle/ceux/celles this, these
censé supposed (to)
cent hundred; cent un a hundred
and one
le centenaire centenary
le centre centre; centre de formation
training centre; centre international international centre
le centre-ville town centre
certain(e) certain
certainement certainly
certes certainly
cesser to stop, to cease
chacun(e) each one
la chaleur heat, warmth
la chambre room; chambre de
commerce chamber of commerce;
chambre pour une personne
single room
le champ de bataille battlefield
le/la champion(ne) champion
la chance opportunity, luck; bonne
chance! good luck!
le changement changing
changer to change
le/la chanteur/euse singer
le chantier building site
chaque each, every
le charbon coal
la charcuterie cooked meats; pork
butcher's shop and delicatessen
le/la charcutier/ière pork butcher
la charge responsibility; être en charge
de to be in charge of/responsible for
chargé(e) de loaded, laden with; in
charge of
charger to load
le charisme charisma
le chasseur de têtes head hunter
le chat cat
la châtaigne chestnut; la purée de
châtaignes chestnut purée
le château (pl châteaux) chateau, castle
chaud(e) hot
la chaudière central heating boiler
le chef head; chef d'exportation export
manager; chef d'atelier foreman;
chef de ménage head of household;
chef d'entreprise company boss
le chemin path, way
le cheminement way (towards)
le chèque cheque; chèque de voyage
traveller's cheque
le chéquier chequebook
cher/chère dear, expensive
chercher to look for

le cheval (pl chevaux) horse; horse
riding; faire du cheval to go riding
les cheveux (m pl; sing cheveu) hair
la chèvre goat
chez at someone's house/place; chez
nous with us, at our place
le chiffre figure, number; chiffre
d'affaires turnover
la chimie chemistry
la Chine China
le choc impact, shock
le chocolat chocolate
choisir to choose
le choix choice; au choix as you wish
la chose thing; autre chose something
else; même chose same thing;
quelque chose something; de
choses et d'autres one thing and
another
la choucroute sauerkraut
chrétien(ne) Christian
le CHU: Centre Hospitalier
Universitaire teaching hospital
la chute downfall, collapse
ci here; ci-dessous below; ci-dessus
above; ci-joint enclosed
la cible target
ciblé(e) targeted
le cidre cider
le ciel (pl cieux) sky, heaven
la cigarette cigarette
la cimenterie cement works
le/la cinéaste film maker
cinq five
cinquante fifty
cinquième fifth
la circonscription district; constituency
la circulaire circular
la circulation traffic; plein(e) de
circulation congested
circuler to circulate
civil(e) civil, public
citer to quote
clair(e) clear; light
la classe class
le classement filing; classification
classer to rank
classique classic
le clavier keyboard
la clef key; usine clefs en main factory
building for immediate occupation
clément(e) mild, clement
le/la client(e) client, customer
la clientèle (f) clientele; clientèle de
passage passing trade
clignoter to flash
le code pin number; code confidentiel
secret code

le Codévi tax-exempt savings account
le cœur heart; au cœur de in the heart
of
le coffre boot (of car, taxi)
le coffret-repas prepared meal tray
le coin corner
le colis parcel
le/la collaborateur/collaboratrice
partner, colleague
collectif/ive collective (adj)
le collège college, official body
le/la collègue colleague
la colonie (de vacances) children's
holiday camp
le combat struggle, fight
le combattant fighter
combien? how much/many?;
combien de...? how much/
many ...?
le combiné téléphonique telephone
receiver
le/la comédien(ne) comedian; actor, actress
le Comité d'entreprise works council
la commande order
commander to order, command
commencer to begin
comment? how?; pardon?;
comment allez-vous? how are
you?
le commentaire commentary
le/la commerçant(e) shopkeeper; petit(e)
commerçant(e) small business-
man/woman, shopkeeper
le commerce business, trade
la commercialisation marketing
commercialiser to market
le Commissariat de Police police station
la commission commission;
commission fixe fixed commission
commun(e) common
communautaire community (adj)
la communication communication
communiquer to communicate
le Communisme communism
la compagnie company; compagnie
consulaire local chamber of commerce
la compétence competence
la compétitivité competitiveness
le complément remainder; en
complément in addition
complémentaire complementary
complet/ète full
compléter (je complète) to complete
composer to make up; to dial
composter to (date) stamp
† comprendre (see prendre, p. 156) to
understand; je n'y comprends rien
I don't understand a thing about it

le compte *account;* compte en banque *bank account;* compte épargne *savings account;* compte tenu de. . . *taking . . . into account*

compter *to number, to count; to be important;* compter sur *to rely upon*

le comptoir *counter; bar*

la concentration *concentration*

concerner *to affect, to concern;* en ce qui me concerne *as far as I'm concerned*

† concevoir *(see recevoir, p. 156) to imagine*

conclu(e) *concluded*

la conclusion *conclusion*

le concours *competition*

la concurrence *competition*

condamné(e) *condemned*

la condition *condition*

le/la conducteur/trice *driver, operator*

† conduire *(see p. 155) to lead; to drive*

la conduite *running; driving*

la conférence *conference, meeting*

conférer (je confère) *to give, to confer*

la confiance *confidence, trust;* avoir confiance en *to trust*

confidentiel(le) *confidential*

confier à *to entrust to*

confondre *to confuse*

conforme à *in accordance with*

conformément à *in accordance with*

le confort *comfort*

le congé *holiday, leave;* congé payé *paid holiday*

la connaissance *acquaintance;* faire votre connaissance *to make your acquaintance*

† connaître *(see p. 155) to know;* faire connaître *to make known;* je m'y connais *I know all about it;* on se connaît tous très bien *we all know one another very well*

connecter *to connect*

le connecteur *connector*

la connexion *connection*

connu(e) *(well) known*

† conquérir (je conquiers, pp conquis) *to conquer*

consacrer à *to devote to*

le conseil *advice; council;* Conseil d'administration *board of directors;* conseil juridique *local authority legal office;* le Conseil des Ministres *French cabinet*

conseiller *to advise, to recommend*

† consentir (je consens) *to consent*

la conséquence *result, outcome*

conséquent *consequent;* par conséquent *consequently*

conséquent(e) *logical, consistent*

conserver *to keep*

considérer (je considère) *to consider, think of*

consister en *to consist of*

consolider *to strengthen; to guarantee*

consolidé(e) *funded; reinforced*

le/la consommateur/trice *consumer*

la constatation *recording; observation*

constater *to notice*

la constitution *constitution*

le/la constructeur/trice *builder*

la construction *building*

la consultation *consultation*

consulter *to consult*

le contact *contact;* mettre en contact avec *to put in touch with*

content(e) *pleased, happy;* être content(e) de *to be pleased about*

le contenu *contents*

† contraindre (je contrains, pp contraint) *to force*

la contrainte *constraint;* contrainte de durée *time limit*

le contraire *opposite, contrary*

le contrat *contract;* contrat de travail *contract of employment*

contre *against;* par contre *on the other hand*

contribuer *to contribute;* contribuer à ce que *(+ subj) to contribute so that*

le contrôle *control;* contrôle de gestion *management control*

contrôler *to control*

convaincu(e) *convinced*

la convenance *preference, liking*

† convenir à *(see venir, p. 156) to be suitable for*

la convocation *convening, inviting*

convoiter *to covet*

le coq *cock;* coq au vin *chicken cooked in wine*

correct(e) *accurate, correct*

correctement *accurately, correctly*

correspondant *corresponding*

le/la correspondant(e) *correspondent*

correspondre à *to correspond to*

corriger *to correct*

la Corse *Corsica*

corsé *full bodied (wine)*

la côte *hillside; coast*

le côté *side;* à côté (de) *near;* côté face *heads;* côté pile *tails*

le coulis *sauce*

le couloir *corridor; aisle (on train, plane)*

le coup *knock;* coup de pouce *push in the right direction;* coup de téléphone *phone call*

couper *to cut (off)* être coupé(e) *to be cut off*

la coupure *bank note*

la cour *yard; court;* Cour de justice *Court of Justice*

courant(e) *fluent; well-informed;* être au courant *to know (about something); to be informed*

le cours *course; rate of exchange;* en cours *in progress*

les courses *(f pl) shopping;* faire les courses *to go shopping*

court(e) *short*

le/la cousin(e) *cousin*

le coût *cost*

coûter *to cost*

le/la couturier/ière *fashion designer*

couvert(e) *covered*

la couverture *cover*

† couvrir *(see ouvrir, p. 156) to cover*

† craindre (je crains, pp craint) *to be afraid of;* craignait *was afraid of*

le/la créateur/créatrice *creator*

la création *creation; first production*

le crédit-bail *leasing*

créer *to create;* créé(e) de toutes pièces *made up (in its entirety)*

le créneau *(pl créneaux) gap (in the market)*

la crevette *shrimp, prawn*

creux/se *hollow, empty*

crier *to shout*

la crise *crisis*

le critère *criterion*

† croire *(see p. 155) to believe*

le croisement *junction*

croiser *to cross*

la croissance *development*

le cru *vineyard*

les crudités *(f pl) raw vegetable hors d'œuvre*

les crustacés *(m pl) shellfish*

cuisiner *to cook*

la cuisson au four *baking in the oven*

culinaire *culinary*

culture *(f) d'entreprise corporate culture*

curieux/euse *strange*

le cursus *degree course*

le cyclisme *cycling*

le/la cycliste *cyclist*

D

la dame *lady*

le Danemark *Denmark*

dangereux/euse *dangerous, hazardous*

danois(e) *Danish (adj)*

le/la Danois(e) *Dane*

dans *in;* dans les dix ans *within the next ten years*

la date *date;* date marquante *important date*

davantage *more*

de *from, of*

le/la débiteur/débitrice *debtor*

se débrouiller★ *to manage, to sort oneself out*

le début *beginning;* au début de... *from the beginning of...*

décembre *December*

décider de *to decide to*

le décideur *decision maker, authority*

la déclaration *manifesto, statement*

déclarer *to announce, state*

le déclic *click*

décliner *to decline; to state*

décontracté(e) *relaxed*

décoré(e) *decorated, trimmed*

†découvrir *(see ouvrir, p. 156) to discover*

le décret-loi *statutory order, edict*

†décrire *(see écrire, p. 156) to describe*

décrocher *to lift the receiver*

déçu(e) *disappointed*

défendre *to defend; to forbid*

la défense *defence*

le défi *challenge*

définir *to define*

définitif/ive *final*

définitivement *conclusively, definitely*

le degré *degree*

dehors *outside;* en dehors de *outside, apart from*

déjà *already;* d'ores et déjà *already*

déjeuner *to lunch*

le déjeuner *lunch;* petit déjeuner *breakfast*

au-delà (de) *beyond;* au-delà de tout ça *beyond all that*

le délai *waiting period; time limit*

le/la délégué(e) *delegate*

délibéré(e) *deliberate*

demain *tomorrow;* à demain matin *see you tomorrow morning*

la demande *request*

demander *to ask*

la démarche *process*

le démarreur *starter (motor)*

demi(e) *half;* une demi-heure *half an hour*

démissionner *to resign*

la démocratie *democracy*

le départ *departure;* au départ *at the beginning*

le département *department; ministry*

la dépêche *dispatch*

dépêcher *to send;* se dépêcher★ *to hurry*

dépendre de *to be answerable to*

la dépense/les dépenses *expenditure*

dépenser *to spend*

le déplacement *trip, travel;* en déplacement *on a trip*

le dépôt *deposit*

depuis *since;* depuis sa naissance *from its inception*

le député *deputy*

déranger *to disturb;* ça vous dérange? *does this disturb you?* en dérangement *out of order*

dernier/ière *last;* être en dernière année *to be in one's final year (of studies)*

le déroulement *progress (lit. unravelling)*

derrière *behind*

dès *from;* dès que *as soon as;* dès votre retour *as soon as you return;* dès lors que *since, as*

le désagrément *annoyance, trouble*

descendre★ *to go down; to get off;* descendre à *to stay at*

désigner *to point out*

le désir *wish, desire*

désirer *to want, to like*

désolé(e) *sorry*

désormais *since*

dessiner *to draw, to design*

dessous *below*

dessus *above*

destiné(e) à *directed at, for*

destiner *to intend*

détaché(e) *detached, apart*

le détail *detail; breakdown*

le/la détaillant(e) *retailer*

détaillé(e) *detailed*

détecter *to detect;* détecter des projets *to identify projects*

se détendre★ *to relax*

†détenir *(see venir, p. 156) to have in one's possession;* détenu(e) par *in the hands of*

la détention *possession*

le détergent *detergent*

déterminer *to decide, to determine; to get*

deux *two*

deuxième *second*

devant *in front of;* devant soi *in front of one*

le développement *development*

développer *to develop*

†devenir★ *(see venir, p. 156) to become*

la déviation *diversion*

deviner *to guess, to work out*

la devise *currency*

†devoir *(see p. 155) to owe; to have to*

le dialogue *dialogue*

la diapositive *slide, transparency*

le dictionnaire *dictionary*

différent(e) *different*

difficile *difficult*

la difficulté *difficulty*

digne *worthy*

dimanche *Sunday*

diminuer *to diminish*

dîner *to have dinner*

diplômé(e) *qualified*

†dire *(see p. 156) to say, to tell;* c'est à dire que *that is to say;* comment diriez-vous...? *how would you say...?*

†se dire★ *(see p. 156) to tell oneself;* vouloir dire *to mean*

direct(e) *direct*

le/la directeur *director*

la directrice *school head (f)*

la direction *direction*

dirigeant(e) *ruling, directing*

diriger *to run, be in charge of;* se diriger★ vers *to head for*

le discours *speech*

discuter *to discuss*

†disparaître *(see connaître, p. 155) to disappear*

la disparition *disappearance*

disponible *available*

disposer de *to have at one's disposal;* disposer d'un téléphone *to have a telephone*

la disposition *disposal*

le disque-compact *compact disc*

la dissipation *disappearance*

se distinguer *to distinguish oneself*

distingué(e) *distinguished*

distribuer *to distribute*

le distributeur *ticket machine; cash dispensing machine*

la distribution *distribution*

dit *(pp of †dire, see p. 156) said*

divers(e) *diverse, varied*

le dividende *dividend*

divisé(e) *shared out*

la division *division;* Division Mécanique Générale *General Engineering Division;* Division Montages Industriels *Plant Erection Division*

dix *ten*

dix-huit *eighteen*

dixième *tenth*

dix-neuf *nineteen*

dix-neuf-cent-nonante-trois *1993 (in Belgium and Switzerland)*

dix-sept *seventeen*

une dizaine *about ten*

le docteur *doctor*

doctoral(e) *pompous*

le doctorat *doctorate*

la doctrine *doctrine*

le document *document*

le domaine *area, field, sphere*

domestique *domestic (adj)*

le domicile *home*

domicilier *to bank*

la dominante *dominant characteristic*

la domotique *home automation*

donc *therefore, so*

la donnée *something given; fact;* les données *data*

donner *to give;* se donner★ pour mission *to give oneself the task;* donner lecture *to read aloud;* donner lieu à *to give rise to*

dont *whose, of which*

le dossier *form; file*

doter de *to endow with*

la douane/les douanes *Customs*

la douche *shower*

une douzaine *about twelve*

douze *twelve*

le/la doyen(ne) *oldest, senior person*

le drapeau *flag*

le droit *right; law;* avoir le droit de *to have the right to;* droits (*pl*) de douane *customs charges;* droits (*pl*) de l'homme *human rights*

la droite *right*

droit(e) *right-hand*

drôle *funny, amusing;* drôle d'idée *funny idea*

dur(e) *hard*

durant *during*

la durée *length*

E

EAO: Enseignement (*m*) Assisté par Ordinateurs *computer-assisted instruction*

l'eau (*f*) *water;* à l'eau *(cooked) in water;* eau minérale *mineral water*

l'échange (*m*) *exchange*

(s') échapper★ de *to escape (from)*

l'échéance (*f*) *deadline*

l'échelle (*f*) *scale; ladder*

l'éclairage (*m*) *lighting*

l'école (*f*) *school;* faire école *to establish a movement;* grande école *prestigious higher education establishment*

l'écolo (*m/f, fam*) *Green, environmentalist*

écolo(gique) *ecological*

l'économie (*f*) *economy*

économiser *to economise*

écouter *to listen to*

l'écran (*m*) *screen (of computer, television)*

† écrire (*see p. 156*) *to write*

l'écrivain (*m*) *writer*

éditer *to publish*

l'éducation (*f*) *education*

effacer *to obliterate, to erase*

l'effectif (*m*) *workforce*

effectif/ve *real, positive*

effectivement *effectively; actually, really*

effectuer *to carry out*

l'effervescence (*f*) *effervescence; turmoil*

l'effet (*m*) *effect;* effet induit *induced effect;* effet personnel *personal effect;* en effet *actually, in effect*

efficace (*m/f*) *effective, efficient*

l'efficacité (*f*) *efficiency*

effilé(e) *streamlined*

s'effondrer★ *to collapse*

l'effort (*m*) *effort*

égal(e) (*m pl* égaux) *equal*

également *equally*

égalitaire *egalitarian*

l'égalité (*f*) *equality*

élargir *to widen*

l'élection (*f*) *election*

électromécanique *electromechanical*

électronique *electronic*

l'élément (*m*) *element, component*

élevé(e) *high*

l'élève (*m/f*) *pupil*

† élire (*see* lire, *p. 156*) *to elect*

elle(s) *she, her/they, them*

elle(s)-même(s) *she, herself/they, themselves*

l'élu(e) (*m/f*) *elected member*

l'émanation (*f*) *emanation; product*

émaner *to issue from*

l'emballage (*m*) *packaging*

l'embauche (*f*) *employment, taking on, hiring*

embaucher *to hire*

l'emblème (*m*) *emblem*

emmener (j'emmène) *to take away (people)*

l'émetteur/trice *transmitter, sender*

l'empêchement (*m*) *(sudden) difficulty, obstacle;* avoir un empêchement *to be held up*

empêcher (de) *to prevent (from)*

l'empire (*m*) *empire*

l'emploi (*m*) *employment, job*

employer (j'emploie) *to use, to employ*

emporter *to take away (things)*

l'énarque (*m/f*) *former student of the ENA (Ecole Nationale d'Administration)*

enchanté(e) *delighted*

enclencher *to set in motion*

encore *still, yet*

encourager *to encourage*

l'encre (*f*) *ink*

s'endormir★ *to go to sleep*

l'endroit (*m*) *place*

l'énergie (*f*) *energy*

l'enfant (*m/f*) *child*

enfin *at last*

enfoncer *to drive in*

l'engagé (*m*) *recruit*

l'engagement (*m*) *agreement;* l'engagement est pris *we are committed*

engager *to hire;* s'engager★ *to commit oneself;* s'engager dans *to engage in*

engendrer *to engender, to create*

enjamber *to span, to straddle*

énormément *enormously*

l'enquête (*f*) *survey*

enregistré(e) *recorded*

l'enregistrement (*m*) *recording*

enregistrer *to check in, to register*

l'enseigne (*f*) *sign*

l'enseignement (*m*) *education, teaching*

enseigner *to teach*

ensemble *together*

ensuite *then, next*

entendre *to hear; to understand;* entendre par *to understand by;* bien entendu *agreed*

enterrer *to bury*

entier/entière *whole*

entièrement *entirely*

entraîner *to lead to*

entre *between*

l'entrée (*f*) *first course, starter*

entreposer *to store*

† entreprendre (*see* prendre, *p. 156*) *to embark on*

l'entreprise (f) firm, company
entrer⋆ to come/go in; entrer en vigueur to come into force
l'entretien (m) interview
l'enveloppe (f) envelope; exterior
environ about; approximately
l'environnement (m) environment
envisager to envisage, to contemplate
† envoyer (see p. 156) to send
l'épargne (f) savings; compte/plan épargne savings account/plan
épeler (j'épelle) to spell
l'époque (f) time, area
l'équipe (f) team
l'équipement (m) equipment; équipement de pointe high-tech equipment
équiper to equip
l'équitation (f) riding
l'erreur (f) mistake
l'escargot (m) snail
les espaces verts (m pl) green areas, parks
l'Espagne (f) Spain
espagnol(e) Spanish (adj)
l'Espagnol(e) (m/f) Spaniard
les espèces (f pl) cash; en espèces in cash
espérer (j'espère) to hope
l'espoir (m) hope
l'esprit (m) spirit; esprit d'analyse analytical mind
essayer (j'essaie) to try
l'essence (f) petrol
essentiel(le) essential
essentiellement essentially
estimer que to think that
estomper to blur, to soften
établir to establish
l'établissement (m) establishment
l'étage (m) floor, storey
l'étalagiste (m/f) window-dresser
s'étaler⋆ to stretch out
étant (pres p of † être, p. 152) being
l'étape (f) stage
l'état (m) state
les Etats-Unis (m pl) United States (of America)
l'été (m) summer
† éteindre (j'éteins, pp éteint) to switch off
étendre to extend
l'éthique (f) code of ethics
étonner to surprise; étonnant(e) surprising; être étonné(e) de to be astonished at
l'étranger (m) foreign countries; à l'étranger abroad; de l'étranger from abroad

† être (see p. 152) to be; ça y est! that's it!; vous y êtes there you are
l'étude (f) study
étudier to study
eu (pp of † avoir, see p. 152) had
européen(ne) European
l'Européen (ne) (m/f) European
eux they; them
eux-mêmes they; themselves
l'événement (m) event
l'éventail (m) fan; range
éventuel(le) possible
éventuellement possibly
éviter to avoid
évoluer to evolve, to change; faire évoluer to develop, to expand
l'évolution (f) development
évoquer to evoke, to recall
exact(e) exact; c'est exact that's right
exactement exactly
exagérer (j'exagère) to exaggerate
excellent(e) excellent
exceptionnel(le) exceptional
exclusivement exclusively
excuser to excuse; s'excuser⋆ to apologise
l'exécution (f) execution; carrying out
exemplaire exemplary
l'exemple (m) example; par exemple for example
exercer to carry on; exercer son métier to do one's job
s'exercer⋆ to practise
exiger to demand
l'existence (f) existence
exister to exist
l'explication (f) explanation
expliquer to explain
l'exportateur/trice (m/f) exporter
l'exportation (f) export, exporting
l'exposition (f) exhibition
l'extérieur (m) outside
externe external
extrême extreme
extrêmement extremely
F
la fabrication (f) manufacturing
fabriquer to make, to manufacture
la face face, front; face à in the face of; en face de opposite
facile easy; fort facile very easy
faciliter to facilitate
la façon manner; de telle façon in such a way; de toute façon in any case
la facturation invoicing
la facture bill
facturer to invoice

† faire (see p. 156) to do, to make; ça fait that comes to; faire face à to face up to, take up; ne rien faire to do nothing ne vous en faites pas! don't worry about it!; se faire⋆ to be carried out, realised; on s'y fait one gets used to it
la faisabilité feasibility
le fait fact; au fait by the way; en fait in fact
† falloir (see p. 156) to be necessary; il faut it is necessary to
fameux/euse famous
familial(e) family (adj)
la famille family
fantastique fantastic
la faute problem; cause
le fauteuil armchair
faux/fausse false; faux-filet sirloin
la faveur favour; en faveur de in favour of
favorable favourable
favori(e) favourite
fédérer (je fédère) to federate
féliciter to congratulate; féliciter quelqu'un de to congratulate someone on; se féliciter⋆ to congratulate oneself
féminin(e) feminine
la femme woman, wife
la fenêtre window
le fer iron; fer de lance spearhead
ferme firm (adj)
fermé(e) closed
ferroviaire railway (adj)
la fête feast, celebration
fêter to celebrate
le feu (pl feux) fire; feu(x) d'artifice fireworks; aux feux at the traffic lights
février February
la fiabilité reliability
la fiche card; fiche de salaire salary payment slip; fiche technique data sheet
fidèle faithful
la fidélité faithfulness, loyalty
se fier⋆ à to rely on
fier/fière proud
figurer to appear
le fil thread; au fil des années over a number of years
le filet fillet steak; filet mignon filet mignon
la filiale subsidiary company
la fille girl, daughter
le fils son
la fin end

finalement *finally*
le financement *financing*
financer *to finance*
le financier *financier*
finir *to end, to finish*
se fixer★ *to settle*
le flaconnage de parfum *perfume bottles*
flamand(e) *Flemish (adj)*
le/la Flamand(e) *Fleming*
la fleur *flower*
le fleuve *river*
florissant(e) *flourishing*
le flux *flood, spate*
le foie gras *goose liver pâté*
la foire *fair*
la fois *time;* à la fois *at;* quelque fois *sometimes;* une fois tous les quinze jours *once a fortnight*
la fonction *post, office, function;* en fonction de *according to*
le fonctionnement *functioning*
fonctionner *to function*
le/la fondateur/trice *founder*
la fondation *foundation*
fonder *to found*
le fonds *fund;* fonds au départ *start-up capital;* mise de fonds *capital outlay*
la force *strength*
forcément *inevitably*
la formalité *form; formality*
la formation *training;* être... de formation *to have been trained as ...*
la forme *form, shape*
formel/le *strict*
former *to form, establish*
la formule *formula*
formuler *to formulate*
fort(e) *strong;* fort facile *very easy*
la foulée *stride*
fournir *to supply*
le fournisseur *tradesman*
la fourniture *provision, supplying*
la fourrière *car pound*
le foyer *home*
les frais (m pl) *expenditure, expenses*
frais/fraîche *fresh, cool*
le fraisage *milling*
le franc *franc*
français(e) *French (adj)*
le/la Français(e) *French person*
le franchissement *crossing*
la fraternité *fraternity, brotherhood*
les freins (m pl) *brakes*
fréquent(e) *frequent*
fréquenter *to visit*
le frère *brother*

le fret *freight*
le fric (*fam*) *dough, cash*
le fromage *cheese*
la frontière *frontier*
fructueux/ueuse *fruitful*
le fruit *fruit;* fruits de mer *seafood*
fumer *to smoke*
le/la fumeur/euse *smoker*
la fusion *merger*
le futur *future; future tense*

G

gagner *to win, to gain, to earn;* gagner du temps *to save time;* gagner sa vie *to earn one's living*
la galerie *gallery*
la gamme *scale; range*
le/la garant(e) *guarantor*
garanti(e) *guaranteed*
garantir *to guarantee*
le garçon *boy; waiter*
la garde *guard; care*
garder *to look after;* en gardant *looking after*
la gare *railway station*
garer *to park*
le gâteau (*pl* gâteaux) *cake;* part (*f*) du gâteau *slice of cake*
la gauche *left, left wing;* à gauche *on the left*
gauche *left (adj)*
le géant *giant*
général(e) (*m pl* généraux) *general*
le général (*pl* généraux) *general*
le génie *genius; spirit*
le genre *type, sort*
les gens (*m pl*) *people;* gens responsables *those in authority*
gentiment *kindly*
gérer (je gère) *to administer;* gérer le quotidien *manage the day to day running*
germanique *Germanic*
le geste *movement, gesture*
la gestion *workshop; management*
le/la gestionnaire *administrator;* être gestionnaire *to be a manager*
gestion *administrative, management (adj)*
le gibier *game*
le gigot *leg of lamb*
global(e) (*m pl* globaux) *global*
le goût *taste*
goûter (à) *to taste, try*
le gouvernement *government*
grâce à *thanks to*
grand(e) *large*
le grand-parent *grandparent*

la Grande-Bretagne *Great Britain*
graphologique *handwriting (adj)*
gratuit(e) *free of charge*
gratuitement *free of charge; gratuitously*
la Grèce *Greece*
grec(que) *Greek (adj)*
le/la Grec(que) *Greek person*
la grève *strike*
la grille *grid*
le Groenland *Greenland*
gros(se) *large, fat*
la Guadeloupe *Guadeloupe*
la guerre *war*
le guichet *window; ticket office*
le guide *guide; guidebook*
les guillemets (m pl) *inverted commas;* entre guillemets *in inverted commas*
guillotiner *to guillotine*

H

habile *clever*
l'habillement (m) *clothing*
s'habiller★ *to dress (oneself)*
l'habitant(e) (m/f) *inhabitant*
l'habitat (m) *habitat*
l'habitation (f) *place of residence, house*
habiter *to live in*
d'habitude *usually*
l'habitude (f) *habit, custom*
habituel(le) *usual*
habituellement *usually*
s'habituer★ à *to get used to;* on s'y habitue *one gets used to it*
l'hallucinogène (m) *hallucinatory drug*
la halte *stop;* faire halte *to stop*
le haricot vert *green bean*
l'harmonisation (f) *harmonisation*
harmoniser *to harmonise*
la hausse *rise, increase;* être en forte hausse *to be rising fast*
haut(e) *high*
le haut *top;* en haut *at the top*
la haute technologie *high technology*
HEC: Hautes Etudes (f pl) Commerciales *prestigious higher education/business school*
hein *eh?, what?*
l'héritage (m) *inheritance*
le héros/l'héroïne (m/f) *hero/heroine*
hésiter *to hesitate*
l'heure (f) *hour, time;* heure d'ouverture *opening time;* à l'heure *on time;* à quelle heure? *at what time?;* à tout à l'heure *see you later;* 48 heures chrono *in 48 hours flat*

heureusement *luckily, fortunately*
heureux/se *happy*
l'Hexagone (m) *France*
hier *yesterday*
historique *historic*
historiquement *historically*
hollandais(e) *Dutch (adj)*
le/la Hollandais(e) *Dutch person*
le homard *lobster*
l'hommage (m) *homage*
l'homme (m) *man*; homme de l'entreprise *businessman*
honnête *honest*
honorer *to honour*
l'hôpital (m) *hospital*
l'horaire (m) *timetable*
horizontal(e) *horizontal*
l'horreur (f) *horror*; j'en ai horreur *I hate it*
hors taxes *before tax*
l'hôtel (m) *hotel*; hôtel de ville *town hall*
l'hôtesse (f) d'accueil *receptionist*
l'huile (f) *oil*
huit *eight*
huitième *eighth*
humain(e) *human*
l'hypermarché (m) *hypermarket*

I
ici *here*; d'ici *from here*
idéal(e) *ideal (adj)*
l'idéal (m pl) idéaux *ideal(s)*
l'idée (f) *idea*
identifier *to identify*; s'identifier* à *to identify with*
l'idéologie (f) *ideology*
il faut (see †falloir, p. 156) *it is necessary to*; il a fallu *one we/they had to*
il y a (see †avoir, see p. 152) *there is/are*; il y a deux ans *two years ago*
l'île (f) *island*
les Iles Comores (f pl) *the Comoros Islands*
illisible *illegible*
l'imagination (f) *imagination*
imaginer *to imagine*
immédiat(e) *immediate*
immémorial(e) (m pl -iaux) *age-old*
l'immersion (f) *immersion*
l'immigré(e) (m/f) *immigrant*
l'impact (m) *impact*
l'imparfait (m) *imperfect tense*
impayé(e) *unpaid, outstanding*
l'impératif (m) *imperative mood*
l'impérialisme (m) *imperialism*

l'implantation (f) *introduction; setting up*
s'implanter* *to establish oneself*
impliqué(e) *involved*
l'importance (f) *importance*
important(e) *important; large (sum, etc)*; la plus importante *the most important*
l'importation (f) *import, importing*
importer *to matter*; n'importe que… *never mind that …*
imposé(e) *imposed*
impossible *impossible*
l'impôt (m) *charge, tax*
imprécis(e) *imprecise, inaccurate*
impressionnant(e) *impressive*
imprévu(e) *unexpected*
l'imprévu (m) *the unexpected*
l'imprimé (m) *form*
l'imprimerie (f) *printing*
inactif/ive *unemployed*
inadmissible *intolerable*
l'inauguration (f) *inauguration, opening, launch*
l'incident (m) *incident*
inciter à *to prompt*
incorruptible *incorruptible*
incroyable *incredible*
l'indépendance (f) *independence*
indépendant(e) *independent*
l'indicatif *indicative mood*
indiquer *to indicate, tell*
indiscutable *unquestionable*
indiscutablement *unquestionably*
l'individu (m) *individual*
induit(e) *induced*
industrialisé(e) *industrialised*
l'industrie (f) *industry, commerce*; industrie de pointe *high-tech industry*
industriel(le) *industrial*
l'inertie (f) *inertia, apathy*
l'infinitif (m) *infinitive*
l'informaticien(ne) (m/f) *computer engineer*
l'informatique (f) *computer science*
informer *to inform*; être informé(e) *to be kept informed*
infos: les informations (f pl) *information*
l'infrastructure (f) *infrastructure*
l'ingénierie (f) *engineering*
l'ingénieur (m) *engineer*
innombrable *countless, innumerable*
innover *to innovate*
s'inscrire* *to fit in; to be written; to sign up*
inspirer *to inspire*

s'installer* *to set oneself up; to settle down*
l'instant (m) *instant*; à l'instant même *at this/that very moment*
l'instauration (f) *institution; introduction*
instituer *to establish, to institute*
l'insu (m) *not knowing*; à votre insu *without your knowledge*
l'intégralité (f) *totality, whole*
intégré(e) *integrated*
s'intégrer* *to integrate oneself*
l'intelligence (f) *intelligence*
intense *intense*
l'interdiction (f) *ban*
†interdire (see dire, p. 156) *to forbid*
intéressant(e) *interesting*
l'intéressement (m) *participation*
l'intérêt (m) *interest*
l'intérieur (m) *inside*; à l'intérieur du service *within the department*
l'interlocuteur/trice (m/f) *speaker*; avoir un interlocuteur *to have someone to talk to*
l'intermédiaire (f) *intermediary (thing)*; (m/f) *intermediary (person)*
international(e) (m pl -aux) *international*; à l'international *abroad*
interne *internal*
interroger *to interrogate*
†interrompre (il interrompt) *to interrupt*
l'interrupteur (m) *switch*; interrupteur marche-arrêt *on-off switch*
†intervenir (see venir, p. 156) *to intervene*
interviewer *to interview*
l'invasion (f) *invasion*
l'inventaire (m) *inventory*
inventer *to invent*
l'invention (f) *invention*
l'inverse (m) *opposite*; à l'inverse *on the other hand*
investir *to invest*
l'investissement (m) *investment*
l'investisseur (m) *investor*
l'invitation (f) *invitation*
inviter *to invite, ask*
ira (fut of †aller, see p. 155) *(he/she) will go*; ça ira? *will that be OK?*
irlandais(e) *Irish (adj)*
l'Irlandais(e) (m/f) *Irish person*
l'Irlande (f) *Ireland*
l'ironie (f) *irony*
l'isolement (m) *loneliness*

l'issue (*f*) *exit; solution;* à l'issue de *at the end of;* issu/e *from*
l'Italie (*f*) *Italy*
l'Italien(ne) *Italian person*
italien(ne) *Italian (adj)*
l'itinéraire *itinerary*

J

jalonner *to punctuate*
jamais *never;* plus jamais *not any more*
le jambon *ham;* jambon de pays *ham of the region*
janvier *January*
le Japon *Japan*
japonais(e) *Japanese (adj)*
le/la Japonais(e) *Japanese person*
jaune *yellow*
jeter (je jette) *to throw*
le jeu *game*
jeudi *Thursday*
jeune *young*
joindre *to contact*
joli(e) *pretty*
jouer *to play*
jouir (de) *to enjoy*
le jour *day;* au jour le jour *from day to day*
la journée *day;* toute la journée *all day;* bonne journée! *have a good day!*
juger *to judge*
juillet *July*
juin *June*
jusqu'à *until;* jusqu'à ce que... (+ subj) *until ...*
juste *just; right*
justifier *to justify*

K

le Kenya *Kenya*
le kilo *kilo*

L

là *there;* là-bas *down there, over there*
le laboratoire *laboratory*
la lacune *deficiency, gap*
la laine *wool*
laisser *to leave;* laisser un message *to leave a message*
le lait (*m*) *milk;* lait cru *unpasteurised milk*
lancer *to launch*
le langage *language;* langage véhiculaire *working language*
la langoustine *Dublin Bay prawn*
la langue *tongue; language*
le lapin *rabbit;* terrine de lapin *rabbit pâté*

largement *widely*
latin(e) *Latin (adj)*
laver *to wash;* se laver★ *to wash oneself*
la lecture *reading*
léger/légère *light*
légèrement *lightly, slightly*
la législation *legislation*
le légume *vegetable*
lequel/laquelle/lesquels/lesquelles *who, which;* auquel/ à laquelle/ auxquels/auxquelles *to whom, to which*
la lettre *letter;* lettre de candidature *application letter;* lettre de motivation *covering letter;* lettre manuscrite *handwritten letter*
leur (*to*) *them;* leur(s) *their*
lever *to lift*
se lever★ *to get up*
la liaison *link;* liaison Trans-Manche *cross-Channel link*
libéral(e) (*m pl* -aux) *liberal*
la libération *liberation*
la liberté *liberty*
le/la libraire *bookseller*
libre *free*
la licence *degree*
le/la licencié(e) *graduate*
licencier *to make redundant*
le lien *link*
le lieu *place;* avoir lieu *to take place;* donner lieu à *to give rise to;* en tous lieux *anywhere*
la ligne *line, telephone line;* ligne de produits *product line;* mauvaise ligne *bad line*
la limite *limit;* à la limite *in the last resort*
limité(e) *limited*
limiter *to limit*
linguistique *linguistic*
†lire (*see p. 156*) *to read*
lisiblement *legibly*
la livraison *delivery*
le livre *book*
la livre *pound sterling*
livrer *to deliver*
livreur/euse *deliverer*
localisé(e) *located*
la localité *town, village*
les locaux (*m pl*) *premises*
le logement *housing*
loger *to live, stay;* se loger *to find lodgings*
le logiciel *software*
la loi *law*
loin *far*

le loisir *leisure*
long(ue) *long*
longer *to border*
longtemps (*for*) *a long time;* depuis longtemps *for a long time, long ago;* il y a longtemps *long ago*
lors de *at the time of*
lorsque *when*
la lotte *monkfish*
louer *to hire*
lourd(e) *heavy*
le loyer *interest rate, rent*
lui *he, him;* lui-même *he, himself*
la lumière *light*
la luminosité *radiance*
lundi *Monday*
le/la lycéen(ne) *secondary school pupil*

M

la machine *machine;* machine à écrire électronique *electronic typewriter*
mademoiselle *Miss*
le magasin *shop;* magasins du quartier *local shops*
le magazine *magazine*
magnifique *magnificent*
mai *May*
le maillot jaune *yellow jersey (worn by leader of the* Tour de France)
la main *hand;* main d'œuvre *workforce;* sous la main *to hand*
maintenant *now*
†maintenir (*see venir, p. 156*) *to hold, to keep up*
le maire *mayor*
mais *but*
la maison *house, home*
le maître *master*
la maîtrise *mastery; supervisory staff*
maîtriser *to master*
la majorité *majority*
mal *bad, badly;* très mal *very bad, very badly*
malade *ill*
malgré *in spite of*
malheureux/euse *unhappy, unfortunate*
malheureusement *unfortunately*
le Mali *Mali*
la Manche *English Channel*
le/la mandant(e) *principal, client*
manger *to eat;* bon à manger *good to eat*
la manière *way, manner;* de manière à *so that*
la manifestation commerciale *business event*
le manque *lack, shortage*

manquer *to miss*
manuel(le) *manual*
la maquette *(scale) model*
maraicher/ère *market garden (adj)*
le marais *swamp*
le marayeur *fishmonger*
le/la marchand(e) *shopkeeper, merchant*
la marchandise *merchandise*
la marche *step; walking;* la marche de l'entreprise *running of the business*
le marché *market;* Marché commun *Common Market;* marché du travail *job market*
marcher *to march, to walk*
la marge *margin;* marge bénéficiaire *profit margin*
le mari *husband*
le mariage *marriage*
marié(e) *married*
marin(e) *sea (adj), marine*
le Maroc *Morocco*
marquant(e) *outstanding*
la marque *trade mark*
marre: j'en ai marre *(fam)* *I've had enough*
mars *March*
la Martinique *Martinique*
masculin(e) *masculine*
la masse salariale *wage bill*
matériel(le) *material*
les mathématiques *(f pl) mathematics*
la matière *matter, subject;* en matière de *concerning*
le matin *morning, in the morning*
matinal(e) *(m pl -aux) morning (adj)*
la maturité *maturity*
mauvais(e) *bad*
le méandre *twists and turns*
la mécanique *mechanics;* mécanique lourde *heavy engineering*
les médias *(m pl) the media*
le médicament *medicine, drug*
méditerranéen(ne) *mediterranean (adj)*
la mégalopole *megalopolis*
meilleur(e) *best*
le membre *member*
même *same;* même si *even if;* être à même de *to be in a position to;* en même temps *at the same time;* par là même *through this*
la mémoire *memory*
la mémorisation *memorising*
mémoriser *to store; to memorise*
la menace *threat*

mener *to lead;* mener une enquête *to carry out a survey*
mensonger/ère *false*
mensuel/lle *(adj) monthly*
mentionner *to mention*
le menu *menu*
la mer *sea*
merci *thank you;* merci beaucoup *thank you very much*
mercredi *Wednesday*
mériter *to deserve*
la merveille *wonder;* à merveille *perfectly*
le message *message*
la messagerie *parcel mail*
la mesure *measurement; measure;* dans la mesure où *inasmuch as;* être en mesure de *to be able to*
métallique *metallic*
la métallurgie *metallurgy*
la météo *weather forecast*
le métier *job*
le mètre *metre*
le métro *underground railway;* en métro *by tube*
la métropole *urban area, metropolis*
métropolitain(e) *metropolitan;* la France métropolitaine *the whole of France*
† mettre *(see p. 156) to put;* mettre au point *to complete;* mettre de côté *to put aside, to save;* mettre en avant *to put forward;* mettre fin à *to end;* mettre en service *to put into service;* mettre en valeur *to highlight;* s'y mettre *to get involved (in it), to get stuck in*
meubler *to furnish*
le micro-onde *microwave (oven)*
le midi *midday*
mieux *better*
le mieux *the best*
le milieu *middle;* au milieu de *in the middle of;* milieu naturel *natural surroundings*
mille *(inv) (adj) thousand*
le milliard *thousand million*
le million *million*
la mine *mine*
le minéral *(pl -aux) mineral*
la minéralurgie *mineral processing*
mineur(e) *minor*
minimal(e) *(m pl -aux) minimal*
le minimum *minimum*
le ministère *ministry*
le Minitel *home telecommunications terminal*
le minuit *midnight*

la minute *minute*
la mise *putting, setting;* mise de fonds *capital outlay;* mise en fiche *index;* mise en place *putting in place* mise en série *mass production*
la mission *policy, assignment;* service mixte *mixed*
le mobilier *furniture*
la mobilisation *mobilisation*
mobiliser *to mobilise*
la mode *fashion;* à la mode *fashionable*
le modèle *model, type*
moderne *modern*
la modification *alteration, modification*
modifier *to modify*
la modulation horaire *timetable of telephone call rates*
moi *I, me*
moi-même *I, myself*
moindre *least, slightest*
moins *less;* au moins *at least;* à moins que …(+ subj) unless …; …moins le quart *a quarter to …*
le mois *month*
la moitié *half*
le moment *moment;* à tous moments, à tout moment *at any time;* en ce moment *at the moment*
mon/ma *(pl mes) my*
le monde *world;* tout le monde *everyone*
mondial(e) *(pl -iaux) world (adj)*
monétaire *monetary*
la monnaie *currency; change*
le monopole *monopoly;* monopole pétrolier *oil monopoly*
monsieur *sir, Mr*
le montage *assembling;* montages industriels *industrial plant erection*
la montagne *mountain*
le montant *upright; sum*
la montée *climb, climbing*
monter★ *to go up*
la montre *watch*
montrer *to show*
monumental(e) *(m pl -aux) monumental*
la mosaïque *mosaic*
le mot *word;* mot de passe *password;* mot-clef *key word*
le moteur *engine*
la motivation *motive;* une très grande motivation *very strong motive, strong motivation*
motiver *to motivate;* être motivé(e) *to be motivated*

la moule *mussel;* moules marinières *mussels in white wine and garlic*
le moule *mould, matrix*
† mourir★ (je meurs, *pp* mort(e)) *to die*
la mousse *mousse*
le mouvement *movement*
† mouvoir (je meus, *pp* mû) *to move*
  moyen(ne) *medium;* moyen terme *medium term*
le moyen *way; means;* moyen d'évasion *means of escape;* moyens de transport *means of transport*
la moyenne *average;* une moyenne de *an average of;* en moyenne *on average*
  mû (*pp of* † mouvoir) *moved*
  multiplier *to multiply*
la multitude *crowd*
le musée *museum*
la musique *music*

N

la nage de coquillage *seafood stock*
  nager *to swim*
la naissance *birth*
† naître★ (je nais, *pp* né(e)) *to be born*
la natation *swimming*
  national(e) (*m pl* -aux) *national*
la nationalité *nationality*
la nature *nature*
  naturel(le) *natural*
  naturellement *naturally*
la navette *shuttle*
  né(e) (*pp of* † naître) *born*
  néanmoins *nevertheless*
  nécessaire *necessary*
  nécessairement *necessarily*
la necessité *necessity, obligation*
  nécessiter *to necessitate*
le/la Néerlandais(e) *Dutch person*
  néerlandais(e) *Dutch (adj)*
  négatif/ve *negative*
  négocier *to negotiate*
la négotiation *negotiation*
la neige *snow*
  neiger *to snow*
le Népal *Nepal*
  nerveux/euse *nervous*
  nettement *flatly*
le nettoyage *cleaning*
  neuf *nine*
  neuvième *ninth*
le nez *nose*
le/la Nigéria *Nigeria*
le niveau *level;* niveau de vie *standard of living*
  nocif/ive *harmful*

  nocturne *nocturnal*
Noël *Christmas;* le jour de Noël *Christmas Day;* la veille de Noël *Christmas Eve*
le nom *name;* à quel nom? *in what name?*
le nombre *number*
  nombreux/euse *numerous*
  non-fumeur *non-smoking*
le nord *the north*
la norme *standard;* norme sanitaire *health standard*
la Norvège *Norway*
  norvégien(ne) *Norwegian (adj)*
le/la Norvégien(ne) *Norwegian person*
  notamment *notably*
la note *note*
  noter *to note*
la notion *notion, idea*
la notoriété *notoriety; fame*
  notre (*pl* nos) *our*
le/la nôtre *ours*
  nourrir *to nourish, feed*
  se nourrir★ *to eat*
  nouveau (nouvel *before vowel*)/ nouvelle/nouveaux/nouvelles *new;* à/de nouveau *again*
la Nouvelle-Zélande *New Zealand*
  novembre *November*
  nuageux/euse *cloudy*
la nuit *night;* bonne nuit *good night*
le numéro *number;* numéro d'accès *access number;* numéro de compte *account number;* numéro d'urgence *emergency number*
la numérotation *numbering*

O

l'objet *object;* faire l'objet de *to be the object of*
  obligatoire *obligatory*
l'obligeance (*f*) *obligingness*
  obliger *to oblige;* être obligé(e) à *to be obliged to*
† obtenir (*see* venir, *p. 156*) *to obtain*
l'occasion (*f*) *occasion;* à l'occasion de *on the occasion of*
  occidental(e) (*m pl* -aux) *occidental*
  occuper *to occupy;* s'occuper★ de *to deal with;* c'est occupé *the line's engaged*
  octobre *October*
  octroyer *to grant;* octroyant *granting*
l'œil (*m pl* yeux) *eye;* coup d'oeil *glance*
l'œuf (*m*) *egg;* œuf dur *hard boiled egg*
l'œuvre (*f*) d'art *work of art*

  offert (*pp of* † offrir) *offered*
  officiellement *officially*
l'offre (*f*) *offer*
† offrir (*see* ouvrir, *p. 156*) *to open*
  on *one, he, she, we, you, they*
  onze *eleven*
l'opéra (*m*) *opera*
l'opérateur/trice (*m/f*) *operator*
l'opération (*f*) *transaction*
  opérer (j'opère) *to operate (on)*
l'opinion (*f*) *opinion*
l'opticien(ne) (*m/f*) *optician*
l'option (*f*) *option*
  or *whereas*
l'or (*m*) *gold*
  oral(e) (*m pl* oraux) *oral*
l'orange (*f*) *orange*
l'orateur/trice *orator*
l'ordinateur (*m*) *computer*
l'ordonnance (*f*) *prescription; order*
l'ordre (*m*) *order;* ordre du jour *agenda*
l'organisation (*f*) *organisation;* organisation syndicale *trade union*
  organiser *to organise;* s'organiser★ *to get (oneself) organised*
l'organisme (*m*) *organism*
  s'orienter★ vers *to direct oneself towards*
l'oriflamme (*f*) *banner, standard*
  original(e) (*m pl* -aux) *original*
l'originalité (*f*) *originality*
l'origine (*f*) *origin*
l'os (*m*) *bone*
  oser *to dare*
  où *where*
  oublier *to forget*
l'ouest (*m*) *west*
  oui *yes*
l'outil (*m*) *tool, implement*
  outre *as well as; beyond;* outre-mer *overseas*
l'ouverture (*f*) *opening*
l'ouvrage (*m*) *work*
l'ouvrier/ière (*m/f*) *worker*
† ouvrir (*see p. 156*) *to open*

P

le paiement *payment*
le pain *bread*
le palais (*m*) *palace*
la palourde *clam*
le panier *basket*
la panne *breakdown;* en panne *out of order*
le panneau *sign*
la panoplie *range, display*
le papier *paper*

† paraître (*see* connaître, *p. 155*) *to appear*
parallèle *parallel*
la parapharmacie *pharmaceutical products sold without prescription*
le parc *park*
parce que *because*
parcourir *to travel*
parcourus *travelled*
le parcours *duration; ground, distance covered;* parcours du combattant *assault course;* tout au long du parcours *for the whole distance*
parfait(e) *perfect*
parfaitement *perfectly*
parfois *sometimes*
la parfumerie *perfumery*
le pari *bet, wager*
parisien(ne) *Parisian (adj)*
le/la Parisien(ne) *inhabitant of Paris*
la parité *parity;* à parité *on equal terms*
le parking *car park*
parlementaire *parliamentary*
parler *to talk;* parler à *to talk to;* sans parler de *not to mention*
parmi *among;* parmi lesquelles *among others; including*
le parrainage *sponsorship*
la part *part, share;* à part ça *apart from that;* de la part de qui? *from whom?;* de part et d'autre *on either side;* d'une part... d'autre part... *on the one hand ... on the other ...*
partagé(e) *divided*
le/la partenaire *partner*
le parti *(political) party*
participer *to participate*
particulier/ière *particular, individual*
particulièrement *particularly*
la partie *part*
† partir★ (*see* sortir, *p. 156*) *to leave;* à partir de *from*
le/la partisan(e) *supporter*
partout *everywhere*
le pas *step*
passager/ère *passing, occasional*
le/la passant(e) *passer-by*
le passé composé *perfect tense*
le passe-temps (*pl* passe-temps) *pastime*
le passeport *passport*
passer (le temps) *to spend (time);* passer un accord *to come to an agreement*
se passer★ *to happen*
passionnant(e) *exciting*
le pâté *pâté*
patienter *to wait; to be patient*

le/la pâtissier/ère *cake shop owner; confectioner*
la patrie *homeland*
le patrimoine *heritage;* patrimoine culturel *cultural heritage*
le/la patron(ne) *owner*
le patronat *bosses*
le pavé *thick piece, slice (of meat)*
payer (je paie) *to pay*
le pays *country*
les Pays-Bas (*m pl*) *Netherlands*
le paysage *landscape, scenery*
la pêche *peach; fishing*
la peine *sorrow, sadness;* à peine *just, barely;* sous peine de *under threat of*
le peintre *painter*
le pèlerin *pilgrim*
la pelouse *lawn*
pénard(e) (*fam*) *quiet*
pendant *while, during*
la pénétration *penetration*
penser *to think*
la Pentecôte *Whitsun*
perché(e) *perched*
perdre *to lose;* un peu perdu(e) *a bit lost*
le père *father*
la pérennité *perpetuity*
le perfectionnement *perfection, perfecting*
la performance *performance*
performant(e) *efficient, better*
se périmer★ *to expire;* périmé(e) *out of date, no longer valid*
la période *period*
le périphérique *ring road*
la permanence *permanence;* en permanence *permanently*
permanent(e) *permanent*
† permettre (*see* mettre, *p. 156*) *to allow; to permit*
† se permettre★ (*see* mettre, *p. 156*) de *to allow oneself to*
le permis de conduire *driving licence*
le Pérou *Peru*
le personnage *character, individual*
personnalisé(e) *personalised*
personnaliser *to personalise*
la personnalité *personality*
la personne *person;* (*with* ne) *nobody*
personnel(le) *personal*
le personnel *staff, employees*
persuader *to persuade;* je suis persuadé(e) (que) *I am convinced (that)*
la perturbation *disruption, disturbance*
petit(e) *small, little*

le petit déjeuner *breakfast*
le pétrole *oil, petroleum*
le peu *little;* un petit peu *a little bit*
le peuple *people*
peuplé(e) (de) *peopled (with)*
peut-être *perhaps*
la philosophie *philosophy*
la photographie *photography*
la phrase *expression, sentence;* phrase clef *key expression*
la physique *physics*
le pichet *pitcher, jug*
la pièce *piece; coin; room;* pièce d'identité *identification*
le pied *foot;* à pied *on foot*
le/la piéton/nne *pedestrian*
piéton/nne *pedestrian (adj)*
piétonnier/ière *pedestrian (adj)*
la pile *stack; battery;* pile de sauvegarde *back-up battery*
le pilotage *flying*
le/la pionnier/ière *pioneer*
la piscine *swimming, swimming pool*
la place *place; seat*
le placement *investment*
le plafond *ceiling, roof*
la plage *beach*
la plaine *plain*
la plainte *complaint*
le plaisir *pleasure;* avec plaisir *with pleasure*
le plan *plan;* sur le plan politique *on the political level*
la plante *plant*
la plaque-tournante *turntable*
plastique *plastic*
le plat *dish, meal;* plat du jour *dish of the day;* plat cuisiné *cooked dish*
plein(e) *full;* plein tarif *full rate*
plier *to bend*
le plomb *lead*
la plomberie *plumbing*
la plume *pen*
la plupart *most*
pluridisciplinaire *multidisciplinary*
le pluriel *plural*
plus *more;* plus de *more (than);* de plus en plus *more and more*
plusieurs *several*
plutôt *rather*
le pneu *tyre*
le poète *poet*
le poids *weight;* faire le poids *to counterbalance*
le point *point, stage;* point de jonction *meeting point;* point de repère *landmark;* faire le point *to take stock*

pointu(e) *pointed; specialised*
le poisson *fish*
le pôle *pole (North, South)*
la politesse *politeness*
le/la politicien(ne) *politician*
la politique *politics*
le/la politologue *political pundit*
pollué(e) *polluted*
la pollution *pollution*
la Pologne *Poland*
polonais(e) *Polish (adj)*
le/la Polonais(e) *Pole*
polytechnique *polytechnic (adj)*
polyvalent(e) *with a wide range of skills*
la pomme de terre *potato*
le pompier *fireman*
le pont *bridge*
populaire *popular*
la population *population*
le porc *pork*
le port *port*
portatif/ive *portable*
la porte *door;* porte ouverte *open door*
le porte-monnaie *purse*
le portefeuille *wallet; portfolio*
porteur/euse *profitable;* structure porteuse *load bearing structure*
portuaire *port (adj)*
portugais(e) *Portuguese (adj)*
le/la Portugais(e) *Portuguese person*
le Portugal *Portugal*
poser *to put;* poser une question *to ask a question*
positif/ive *positive*
la position *position; situation*
le positionnement *positioning*
posséder (je possède) *to possess*
la possibilité *possibility*
possible *possible;* si c'est possible *if possible*
le poste *post, job; telephone extension*
potentiel(le) *potential*
le pouce *thumb;* un coup de pouce *a push in the right direction*
pour *for;* pour quel motif? *for what reason?;* pour ce qui concerne. . . *as far as . . . is concerned*
pour cent *per cent*
le pourcentage *percentage*
pourquoi? *why?*
pourriez *(cond of* †pouvoir, *see p. 155) (you) could*
pourtant *yet, however*
le pourtour *circumference*
le pouvoir *power;* pouvoirs publics *authorities*
†pouvoir *(see p. 155) to be able to;* ça

peut aller *it will do;* ça peut être *it can be;* on peut *one/he/she/we/you/they can;* vous pourrez *you will be able to;* puissiez-vous. . .? *could you . . .?*
pratique *practical*
la pratique *practice;* en pratique *in practice*
pratiquement *practically*
pratiquer *to practise*
le pré *field*
la précaution *precaution*
précédent(e) *preceding*
précis(e) *exact*
préciser *to specify*
la précision *clarification*
†prédire *(see* dire, *p. 156) to foretell*
préféré(e) *preferred*
†prélever (je prélève) *to levy;* prélever un impôt *to raise a tax, to charge a fee*
premier/ière *first;* Premier ministre *Prime Minister*
†prendre *(see p. 156) to take;* prendre conscience de *to be aware of;* je m'y prends mal/bien *I'm getting on badly/well with it*
le prénom *first name*
la préoccupation *preoccupation*
la préparation *preparation*
préparer *to prepare*
prépondérant(e) *major*
la préposition *preposition*
près (de) *near;* à peu près *more or less;* être près de ses sous *(fam) to be mean*
la prescription *prescription*
la présence *presence*
présent(e) *present*
la présentation *introduction*
présenter *to introduce;* se présenter★ *to introduce oneself*
la préservation *preservation, preserving*
préserver *to preserve*
le président *president*
présider *to preside*
presque *almost*
la presse *press*
le prestataire de services *service industry*
la prestation *service; benefit*
le prestige *prestige*
prestigieux/euse *prestigious*
le prêt *loan*
prêt(e) *ready*
le prêt-à-porter *ready-to-wear clothing*
la preuve *proof;* faire ses preuves *to prove oneself*

†prévenir *(see* venir, *p. 156) to warn*
prévisionnel(le) *anticipated, forecast*
†prévoir *(see* voir, *p. 156) to forecast*
prévoyant(e) *provident*
prier *to pray; to ask*
primordial(e) *(m pl –iaux) primordial*
principal(e) *(m pl –aux) principal*
principalement *principally*
le principe *principle;* en principe *in general, as a rule;* par principe *on principle*
prioritaire *having priority*
la priorité *priority*
la prise *capture, taking;* prise de courant *power point, plug*
la prison *prison*
privé(e) *private*
privilégié(e) *privileged*
le privilège *privilege;* privilèges *goods with fixed retail prices*
le prix *price;* au même prix *at the same price;* prix imposé *fixed price*
probable *probable*
probablement *probably*
le problème *problem;* aucun problème *no problem;* problèmes sociaux *personnel problems*
le procès-verbal *minutes (of meeting)*
prochain(e) *next*
proche *neighbouring*
procurer *to procure*
productif/ive *productive*
produire *to produce*
le produit *product;* produits carbonés *carbon products*
la profession *profession*
professionnel(le) *professional*
le profil *profile*
profiter (à) *to be profitable (to)*
profond(e) *deep; profound*
profondément *profoundly*
progressiste *progressive*
le projectile *missile*
le projet *plan*
projeter *to plan*
se promener★ *to walk*
la promotion *promotion*
†promouvoir (je promeus, *pp* promu) *to promote*
à propos *by the way*
proposer *to propose, to suggest*
propre *own; clean*
le/la propriétaire *owner*
la propriété *ownership; property*
la prospection *canvassing*
le prospectus *prospectus*
prospère *prosperous*

la protection *protection*
prouver *to prove*
la provenance *origin, source*
†provenir (*see* venir, p. 156) de *to come from*
la province *province;* en province *in the provinces*
provisionner *to provision, supply*
la proximité *proximity;* en proximité *nearby*
la prune *plum*
le pruneau (*pl* pruneaux) *prune*
prussien(ne) *Prussian*
la pub (*fam*) *advertising; advert*
le public *public*
public/que *public (adj)*
la publicité *publicity*
publié(e) *published*
le publiphone *public call box*
puis *then*
puisque *since*
la puissance *power*
puissant(e) *powerful*
puissiez (*subj of* †pouvoir, *see p. 155*) *(you) could*

Q
qualifier *to qualify*
la qualité *quality*
quand *when;* quand même *all the same*
quant à *as for*
quarante *forty*
le quart *quarter*
le quartier *district*
quatorze *fourteen*
quatre *four*
quatre-vingt-dix *ninety*
quatre-vingts *eighty*
quatrième *fourth*
quel(le)? *which?*
quelque *some*
quelqu'un *someone*
quelque chose *something*
une quinzaine *about fifteen; fortnight*
quinze *fifteen;* quinze jours *fortnight;* tous les quinze jours *every fortnight*
la quittance EDF *receipted electricity bill*
quitter *to leave;* ne quittez pas *hold the line*
quoi? *what?*
quotidien(ne) *daily*

R
raccorder *to link up*
raccrocher *to hang up*
raconter *to recount, to tell*

la rafale (de vent) *gust (of wind)*
la rage *mania, obsession; rabies*
la raison *reason;* pour quelle raison? *why?;* en raison de *because of, on the grounds of*
ramener (je ramène) *to bring back*
le rang *row; rank*
le rangement *tidying up*
rapide *fast*
rapidement *rapidly*
la rapidité *speed, rapidity*
rappeler (je rappelle) *to call back;* rappelez-moi *call me back*
se rappeler★ (je me rappelle) *to remember*
le rapport *connection; relationship;* par rapport à *compared to;* mettre en rapport avec *to put in contact with*
rapporter *to bring back; to yield (money)*
le rapprochement *bringing together*
rapprocher *to bring closer*
rarement *rarely, seldom*
la ratatouille *ratatouille (Provençal vegetable stew)*
rattraper *to recapture*
le rattachement *joining, bringing together*
rattacher à *to link to*
ravi(e) *delighted;* ravi(e) de vous connaître *delighted to meet you*
le rayon *radius;* dans un rayon de *within a radius of*
le rayonnement *influence*
rayonner *to radiate*
réaliser *to achieve*
récapituler *to recapitulate, to sum up*
récemment *recently*
récent(e) *recent*
la réception *reception*
le/la réceptionniste *receptionist*
†recevoir (*see p. 156*) *to receive*
réchapper (à) *to come through, to survive*
la recherche *search, research*
rechercher *to look for*
réclamer *to reclaim*
recommander *to recommend*
reconduire *to renew*
la reconnaissance *gratitude*
la reconversion *retraining*
le record *record*
le recours *recourse;* avoir recours à *to have recourse to*
recruter *to recruit*
le recto *front;* au recto *on the front*
recuire *to reheat, to cook again*
récupérer *to recover, get back*

la redevance mensuelle *monthly payment*
†redevenir★ (*see* venir, p. 156) *to become again*
la réduction *reduction*
†réduire (*see* conduire, p. 155) *to shorten, reduce*
réduit(e) *reduced*
réel(le) *real*
réellement *really, truly*
†refaire (*see* faire, p. 156) *to do again*
le référendum *referendum*
réfléchir *to reflect, to think*
refléter (je reflète) *to reflect, to mirror*
le réflexe *reflex*
la réforme *reform*
refroidir *to cool down*
le refus *refusal*
refuser *to refuse*
le régime *system, regime*
la région *region*
le registre *register*
la règle *rule*
le règlement *regulation; settlement*
régler (je règle) *to adjust*
regretter *to regret, to be sorry*
regrouper *to unite, to bring together*
régulier/ière *regular*
régulièrement *regularly*
la reine *queen*
réjouir *to delight;* se réjouir★ *to rejoice*
le relais *relay, shift*
relatif/ive *relative*
relativement *relatively*
la relation *relationship*
relationel(le) *relational*
la relève *relief*
relever (je relève) *to set up again*
relier *to link*
religieux/euse *religious*
remarquer *to remark*
le remboursement *repayment*
rembourser *to repay*
remercier *to thank;* je vous remercie *thank you*
†remettre (*see* mettre, p. 156) *to put back*
remonter★ *to come/go back up*
remplacer *to stand in for*
remplir *to fill*
la rémunération *salary*
rémunérer *to remunerate, to pay*
rencontrer *to meet*
le rendez-vous *meeting, appointment*
rendre *to give back;* se rendre à *to call upon;* se rendre compte de *to realise*

renforcer *to reinforce*
la renommée *renown*
renouer *to tie up*
renouveler (je renouvelle) *to renew*
rénover *to renovate*
le renseignement *piece of information*
renseigner *to give information*
rentabilité *profitability*
rentrer★ *to come back in; to return*
le renversement *overthrow*
renvoyer (je renvoie) *to transfer*
reparler de *to talk about (something) again*
le repas *meal*
le repère *marker, indicator*
le répertoire *index, list*
répertorier *to itemise*
répéter (je répète) *to repeat*
le répondeur automatique *answering machine*
répondre *to reply*
la réponse *answer*
reposer *to put back down; to rest; reposer sur to rely upon*
le repositionnement *rethink*
repousser *to push back*
†reprendre (see prendre, p. 156) *to take up; to take on*
la représentation *representation*
représenter *to represent*
la république *republic*
requis(e) *required*
le réseau *network*
la réservation *reservation*
réserver *to book, reserve*
résister à *to resist*
respecter *to respect*
la responsabilité *responsibility*
responsable *responsible*
resserrer *to strengthen*
†ressortir★ (see sortir, p. 156) *to go out again*
la ressource *resource; ressources humaines human resources*
le restaurant *restaurant*
la restauration *catering; food industry*
le reste *remainder, what's left*
rester★ *to stay*
le resto (fam) *restaurant*
le résultat *result*
le résumé *summary*
résumer *to summarise*
le retard *delay; avoir du retard to be late/delayed*
†retenir (see venir, p. 156) *to retain, hold back*
retirer *to withdraw*

le retour *return; dès votre retour as soon as you return*
retourner★ *to return*
la retraite *retirement; retreat*
retrouver *to find*
la réunion *collection, meeting*
réunir *to gather, to meet*
réussir à *to succeed in*
la réussite *outcome, success*
la revanche *revenge; en revanche on the other hand*
réveiller *to wake someone up; se réveiller★ to wake up*
le révélateur *revealing comment*
†revenir★ (see venir, p. 156) *to come back*
le revenu *income*
rêver *to dream*
†revoir (see voir, p. 156) *to meet again; au revoir goodbye*
révolutionnaire *revolutionary*
RD: Recherche et Développement *research and development*
RFA: République Fédérale d'Allemagne *Federal Republic of Germany*
riche *rich*
la richesse *wealth*
rien *nothing; not anything; il n'y a rien à faire there's nothing to be done*
rigoureusement *rigorously*
le ris de veau *calf sweetbread*
risqué(e) *risky*
risquer *to risk*
le/la rival(e) (m pl rivaux) *rival*
la robe *colour (of wine); dress*
la robinetterie *taps*
la rocade *bypass*
le rognon *kidney*
le roi *king*
le rôle *role*
le roman *novel*
†rompre (il rompt) *to break off*
le rond-point *roundabout*
rouge *red*
le roulement *shift*
rouler *to go*
la route *route*
royal(e) (m pl royaux) *royal*
la royauté *royalty*
RP: Relations Publiques *public relations*
RPR: Rassemblement pour la République (political party)
rubis *ruby coloured*
la rubrique *column; heading*
la rue *road*

S

le sac *bag*
la saison *season*
le safran *saffron*
la salade composée *mixed salad*
le salaire *salary*
le/la salarié(e) *wage earner, employee*
le salé *salt pork*
la salle de bains *bathroom*
la salutation *greeting*
samedi *Saturday*
la sandre *pikeperch*
sans *without; sans conteste indisputably; sans doute probably; sans paiement without payment; sans que (+ subj)... without ...*
la satisfaction *satisfaction*
satisfaire *to satisfy*
satisfaisant(e) *satisfying*
la sauce *sauce, dressing; sauce au poivre pepper sauce*
la saucisse *sausage*
le saucisson sec *dried sausage*
sauf *except*
le saumon *salmon*
la sauvegarde *safeguard*
le savoir *knowledge*
le savoir-faire *savoir faire, know-how*
†savoir (see p. 156) *to know; à savoir que namely*
les sciences humaines *social sciences*
la scission *split*
la séance *meeting*
secret/secrète *secret*
le/la secrétaire *secretary*
secréter (je secrète) *to bring forth*
le secteur *sector*
la sécurité *security*
†séduire (see conduire, p. 155) *to seduce*
le seigneur *lord*
le sein *breast; au sein de within*
seize *sixteen*
le séjour *stay*
sélectionné(e) *selected*
selon *according to*
la semaine *week*
sembler *to seem; il semble bien que (+ subj) it appears that*
le séminaire *seminary*
le sens *meaning; sens relationnel communicative skill*
sensible à *sensitive to*
sensiblement *almost; noticeably*
le sentiment *feeling*
se †sentir★ (see sortir, p. 156) *to feel*
sept *seven*
septembre *September*

septième *seventh*

serait *(cond of † être, see p. 152) (it) would be;* ne serait-ce que ça *even if that were all*

sérieusement *seriously*

le service *service;* service des ventes *sales office;* service par opérateur *operator service;* services généraux *general services;* services annexes *auxiliary services*

†servir *(see sortir, p. 156) to serve*

seul(e) *alone*

seulement *only*

si *if;* s'il vous plaît *please*

SICAV: Société d'Investissement à Capital Variable *specific shares and bonds*

le siècle *century*

le siège *seat;* siège social *company headquarters*

le/la signataire *signatory*

le signe *sign, gesture*

signer *to sign*

la signification *meaning*

signifier *to mean*

simple *simple;* le plus simple *the simplest*

simplement *simply*

la simplicité *simplicity*

singulier/ière *singular*

sinon *except*

la sirène *siren*

le site *setting*

sitôt *as soon as*

situer *to situate*

six *six*

sixième *sixth*

social(e) *(m pl sociaux) social;* relations sociales *industrial relations*

la société *company*

soi *oneself*

soigner *to take care of*

le soin *care*

le soir *evening, in the evening*

la soirée *evening*

soit…soit… *be it … or …*

soixante *sixteen*

soixante-dix *seventy*

le sol *ground*

le solde *balance*

le soleil *sun*

solennellement *solemnly*

solide *solid*

solitaire *solitary*

la solution *answer*

le sommaire *summary*

la somme *sum, amount;* somme

d'argent *sum of money*

son/sa *(pl ses) his, her*

le sondage *opinion poll*

songer *to dream*

sonner *to sound, to ring*

la sorte *sort, kind;* en sorte que *so that;* faire en sorte (que) *(+ subj) to arrange*

la sortie *way out*

†sortir★ *(see p. 156) to leave;* en sortant *on leaving*

le sou *(fam) penny*

le souci *worry*

la soudure *operation*

souffler *to blow*

le souhait *wish*

souhaiter *to wish*

souligner *to underline*

†soumettre *(see mettre, p. 156) to subject*

sous *under;* sous forme de *in the form of;* sous huit jours *within eight days;* sous la main *to hand;* sous ses ordres *under orders*

le sous-ensemble *subset*

sous-entendre *to imply;* sous-entendu *implying, meaning, understood*

la sous-traitance *subcontractors*

soutenu(e) *elevated (style); sustained (effort)*

le soutien *support*

se †souvenir★ *(see venir, p. 156) de to remember*

souvent *often*

les spaghettis *(m pl) spaghetti*

spécial(e) *(m pl spéciaux) special*

spécialisé(e) *specialised*

la spécialité *speciality*

la spécification *specification*

la spécificité *specificity*

spécifique *specific*

le spectacle *show*

spontané(e) *spontaneous*

spontanément *spontaneously*

le sport *sport*

stable *stable*

le stage *training course*

le/la stagiaire *trainee*

le standard *switchboard*

le/la standardiste *switchboard operator*

la station bureautique *work station*

la station *(underground) station*

la station-service *petrol station*

le statut *statute;* statut familial *family law*

le steak tartare *raw steak*

la stratégie *strategy*

stratégique *strategic*

la structure *structure;* structure porteuse *load-bearing structure*

structuré(e) *structured*

le style *style*

le subjonctif *subjunctive mood*

subsister *to remain*

le substantif *noun*

le succès *success;* avoir du succès *to be successful*

succulent(e) *tasty*

la sucrerie *sugar refinery*

le sud *south*

le sud-ouest *the south-west*

la Suède *Sweden*

†suffire *(see dire, p. 156) to be sufficient;* il vous suffit de *you just have to*

suffisamment *sufficiently*

le suffrage universel direct *direct universal vote*

la Suisse *Switzerland*

suite à *further to*

suivant(e) *following*

le suivi *follow-up*

†suivre *to follow*

la Supelec Ecole Supérieure d'Electricité *one of the* grandes écoles

le sujet *subject;* au sujet de *about*

superbe *superb*

la superficie *area*

supérieur(e) *upper*

le supermarché *supermarket*

superviser *to supervise*

le supplément *additional charge*

la suppression *deletion*

supprimer *to abolish; to suppress*

la suprématie *supremacy*

sur *upon*

la surcharge *extra, excess;* en surcharge continuelle *constantly overworked*

sûrement *in safety; certainly*

la surface *surface;* grande surface *hypermarket*

surgelé(e) *deep frozen*

surnommer *to nickname*

surprenant(e) *amazing*

surtout *above all*

†survivre *(je survis, pp survécu) to survive*

susciter *to cause, to provoke*

le symbole *symbol*

symboliser *to symbolise*

sympathique *friendly, likeable*

syndical(e) *(m pl -aux) trade union (adj)*

le syndicat *trade union*

le synonyme *synonym*
la synthèse *synthesis*
le système *system*

T

le tableau *table, chart; picture*
le tandem *tandem;* en tandem (avec) *together (with)*
tandis que *while*
tant *so much;* tant...que... *as much ...as ...;* en tant que *as (in the capacity of);* tant pis *too bad*
taper *to hit (key); to type; to call up (on computer)*
tard *late;* au plus tard *at the latest*
tarder (à) *to delay doing sth.*
le tarif *rate; charge;* tarif douanier *customs charge*
le taux *rate, percentage;* taux d'intérêt *interest rate*
la taverne *inn, tavern*
la technique *technique, method*
la technologie *technology*
le télé-achat *shopping by telephone or Minitel*
tel(le) *such*
la télé-informatique *remote access computing*
la télécarte *phonecard*
la télécopie *fax machine*
le téléphone *telephone*
téléphoner *to telephone*
téléphonique *telephone (adj)*
téléviser *to televise*
la témérité *rashness*
le témoignage *account, testimony*
témoigner *to testify*
le témoin *witness*
la température *temperature*
le temps *time; weather;* de temps en temps *from time to time*
la tendance *inclination*
tendre *tender*
† tenir *(see venir, p. 156) to keep, to hold, to hold on to;* tenir un compte *to keep an account;* tenir à cœur *to hold dear to;* tenir en main *to control*
le terme *term;* court/moyen terme *short/medium term*
le terminal *(m pl -aux) terminal*
terminer *to bring to an end;* se terminer* *to finish*
le terrain *ground; site*
la Terreur *Terror: period of mass executions during the Revolution*
le territoire *territory*
le terroir *soil*

tertiaire *tertiary, service*
la tertiarisation *development of the service sector*
tester *to test*
la tête *head;* tête de pont *bridgehead*
le texte *text*
le textile *textile*
le théâtre *theatre*
le thème *theme*
le Thibet *Tibet*
le ticket *ticket*
le tiers *third*
la timbale *timbale, mould*
le timbre *stamp*
tirer *to derive;* tirer profit de *to gain from*
le titre *heading; title;* au même titre que *in the same way as*
la tomate *tomato*
tomber* *to fall*
ton/ta (pl tes) *your*
la tonalité aigüe *high-pitched tone*
la tonne *metric ton, tonne*
tôt *early*
toucher (à) *to touch;* tout ce qui touche à... *everything on the subject of ..., relating to ...*
toujours *always*
la tour *tower*
le tourisme *tourism*
le tournage *turning*
le tournedos *tournedos steak*
tourner *to turn*
le tourteau *edible common crab*
la Toussaint *All Saints' day*
tout(e) *all;* tout à fait *completely;* tout à loisir *in your own time;* tout au long de *throughout, the entire length of;* tout d'abord *first of all;* tout de suite *immediately;* tout employé *any, every employee;* tout en *while;* tout le monde *everyone*
la tradition *tradition*
traditionnel(le) *traditional*
la traduction *translation*
† traduire *(see conduire, p. 155) to translate*
le trafic *traffic; commerce*
le train *train*
le traité *treaty;* Traité de Rome *Treaty of Rome*
traiter *to treat*
le traiteur *delicatessen shopkeeper*
tranquil(le) *quiet, peaceful*
trans-Manche *cross-Channel*
le transfert *transfer;* transfert d'argent *money transfer;* transfert d'appel *transferred call*

la transformation *change, alteration*
transformer *to change, to alter*
le transformisme *transformism*
transfrontalier/ière *cross-border*
transiter *to convey, to pass*
† transmettre *(see mettre, p. 156) to transmit*
transporter *to carry (things)*
le transporteur *haulier*
le travail *(pl travaux) work;* travaux publics *public building works*
travailler *to work*
le/la travailleur/euse *worker*
à travers *across;* à travers la frontière *across the frontier*
la traversée *crossing*
treize *thirteen*
tremper *to drench, temper*
trente *thirty*
très *very;* très mal *very badly*
la trésorerie *treasury; money, finances*
tricolore *three-coloured;* le drapeau tricolore *French flag*
trilingue *trilingual*
trois *three*
troisième *third;* le troisième âge *senior citizens, retirement*
se tromper* *to make a mistake;* se tromper de numéro *to dial the wrong number*
trop *too much*
troublé(e) *disturbed*
trouver *to find;* se trouver* présent *to be present*
le truc *(fam) thing, what's-it*
la truite *trout*
TTC: toutes taxes comprises *inclusive of all taxes*
tuer *to kill*
la tulipe *tulip*
le tunnelier *tunneller*
le type *type*

U

ultérieur(e) *eventual, subsequent*
un(e) *one; a*
uni(e) *united; plain, self-coloured*
l'union (f) *alliance*
uniquement *uniquely; solely*
s'unir* *to get together*
universitaire *university (adj)*
urbain(e) *urban*
l'urbanistique (f) *town planning*
l'usage (m) *use*
l'usine (f) *factory, machine shop;* usine clefs en main *factory building for immediate occupation*
l'utilisateur/trice (m/f) *user*

l'utilisation (f) *utilisation*
utiliser *to use*
l'utilité (f) *utility*

V

les vacances (f pl) *holidays;* en vacances *on holiday*
le vainqueur *victor*
le vaisseau *vessel, boat;* vaisseau de haut bord *tall ship*
la vaisselle de table *tableware*
valable *valid*
VAL: véhicule automatique léger *Lille metro train*
la valeur *worth, value;* valeur ajoutée *value added;* taxe sur la valeur ajoutée *value added tax;* valeur marchande *market value;* valeur résiduelle *residual value*
† valoir (il vaut, pp valu) *to be worth;* (ça) vaudra *(it) will be worth;* ça vaut le coup de *it's worth (+ -ing);* valoir le coup *to be worthwhile*
valoriser *to develop, enhance the value of*
la vapeur *steam*
varié(e) *varied*
varier *to vary*
la variété *variety*
vaudra (fut of † valoir) *(it) will be worth*
vaut (see † valoir) *(it) is worth*
le vecteur *vector, carrier*
végétal(e) (m pl -aux) *vegetable (adj)*
véhiculaire *vehicular*
veiller (à) *to watch over*
le vélo *bicycle; cycling*
le/la vendeur/euse *salesman, saleswoman*
vendre *to sell*
vendredi *Thursday*
† venir* (see p. 156) *to come*

le vent *wind*
la vente *sale;* vente par correspondance *mail order;* le service des ventes *sales department*
la venue *coming, arrival*
le verbe *verb*
la verdure *vegetation, greenery*
la vérification *verification, checking*
vérifier *to check*
véritable *veritable, genuine*
la verrerie *glassworks*
le verrouillage *locking, closing*
vers *towards*
le versement *payment*
vert(e) *green, ecologically sound*
le vêtement *clothing*
vétuste *dilapidated*
veuillez (imperative of † vouloir, see p. 155) *would you be so kind as to*
la viande *meat;* viande grillée *grilled meat*
la victoire *victory*
la vie *life*
vieux (vieil *before vowel*)/vieille *old*
le vignoble *vineyard*
la vigueur *strength*
la ville *town; city;* ville d'origine *birthplace*
le vin *wine*
vingt *twenty*
une vingtaine *about twenty*
le virement *(credit) transfer*
viser *to aim (at)*
visiter *to visit*
le/la visiteur/euse *visitor*
vital(e) (pl vitaux) *vital*
vite *fast, quick*
la vitesse *speed;* TGV: train à grande vitesse *French high-speed train*
vitré(e) *glazed*

la vitrine *shop window*
vivant(e) *living*
† vivre* (je vis, pp vécu) *to live*
le vocabulaire *vocabulary*
la vocation *vocation*
le vœu *wish*
la voie *track, route, road;* voie rapide *motorway*
voilà *there is/are;* voilà! *there it is! here you are!*
† voir (see p. 156) *to see*
le/la voisin(e) *neighbour*
la voiture *car;* voiture de tourisme *saloon car*
la voix *voice*
le vol *flight*
la volaille *poultry*
volontariste *voluntary*
la volonté *will*
volontiers *willingly*
voter *to vote*
votre (pl vos) *your*
le/la vôtre *yours*
† vouloir (see p. 155) *to want;* vouloir dire *to mean;* veuillez agréer... *please accept...*
vous *you*
le voyage *journey*
le/la voyageur/euse *traveller*
le voyant *(warning) light*
vrai(e) *true*
vraiment *truly, really*
vraisemblablement *in all likelihood*
la vue *view*

W

le week-end *weekend*

Z

le zéro *zero*
la zone *zone*